OS MÍMICOS

Obras do autor publicadas pela Companhia das Letras

Além da fé: Indonésia, Irã, Paquistão, Malásia — 1998
Um caminho no mundo
Uma casa para o Sr. Biswas
O enigma da chegada
Entre os fiéis: Irã, Paquistão, Malásia, Indonésia — 1981
Guerrilheiros
Índia — Um milhão de motins agora
Os mímicos

V. S. NAIPAUL

OS MÍMICOS

Tradução:
PAULO HENRIQUES BRITTO

2ª edição
1ª reimpressão

COMPANHIA DAS LETRAS

Título original:
The Mimic Men

Capa:
Angelo Venosa

Revisão:
Telma Domingues
Regina Maria Colonéri
Bráulio Mantovani

Dados Internacionais de Catalogação na Publicação (CIP)
(Câmara Brasileira do Livro, SP, Brasil)

Naipaul, V. S., 1932-
N149m Os mímicos / V. S. Naipaul ; tradução Paulo Henriques Britto. — São Paulo : Companhia das Letras, 1987.

ISBN 85-85095-32-6

1. Romance inglês. I Título.

87-1166 CDD-823.91

Índices para catálogo sistemático:

1. Romances : Século 20 : Literatura inglesa 823.91
2. Século 20 : Romances : Literatura inglesa 823.91

2001

EDITORA SCHWARCZ LTDA.
Rua Bandeira Paulista, 702, cj. 32
04532-002 — São Paulo — SP
Telefone: (11) 3846-0801
Fax: (11) 3846-0814
www.companhiadasletras.com.br

PRIMEIRA PARTE

1

Quando vim pela primeira vez a Londres, pouco depois do fim da guerra, passados alguns dias de minha chegada me vi numa pensão, ou ''hotel particular'', como era chamada, perto de Kensington High Street. O dono da pensão chamava-se sr. Shylock. Ele não morava lá, mas o sótão era reservado para ele; e Lieni, a zeladora maltesa, disse-me que de vez em quando ele passava a noite ali com uma jovem. — Essas moças inglesas! — exclamou ela. Lieni morava no porão com seu filho ilegítimo. Uma aventura ocorrida no início do pós-guerra. No espaço estreito entre o sótão e o o porão, entre o prazer e a penitência, moravam os pensionistas.

Eu pagava ao sr. Shylock três guinéus por semana por um quarto cheio de espelhos, em forma de livro, com pé-direito alto e um guarda-roupa que parecia um caixão. E em relação ao sr. Shylock, que todas as semanas recebia quinze vezes a quantia de três guinéus, que tinha uma amante e ternos feitos de tecidos tão finos que me davam a impressão de serem comestíveis, eu sentia uma profunda admiração. Ainda não conhecia as normas sociais de Londres, nem conhecia as fisionomias e cútis das terras setentrionais; assim, o sr. Shylock me parecia um homem distinto, como um advogado, empresário ou político. Ele tinha o hábito de pegar no lóbulo da orelha e inclinar a cabeça quando escutava alguém. Achei aquele gesto atraente e o imitei. Eu estava a par dos acontecimentos ocorridos recentemente na Europa; eles me angustiavam; e, embora estivesse tentando viver em Londres com sete libras por semana, eu oferecia ao sr. Shylock uma compaixão silenciosa e integral.

No inverno, o sr. Shylock morreu. Só fiquei a par do fato quando, através de Lieni, soube que ele fora cremado. Ela ficara indignada — e um pouco preocupada com o futuro — por não ter a sra. Shylock lhe comunicado o falecimento. Para mim, também, era inquietante o inesperado, a rapidez daquela morte londrina. Ocorreu-me inclusive que, até então, desde minha chegada a Londres, eu não pensara na morte, não assistira a nenhuma daquelas procissões fúnebres que, fizesse chuva ou sol, animavam todas as nossas tardes na ilha antilhana de Isabella. Então o sr. Shylock havia morrido. Apesar dos temores de Lieni, porém, a vida cotidiana da pensão não fora afetada. A sra. Shylock não deu as caras. Lieni continuou morando no porão. Duas semanas depois, ela me convidou para o batizado de seu filho.

Tínhamos de estar na igreja às três horas, e depois do almoço subi até meu quarto estreito para esperar. Fazia muito frio. O quarto foi ficando escuro e percebi que havia algo de estranho na luz do dia. Era uma luz morta que, no entanto, parecia conter uma lividez interior. Então começou a cair uma garoa estranha: eu via as gotas individualmente e as ouvia batendo no vidro da janela.

Ouvi passos nervosos de mulher subindo as escadas. Minha porta abriu-se de repente, e Lieni, metade do rosto lavado e branco, um pedaço de algodão sujo de maquilagem na mão, disse, ofegante:

— Achei que você ia gostar de saber. Está nevando.

Neve!

Revirando os olhos e apertando os lábios, ela passou o algodão nas faces — mão grande, dedos grandes, pedaço pequeno de algodão — e foi embora apressada.

Neve. Enfim, meu elemento. E eram flocos, leves partículas de gelo esmagado. Mais do que esmagado: gelo em caquinhos. Mas o mais fascinante era a luz. Fui até o corredor escuro e olhei pela janela. Depois fui subindo em direção à clarabóia, parando em cada andar para olhar a rua. O tapete chegou ao fim, a escada terminou numa galeria estreita. Acima de mim estava a clarabóia; abaixo, o poço da escada, cada vez mais escuro à medida que se aprofundava. A porta do sótão estava entreaberta. Entrei e me vi num quarto vazio, cheio de uma luz áspera e morta, como que fluorescente, que parecia artificial. Era um quarto frio, exposto e abandonado. As tábuas do chão eram nuas e ásperas. Um colchão colocado sobre jornais poeirentos, uma colcha gasta de baetilha azul, uma escrivaninha bamba. Nada mais.

Diante da janela — caixilhos tortos, tinta descascando: tão frágil esta mesma estrutura que, lá embaixo, parecia tão sólida — senti a luz morta em meu rosto. Os flocos não apenas flutuavam como também rodopiavam. Encostavam no vidro e fundiam-se numa camada de gelo semiderretido. Sob o céu de um cinzento lívido, os telhados estavam brancos, com trechos negros reluzentes. O local que tinha sido atingido por um bombardeio estava totalmente branco; cada arbusto, cada garrafa, caixa e lata jogada fora era claramente visível. Agora eu já vira. Mas o que fazer com uma beleza tão perfeita? E, olhando para os fios de fumaça pardacenta que subiam de feias chaminés, para a parede remendada da casa ao lado do local do bombardeio, cheia de escoras e esteios, naquele quarto vazio com um colchão no chão, senti toda a magia da cidade evaporar-se, e intuí a desesperança da própria cidade e das pessoas que nela viviam.

Um colchão, uma escrivaninha. Teria havido outras coisas ali antes da morte do sr. Shylock? Um homem tão distinto, tão bem vestido; e este quarto era o cenário de seu prazer. Abri a gaveta da escrivaninha. Uma carteira de identidade, de bordas gastas. Do sr. Shylock: sua assinatura nítida. Uma fotografia amassada de uma moça rechonchuda, de saia de lã e blusão. A mão do fotógrafo havia tremido, de modo que a fotografia, como essas fotos de grandes acontecimentos que são publicadas nas revistas, parecia rara, como se fosse de uma pessoa que nunca mais seria fotografada. Um rosto inocente, sem nada de especial, despido do fascínio que a devassidão e a palavra "amante" deveriam emprestar-lhe. A moça estava num jardim dos fundos de alguma casa. A casa atrás dela era semelhante às da vizinhança. A casa da moça: tentei penetrá-la na minha imaginação, recriar o momento — talvez uma tarde de domingo, num verão qualquer, pouco antes do almoço — em que a foto fora tirada. Certamente não pelo sr. Shylock. Talvez o irmão, o pai, a irmã? Fosse como fosse, ali terminara aquele momento, aquele impulso de afeto, num quarto abandonado entre as chaminés de um lugar que, para a moça no jardim, deveria parecer um país estrangeiro.

Achei que devia ficar com a foto. Acabei, no entanto, deixando-a no lugar onde a havia encontrado. Pensei: que isto nunca aconteça comigo. A morte? Mas disso ninguém escapa. Bem, então que eu deixe mais que isso neste mundo ao morrer. Que minhas relíquias sejam veneradas. Que eu não venha a ser alvo de zombarias. Entretanto, no exato momento em que eu exprimia em palavras meus sentimentos, me dei conta de que minha viagem, embora ainda bem no início, havia terminado no naufrágio que eu vinha tentando evitar durante toda a vida.

Um início melancólico. Não poderia ter sido diferente. Isto aqui não são as minhas memórias políticas que, durante minha carreira pública, eu imaginava vir a escrever na serenidade do inverno de minha vida. Uma obra mais que autobiográfica, em que eu revelaria a angústia de nossos tempos, através do exemplo iluminador da minha experiência pessoal e com base no conhecimento das possibilidades que só se adquire quando se está próximo ao poder. Mas eu dificilmente poderia escrever uma tal obra agora. É bem verdade que escrevo com serenidade. Não é esta, porém, a serenidade que eu teria escolhido. Pois estou longe de ter chegado ao inverno de minha vida, tenho apenas quarenta anos, e minha carreira pública já está acabada.

Sei que voltar para minha ilha e minha vida política é impossível. O ritmo dos eventos na colônia é intenso e o poder dos líderes, efêmero. Já fui esquecido; e sei que as pessoas que me substituíram estão prestes a, por sua vez, serem substituídas. Minha carreira nada teve de fora do comum. Foi até bem típica. A carreira do político colonial é curta e tem um fim brutal. Falta-nos ordem. Acima de tudo, falta-nos poder e não compreendemos que nos falta poder. Confundimos palavras e a proclamação de palavras com poder; assim que pagam para ver, vê-se que é puro blefe e estamos perdidos. Para nós, a política é um empreendimento de vida ou morte, de tudo ou nada. Uma vez que nos empenhamos, nossa luta é mais que política; muitas vezes a expressão "luta de vida ou morte" tem o sentido literal. Nossas sociedades improvisadas, de transição, não amortecem os choques. Não há universidades nem instituições financeiras onde possamos descansar e nos distrair depois do calor da batalha. Para os que perdem — e quase todo mundo acaba perdendo — só resta uma saída: o exílio. O exílio para o grande caos, o grande vazio: Londres e os condados adjacentes.

Há muitos que, como eu, vivem com simplicidade e incógnitos em casinhas geminadas nos subúrbios. Nas manhãs de sábado, saímos para fazer as compras na Sainsbury's e caminhar na multidão. Já conhecemos grandezas que vão muito além dos sonhos prosaicos de nossos vizinhos; no entanto, nos bairros pequeno-burgueses em que estamos confinados, somos considerados imigrantes. A sociedade pacífica tem suas crueldades. Depois que um homem é destituído de suas dignidades, ele é obrigado não a morrer ou fugir, mas a encontrar seu nível. De vez em quando leio uma carta ao *Times*, um comentário sobre uma questão momentosa proveniente de um endereço modesto; reconheço um nome e sinto uma empatia profunda pela ânsia daquela alma acorrentada em desespero. Um dia desses, eu estava no West End, no subsolo de uma dessas lojas de departamentos em que os balconistas andam com crachás de plástico com seus nomes. Eu estava na seção de móveis de cozinha sem pintura. Pedi um secador de roupa de madeira dobrável, para colocar à noite no banheiro do hotel onde estou morando agora. A balconista estava de costas para mim. Aproximeime. Ela virou-se. Seu rosto me pareceu familiar e, quando olhei de relance para o crachá, todas as dúvidas desapareceram. Havíamos nos encontrado pela última vez numa conferência de nações não-alinhadas; seu marido fora um dos oradores mais incendiários. Nós nos víramos na roda-viva de festas e jantares. Nessas ocasiões, ela usava o "traje nacional" de seu país. Aquelas roupas lhe emprestavam uma aparência sedutora, e as cores das sedas destacavam o bronzeado de sua tez asiática. Agora a saia e a blusa padronizadas da loja transformavam seus seios e quadris em volumes amorfos. Lembrei que, ao nos despedirmos no aeroporto, o terceiro secretário de sua embaixada, quebrando o protocolo meticuloso da ocasião, viera correndo no último instante com um buquê e o entregara a ela, um presente oferecido por um homem que queria desesperadamente continuar trabalhando na carreira diplomática, que temia ser obrigado a voltar ao tédio de sua vida passada. Agora eu via aquela mulher entre os móveis de cozinha sem pintura. Não consegui encará-la. Desisti da compra, rezando para que ela não me reconhecesse, e me afastei.

Mais tarde, no trem, passando pelos fundos de casas altas e encardidas, galpões caindo aos pedaços, cortiços proletários da era vitoriana cujos jardins, há muito abandonados, haviam se transformado em quintais de casas antilhanas, comecei a pensar no orador incendiário. Estaria agora curtindo saudades em algum escritório, com o rabo entre as pernas? Ou estaria, deprimido demais para arranjar emprego, vegetando numa varanda suburbana, vivendo com uma renda miserável? Muitos de nós, é preciso que se diga, somos pobres. Conseqüências destas matérias de um só parágrafo que vemos, vez por outra, na seção de economia do jornal, e que noticiam a falência de algum banco suíço obscuro. Mas não se deve dar uma importância indevida a este fato. Na maioria dos casos, fomos tímidos demais, ou ignorantes demais, para fazer fortuna; medimos tanto nossas oportunidades quanto nossas necessidades com base nos sonhos que tínhamos antes, no tempo em que não éramos ninguém.

Fala-se no pessimismo dos jovens como se fala no ateísmo e na revolta: é coisa que passa com a idade. No entanto, menos de vinte anos depois da morte do sr. Shylock, com esta viagem a Londres que, creio, será a última, pondo ponto final à experiência e à atividade que me couberam, meu estado de espírito atual salta por cima de todos os anos e todas as minhas vindas subseqüentes a esta cidade — por cima das limusines, dos hotéis, dos funcionários prestativos, do retrato de Jorge III em Marlborough House; salta por cima do meu casamento e das minhas atividades comerciais —, por cima disso tudo, e se funde com aquela primeira sensação que experimentei no sótão do sr. Shylock, de modo que tudo aquilo que aconteceu de lá para cá parece ter ficado entre parênteses. O que é real? Essa disposição de espírito ou as ações que ocorreram neste intervalo, que dele resultaram e a ele conduziram outra vez?

Vi pela última vez a pensão do sr. Shylock alguns anos atrás. Não estava procurando por ela; o ministro com quem eu estava jantando morava nas proximidades. A porta da frente, com pesadas almofadas, protuberâncias e dois vidros trabalhados, havia sido substituída por uma porta lisa, esmaltada de lilás, na qual o número da casa estava pintado por extenso, com letras cursivas. Parecia a entrada de uma loja de *lingerie*. Não senti muita emoção: aquela parte da minha vida já havia terminado e já fora colocada em seu devido lugar. Não sei se hoje em dia eu reagiria com tanta indiferença. Mas Kensington não é o bairro em que moro, e tampouco costumo passar por lá. Está um pouco superpovoado e, a meu ver, caro demais. Além disso, virou um centro de agitação racial, e atualmente não tenho vontade de me envolver em lutas que são irrelevantes para mim. Não quero mais compartilhar da angústia dos outros; falta-me preparo para isso. Chega de palavras; bastam essas que escrevo. Nelas, o político, o camelô de causas, transparecerá o mínimo possível. Não será difícil omiti-lo. Já cansei de escrever sobre política. A vontade que sinto agora, nesta inatividade que me foi imposta, é de garantir o vazio final.

Já vi neve muitas vezes. Sempre fico fascinado, mas não acho mais que a neve seja o meu elemento. Não sonho mais com paisagens ideais, nem tento me apegar a elas. Todas as paisagens terminam virando terra; o ouro da imaginação acaba sendo o chumbo da realidade. Eu não seria capaz de morar, como o fazem tantos dos meus colegas de exílio, em uma casa geminada num subúrbio; não seria capaz de fingir, nem mesmo para mim, que faço parte de uma comunidade ou estou criando raízes. Prefiro a liberdade deste meu hotel num subúrbio longínquo, a ausência de responsabilidade; gosto desta sensação de provisório. Estou cercado de casas semelhantes à que vi na fotografia que encontrei no sótão do sr. Shylock, e aquele arroubo sentimental agora me envergonha. Hoje raramente vejo aquelas casas, e nunca penso nas pessoas que moram nelas. Não tento mais encontrar beleza nas vidas mesquinhas dos oprimidos. Odeie a opressão; tema os oprimidos.

O batizado estava marcado para as três horas. Quando faltavam cinco para as três, desci ao quarto de Lieni. Estava mais bagunçado do que de costume: uma mixórdia de artigos de costura sobre o consolo da lareira, juntamente com contas, calendários e maços de cigarros vazios; roupas em cima da cama, do linóleo, do berço; jornais velhos; uma máquina de costura coberta de fiapos de pano. Pela janela gradeada, via-se o jardinzinho dos fundos, normalmente negro, agora branco: estavam cobertos de neve o capim, o plátano de galhos nus, o muro alto de tijolos. Aquela paisagem parecia aumentar a umidade do quarto e acentuar o caos. Mas o bebê estava pronto, e Lieni, lixando as unhas em frente ao espelho ornado que havia sobre o consolo, estava limpa, lustrosa, quase pronta. Aquela transformação sempre me atraía. Lieni costumava falar na "moça londrina elegante", uma expressão que eu a ouvira usar pela primeira vez numa discussão com o fascista e outras pessoas — a maioria das quais falava em tom de reprovação — a respeito do casamento de uma moça inglesa com o chefe de uma tribo africana. Lieni se considerava uma moça londrina elegante; e sempre que saíamos juntos, às vezes acompanhados do jovem engenheiro indiano que ela namorava, Lieni dedicava boa parte do seu tempo à criação deste personagem, a moça londrina elegante, quer fôssemos ao restaurante italiano barato do quarteirão, quer fôssemos ao cinema, que ficava bem mais longe. Ela parecia considerar isto uma obrigação que a cidade lhe impunha, mais do que algo que fazia em seu próprio interesse.

Os convidados do batizado estavam reunidos na antesala do porão. Como já passava das três, começavam a entrar no quarto para fazer perguntas e lembrar Lieni da hora. Ela os tranqüilizava, e eles ficavam no quarto para conversar. Havia um casal que tinha vindo do interior. Eu já os conhecia. A mulher era italiana, tinha lembranças terríveis da guerra e particularmente da ganância dos padres. O homem era inglês, o mais baixinho de todos os ingleses que eu já vira. Aquele amor surgido durante a guerra e os filhos que dele resultaram lhe haviam emprestado certa autoconfiança; seus olhos, no entanto, permaneciam sombrios e marcados pelo sofrimento. Sua segurança recém-adquirida lhe permitia considerar-se uma espécie de protetor de Lieni; aliás, ia ser o padrinho. Estava também presente uma senhora italiana de meia-idade que eu jamais vira antes. Tinha queixo quadrado, olhos muito cansados e movimentos lerdos. Segundo Lieni, tratava-se de uma condessa, freqüentadora da alta sociedade de Nápoles; em Malta ela fora uma vez a um baile ao qual a princesa Elizabeth estivera presente. — A condessa está pensando em comprar esta porcaria deste prédio — disse Lieni, empregando um termo de gíria americana que casava bem com seu sotaque italiano. Sorri para a condessa e ela me dirigiu um sorriso cansado em resposta.

Por fim, estávamos prontos. O inglês baixinho saiu apressado para chamar um táxi. Logo em seguida, Lieni, agora impaciente, levou-nos até a entrada do prédio para ficarmos esperando. A rua já estava enlameada e úmida. Mas ainda havia neve branca sobre as colunas do pórtico, tapando o nome do hotel. Pouco depois chegou o táxi; o inglês baixinho vinha dentro, com um sobretudo que o tornava ridiculamente pequeno, porém muito ativo e inquieto. A igreja não era longe. Chegamos lá por volta das três e vinte. Na verdade, não chegamos atrasados. Ninguém estava pronto para o batizado. A igreja havia sido bombardeada e o batizado ia ser num anexo. Ficamos sentados numa ante-sala improvisada, na companhia de outras mães com bebês, e esperamos. Lieni, enchapelada, sorria sem parar: a moça londrina elegante. Um bebê guinchava. Havia uma caixa de velas com um cartão: *Velas 2 pence*. Duas meninas foram até a caixa, colocaram moedas dentro dela, acenderam velas e puseram-nas num castiçal. A mãe das meninas olhou sorridente para todos os presentes, pedindo que testemunhassem e aprovassem o ocorrido.

Às três e meia um homem com barba por fazer e colarinho sujo entrou apressado e perguntou:

— Batizado?

— É, é — disseram as mães.

O homem saiu de novo e reapareceu um segundo depois.

— Quantos, quantos? — Ele próprio contou os bebês e disse: — Três.

Desapareceu mais uma vez, voltou tão rapidamente quanto antes, abriu a porta e pediu-nos que o seguíssemos. Subimos a escada, cheia de castiçais, velas a dois *pence*, e chegamos a uma sala espaçosa com paredes de cor ocre. O homem pegou uma bata que estava pendurada num gancho e vestiu-a com dificuldade. Entrou um padre silencioso e sorridente. Foi até uma prateleira, pegou uma estola roxa com cruzes douradas e a dispôs cuidadosamente sobre os ombros. O homem barbado zanzava de um lado para o outro, procurando os três padrinhos para lhes dar cartõezinhos com invólucros transparentes e lustrosos. Começaram os batizados. Finalmente, chegou a vez do bebê de Lieni.

— John Cedric, que pedes tu à Igreja? Diga "fé".

O padrinho não gostou que lhe tivessem dito a resposta. Procurou no cartão que lhe fora entregue, e só então disse:
— Fé.

— O que lhe oferece a fé? Diga "a vida eterna".

— Eu sei, padre. A vida eterna.

O padre abençoou o bebê com sua saliva e seus dedos. Com o nariz, fez o sinal-da-cruz sobre a criança. Se não me engano — já não me lembro com muita nitidez dos detalhes da cerimônia — houve um momento em que ele pôs uma pitada de sal na boca do bebê. John Cedric fez uma careta e mexeu com a língua. Através de seu padrinho, ele renunciou ao demônio e suas obras e aceitou a Deus; e, logo, a cerimônia estava acabada. No final, Lieni foi ficando séria. Estava quase chorando quando se aproximou do padre e — creio eu — lhe ofereceu dinheiro; a oferta não foi aceita. Não era mais a moça londrina elegante, e, pela primeira vez naquela tarde, me dei conta de que Lieni era mãe solteira. Coube ao minúsculo padrinho levantar nosso moral no táxi, e até mesmo Elsa, sua mulher, cujo anticlericalismo era radical, concordou que fora uma bela cerimônia de perdão.

Depois, haveria uma festa. Lieni havia convidado todos os seus amigos. Por volta das seis, começaram a chegar; alguns estavam vindo direto do trabalho. Lieni estava na cozinha, com sua elegância parcialmente anulada por um avental imundo. O padrinho atuou como anfitrião na ante-sala. Entrou um grupo de malteses com capas de chuva, molhados, falando num tom lúgubre em inglês e em seu idioma nativo. Tive a impressão de que estavam falando sobre trabalho e dinheiro e o preconceito atual dos londrinos, para quem todo maltês era traficante de escravas brancas. A condessa sorria para todos e falava pouco. Johnny, o fascista, veio acompanhado da mulher. Trajava sua camisa preta, sinal de que estivera ''militando'' em algum bairro. Sua mulher estava bêbada, como sempre. Todos os malteses o receberam com manifestações de simpatia.

— Johnny! Onde que você andou militando hoje, rapaz?

— Notting Hill Gate — respondeu Johnny. — Não tinha muita gente, não.

— É esse tempo — disse um dos malteses.

— A patroa ficou enchendo a cara lá no Coach and Horses — disse Johnny, com sua costumeira expressão de irritação paciente, como se isto fosse uma explicação melhor. A patroa em questão, ouvindo que falavam dela, pestanejou e tentou endireitar-se na cadeira. Desceram outros moradores da pensão. A moça do Quênia e o namorado dela, um alcoólatra louro e apatetado, incapaz de formar frases mais longas, que compensava esta deficiência com um sorriso fixo nos lábios e gestos extremamente polidos; o estudante birmanês, sorridente e mudo; o rapaz judeu, alto e vestido de negro, como um profeta; o jovem *cockney* * de óculos, o qual, segundo Lieni, tinha problemas tanto com suas duas amantes italianas quanto com a polícia; o francês de Marrocos que trabalhava o dia inteiro em seu quarto, mantido a uma temperatura marroquina graças a um fogão a parafina, traduzindo em alta velocidade romances policiais americanos — ele completava um ou dois por mês. Sempre era bom ver aquelas pessoas, figuras conhecidas no anonimato da cidade. Mas elas sempre se apresentavam assim: personagens estereotipadas, que ofereciam versões simplificadas de si próprias. Fora do grupo de malteses, a conversação era difícil.

(*) Habitante do East End de Londres, que fala um dialeto característico. (N. T.)

Ficamos sentados esperando por Lieni, cuja voz ouvíamos vinda da cozinha.

Chegou o irmão de Lieni. Havia tirado uma folga no restaurante do West End em que trabalhava como garçom. Era pálido e bonito, e estava cansado. Falava pouco inglês. Lieni entrou com um balde cheio de carvão. No começo o quarto estava frio, agora estava ficando um pouco quente demais. Jogando carvão sobre o fogo, diminuindo um pouco o calor, Lieni disse ao irmão:

— Rudolfo, conte para eles aquela vez que eu pedi para você comprar uma folha de papel.

Rudolfo apertou os lábios e fez um gesto de impaciência, como fazia toda vez que lhe pediam para contar esta história. O próprio gesto provocou risadas. Então veio a história. Rudolfo, recém-chegado a Londres, sem falar praticamente nada de inglês, foi comprar uma folha de papel a pedido da irmã: era preciso escrever uma carta importante. Foi até a livraria W. H. Smith e pediu *a sheet paper*; o balconista, impassível, encaminhou-o à farmácia Boots, e Rudolfo chegou em casa, bufando de raiva, com um rolo de papel higiênico.*

A patroa de Johnny foi pendendo para a frente e caiu de cara no chão, sem dar um ai. Johnny, como se já estivesse acostumado com esse tipo de coisa, primeiro endireitou-lhe as roupas e depois carregou-a para fora do quarto.

— Oi, Johnny!

Era Paul, que entrava no momento em que Johnny e a patroa saíam. Já tínhamos ouvido seus sapatos esmagando o gelo e as cinzas na escada do porão. Paul era baixo, atarracado, quase calvo e usava óculos. Era meigo; falava um

(*) A pronúncia defeituosa de Rudolfo fez com que o balconista entendesse *shet paper*, literalmente "papel merda". (N. T.)

inglês melífluo; era homossexual. Nos aposentos de Lieni, era este o ''personagem'' que ele representava. Gostava de usar avental e fazer trabalhos domésticos. Gostava de varrer o chão, amontoar a sujeira e, antes de jogá-la fora, admirar sua quantidade. Gostava de alisar toalhas de mesa e lençóis; com freqüência era visto passando roupa. A primeira coisa que fazia sempre que visitava Lieni era horrorizar-se com a bagunça e começar a varrer. Foi o que começou a fazer agora. Saiu para pegar sua vassoura e seu avental. Lieni voltou com ele, trazendo mais um balde de carvão para alimentar o fogo, que já estava beirando o insuportável.

— Coitado do Johnny — disse Paul.

— Conte pra eles, Paulo — disse Lieni.

Paul fez uma careta.

— Vamos, Paulo. Conte pra eles, um peito pra cá, outro...

Os malteses melancólicos riram.

— Um dia fui lá na casa do Johnny, sabe — disse Paul, imitando o falar de Johnny. — Os dois estavam dormindo. A patroa estava nuinha. Só isso.

— Deixe disso — disse Lieni. — Conte o resto.

— Ela estava dormindo, sabe. E estava nuinha. E... um dos peitos estava virado pra cá e o outro pra lá. — Torceu o nariz e fez uma cara típica de nojo.

A maioria das pessoas estava entorpecida de calor. O jovem alcoólatra distribuía cigarros mecanicamente. O francês permanecia sentado, absorto e perfeitamente imóvel, com a túnica militar americana que sempre usava na pensão. Elsa e o marido entravam e saíam da cozinha. A condessa não parava de sorrir. Não sei o que Lieni estava preparando para nós, mas ela não queria de jeito nenhum que estragássemos nossos apetites com aperitivos. Não nos ofereceu mais nenhuma história; porém, toda vez que entrava, com mais um balde de carvão, ela parava para nos fazer cantar, dançar ou jogar algum jogo. Obedecíamos; sentíamos um calor cada vez maior. No final, estávamos todos encostados nas paredes úmidas.

Tocou a campainha do porão. Lieni correu até o corredor. Ouvimos vozes. Uma delas era de homem, discreta: imaginamos que devia ser o tal engenheiro. Ficamos esperando que ela o fizesse entrar. Ele era tímido e falava pouco inglês, mas de certa forma a festa era dele, também. Esperamos. A porta do quarto fechou-se; depois a porta foi trancada. Ouvimos passos no corredor; a porta do porão abriu devagarinho e fechou devagarinho; e ouviram-se passos subindo a escada lá fora, pisando as cinzas e a neve congelada como se fossem folhas secas. Lieni não voltou.

Elsa nos explicou o que aconteceu. O engenheiro trouxe sua roupa para lavar, como de costume. Uma vez, no aniversário de Lieni, ele havia deixado um presente, uma jóia, no bolso de seu paletó branco; e não dissera nada. Agora Lieni, ao pegar a roupa, examinou os bolsos do paletó. Encontrou uma carta. Viera da casa do engenheiro, na Índia; ele era casado e tinha filhos. Talvez fosse um ato deliberado de crueldade, ou de bravura; talvez fosse esquecimento. O engenheiro não negou nada; não tentou se defender nem tranqüilizar Lieni. Quando Lieni se trancou no quarto, limitou-se a pegar suas roupas de volta e ir embora.

Foi o fim da festa. Um por um e aos pares, os malteses e os pensionistas foram saindo. Rudolfo voltou para seu restaurante. Johnny tentava fazer sua mulher recuperar a consciência; estava tendo sucesso; ela já começava a protestar ruidosamente. Elsa e o marido estavam se preparando para voltar para o interior. Lieni continuava trancada no quarto, isolando-se do caos do qual, algumas horas antes, ela havia emergido como a moça londrina elegante. A condessa, sentada, observava. Paul, ainda de avental, limpava a sala e oferecia comida.

Fui a um baile no Conselho Britânico, em Davis Street. Comecei a flertar, meio de brincadeira, com uma moça francesa entediada. Estas conversas com mulheres francesas sempre me cansavam. Fosse como fosse, no final preparei-me para fazer o que ela esperava de mim.

— Você dança? — perguntei.

Imediatamente ela levantou-se. Foi então que o impulso da crueldade surgiu do nada e se apossou de mim. Respondi:

— Pois eu não danço.

E saí. Atravessei o parque. A neve estava dura sob meus sapatos; constatei, atônito, que, apesar do frio, eu estava com sede.

Naquela noite, eu já estava deitado quando ouvi alguém chorando do lado de fora de meu quarto. Era Lieni, de olhos vermelhos, no corredor frio. Deixei-a entrar. Sentei-me na beira da cama e peguei-a no colo. Ela não era pequena, e comecei a pensar menos em sua infelicidade do que em seu peso e na pressão de seus ossos sobre minha carne. Eu imaginava onde iam terminar aquelas lágrimas. Mas eu não queria. Sacudi minhas pernas dormentes; ela agarrou-se a meu pescoço. Pus-me de pé e ela escorregou para o chão. Sentou-se na poltrona e chorou, batendo com os dedos compridos nos braços estofados da poltrona. Disse-lhe que parasse com aquele barulho; ela começou a chorar mais alto ainda. Pedi-lhe que fosse embora. Para minha surpresa, ela levantou-se e saiu sem dizer palavra. Senti-me ridículo e sem graça. Uma vez ela me dissera que em maltês Lieni correspondia a Helena, e acrescentara: — Você já viu uma Helena tão gorda assim? — Mas ela não era gorda. Pensei nos acontecimentos do dia; pareciam muito distantes. Resolvi procurá-la. Desci a escada escura; passei pelo andar térreo com seu cheiro frio de mofo, onde ficavam as salas comuns que ninguém usava; cheguei ao porão, com seus cheiros de cozinha, de bebê e de carvão. Havia uma luz fraca acesa no quarto de Lieni, que iluminava o bastante para eu ver, através do vidro fosco, as roupas penduradas atrás da porta. Rodei a maçaneta, a porta se abriu. Um caos de luz fraca e sombras densas: roupas, papéis, caixas, bacia, berço, máquina de costura, armário. Lieni estava deitada na cama, dormindo a sono solto.

Foi assim minha primeira nevada.

2

Tinham razão nossos ancestrais arianos quando criaram deuses. Buscamos sexo, e tudo que conseguimos são dois corpos individuais numa cama maculada. O sonho erótico maior, o deus, nos escapou. É o que acontece toda vez que, saindo de dentro de nós mesmos, procuramos extensões de nossos seres. Ocorre com as cidades o mesmo que se dá com o sexo. Procuramos a cidade física, e só encontramos um conglomerado de células individuais. Na cidade, mais do que em qualquer outro lugar, percebemos que somos indivíduos, unidades. A idéia da cidade, porém, permanece; é o deus da cidade que buscamos, em vão.

Assim, rapidamente, Londres perdeu o encanto para mim. A grande cidade, centro do mundo, na qual, fugindo da desordem, eu esperava encontrar o início da ordem. O aspecto físico da cidade me havia prometido muito. A maravilha daquela luminosidade difusa, sem sombras, sempre protetora. Fala-se da luz dos trópicos e do sul da Espanha. Mas não há luz como a da zona temperada. Era uma luz que dava solidez a tudo e extraía cor do âmago dos objetos. Eu, que vinha dos trópicos, onde a noite substituía o dia abruptamente, achava o crepúsculo uma coisa nova e encantadora. Do quarto de Lieni, entulhado de móveis, eu examinava a luz, sem querer perder sequer uma nuança daquela transição. A luz desaparecia lentamente; restava um toque de azul que se adensava, de modo que, antes que as luzes elétricas começassem a exercer seu efeito, o mundo parecia completamente aquoso, e era como se estivéssemos no fundo do oceano. Depois, à noite, o céu era baixo; caminhava-se como se debaixo de um toldo; e todas as luzes artificiais da cidade, cujo brilho nos dava a impressão de ter sido capturado, ardiam intensamente; e às vezes as ruas molhadas contribuíam com seu resplendor.

Então era isto a cidade, o mundo. Eu esperava que o florescimento viesse a mim. Os bondes no Embankment emitiam fagulhas azuis. A superfície do rio estava áspera, riscada de reflexos de luz azul, vermelha e amarela. Que emoção! O coração daquilo tudo devia estar em algum lugar. Mas o deus da cidade era arisco. O bonde estava cheio de indivíduos, cada um voltando a sua célula. As fábricas e armazéns, cujas luzes enfeitavam o rio, eram estruturas vazias e fraudulentas. Eu recitava os nomes famosos enquanto caminhava pelas ruas vazias e pontes. A magia dos nomes, porém, logo se esvaía. Lá estava o rio, a ponte, aquele prédio famoso. Mas o deus estava velado. Minha ladainha de nomes não tivera resposta. Na grande cidade, tão sólida naquela luz, que dava cor até ao concreto nu — para mim, algo tão incolor quanto cercas de madeira podre e telhados novos de ferro corrugado —, nesta cidade tão sólida,a vida era uma coisa bidimensional.

Nas salas de aula, um jovem estudante inglês, devido a sua insegurança, se apegara a mim, por ser eu um forasteiro. O cachecol da universidade o protegia agora; mais tarde, ele não escaparia da obscuridade. Mas eu o ouvia. O objeto de sua ambição mudava sempre. Uma semana, era a poesia. Ele tinha um sentimento — dizia —, que ele não me achava capaz de compreender, em relação às paisagens do interior da Inglaterra. Um de seus versos, lembro-me, era "o verde vicejante das vergônteas". Na semana seguinte, era a filosofia. — Diga-me, eu *pareço* ser cristão? É mesmo? Ah-ah! Isso é o que *todos* pensam. — E, na semana seguinte: — Olhe para mim. Você acha que vou chegar a ser primeiro-ministro? — Ele era como eu: precisava do olhar do outro para se orientar.

Das salas de aula e da cantina da Escola até a pensão, onde o francês não largava a máquina de escrever, Lieni não parava de falar em seu quarto no porão, e Duminicu, também maltês, falava em fugir. Duminicu era baixo e gordo, trabalhava numa loja de departamentos, economizava dinheiro. Uma vez por semana ia ao cinema; fora isso, ficava em seu quarto, só de camiseta e calças, lendo jornais e revistas e fazendo palavras cruzadas. Muitas vezes jantava carne ou peixe enlatados, comendo direto na lata com uma faca. Dizia que lá em Malta sua família era de certa distinção, e não se dava com Lieni, que considerava socialmente inferior. Não gostava do jeito como ela lhe dava ordens em Londres. No entanto, não ia embora. Reagia contra as humilhações que lhe impunham por meio da cleptomania. Vivia roubando coisas das lojas e tinha sempre alguma bagatela nova para mostrar. Dizia então: — Não sou como certas pessoas que eu conheço, que compram uma coisa por cinco xelins e depois saem por aí dizendo que custou quinhentos xelins. Vou ser sincero com você: isso aqui eu roubei, mesmo.

E do porão aos salões do Conselho Britânico. Praticando meu francês, sendo obrigado a manter difíceis conversações sobre assuntos banais, nem sempre captando as sutilezas, com uma série de moças e mulheres, domésticas que diziam — e talvez fosse mesmo verdade — que eram de boas famílias. Tentativas hilariantes de pronunciar o *o* riscado do norueguês com moças da Noruega, e o *jota* sueco com suecas. Todos os preparativos para o convite ao cinema, o quarto em forma de livro, as carícias desajeitadas em seios cobertos por roupas, os lábios primeiro relutantes, depois oferecidos, a expressão intensa da jovem que se prepara para ser cortejada.

Em Londres, eu não tinha guia. Não havia ninguém que ligasse meu presente a meu passado, ninguém que percebesse minhas coerências e incoerências. Cabia a mim escolher meu personagem, e escolhi o que era mais fácil e mais atraente. Eu era o dândi, o rapaz extravagante vindo da colônia, que não ligava para os estudos. Na verdade, minha renda era pequena, e eu só me permitia viver com metade dela; acho que não seria capaz de me sentir feliz gastando dinheiro sem ganhar nenhum. Mas fazia questão de dizer que, na minha ilha, minha família era dona da distribuidora de Coca-Cola. Esta informação causava menos impacto do que eu esperava. Mas o respeito com que me tratavam os rapazes de minha ilha — para quem este dado era importante — ajudava, como também ajudava o fato de Lieni aceitar meu jogo. Lieni. Eu não tinha guia, disse ainda há pouco; e era esta a impressão que eu tinha na época. Mas lá no porão estava Lieni. Eu a via diariamente. Pensava que ela tivesse aceito o personagem como tal e apenas quisesse acentuá-lo. Entretanto — isto agora me parece óbvio — foi ela que, por meio da sugestão e da lisonja, criou o personagem do rapaz rico da colônia. A pessoa se torna aquilo que vê de si mesma nos olhos dos outros. Ela fingia que eu era mais rico do que dizia ser. Conscientizou-me de minha própria beleza, na qual eu antes nunca atentara muito, contentando-me em saber apenas que não era nenhum monstrengo. Foi Lieni que disse que meus olhos eram perturbadores, e meus cabelos negros, abundantes e muito macios eram mais perturbadores ainda. Foi Lieni que me levou de loja em loja e escolheu minhas roupas, e sugeriu a faixa vermelha. Para ela, o ponto de partida era a guerra, e o fascínio da guerra, que ia diminuindo com o passar do tempo, cada vez se concentrava mais na lembrança de um romance com um oficial indiano na Itália. Foi assim que ela explicou o interesse que sentia por mim. Era desconcertante e, ao mesmo tempo, curiosamente lisonjeiro, ser estimado como substituto; além do mais, isto não me impunha qualquer obrigação. Tornei-me aluno aplicado de Lieni.

Tornou-se um prazer para mim me preparar para uma noite no Conselho Britânico e, braços ligeiramente levantados, atar a faixa à cintura. Fazia movimentos exagerados ao dançar quando tinha platéia — algum estudante pobre, por exemplo, meu conterrâneo, que, buscando companhia, viera me expor seus problemas, e que agora, eu percebia, estava desesperado com minha frivolidade. Foi Lieni que disse que eu devia gastar meia coroa duas ou três vezes por semana para chegar de táxi na Escola, tendo percorrido a maior parte do caminho em algum meio de transporte coletivo. Era Lieni que me vestia, aprovava e me despachava para minhas conquistas. Eu adorava desempenhar este papel e percebia que o pessoal de Isabella, que apreciava a elegância, que tolerava o que lhe parecia absurdo, chegando a admirá-lo se fosse feito com classe — o pessoal de Isabella me aprovava. Eu exagerava o papel que eles admiravam. — Meu caro — disse eu a um rapaz que, com cachecol da sua universidade, estava saindo de uma casa de chá barata —, meu caro, nunca mais, mas nunca *mesmo*, quero ver você saindo deste lugar. E lembre que o seu cachecol da universidade só serve para engraxar sapatos. — É claro que não foi exatamente isso que devo ter dito; provavelmente fiz apenas um gracejo qualquer. A versão acima foi a que circulou em Isabella alguns anos depois, quando eu havia me tornado uma espécie de celebridade local. E devo confessar que fiquei satisfeito ao constatar que o personagem criado por Lieni havia se tornado, ainda que em escala modesta, uma lenda.

Lieni, no entanto, com aquela visão limitada de mundo, própria das mulheres, queria que eu conquistasse. Ela queria compartilhar de minhas conquistas, ou ao menos testemunhá-las; queria que eu levasse mulheres para a pensão. E, porque ela o queria, eu o fazia. Não era difícil. Nos salões do Conselho Britânico sempre havia mulheres disponíveis. Às vezes o ambiente era desagradável, cheio de africanos de sotaques ásperos com colarinhos brancos muito engomados e óculos com armações de ouro, cultivando seus ressentimentos raciais como se fossem virtudes e buscando sua recompensa sexual entre jovens que não tinham nenhuma culpa. Mas eu preferia os salões do Conselho Britânico aos da Escola. Não conseguia dissociar aquelas bolsistas sérias de suas famílias, do rancor e das ambições mesquinhas que lhes haviam incutido; eu conhecia o idioma delas muito bem. Para mim, era melhor me relacionar com alguém cuja língua eu não falasse. Às vezes eu trocava os salões do Conselho Britânico pelas galerias de arte. Com amplas salas interligadas, fácil pretexto para andar para trás, para frente e para os lados quantas vezes fosse necessário, as galerias me pareciam ser a melhor zona de caça que havia. Infelizmente, eu não fora o primeiro a perceber este fato. Já os trens das excursões a centros culturais do interior constituíam — orgulho-me de dizer — uma descoberta minha, inteiramente original.

Assim, por exemplo, naquela época havia um trem para Oxford todas as quartas-feiras. Saía da estação de Paddington às onze e quarenta e cinco; chegava em Oxford três minutos antes de uma hora; a ida e a volta saíam por sete xelins e seis *pence*. Era fácil identificar as garotas estrangeiras. Lembro-me de que, no final dos anos 40, elas preferiam cores muito pálidas, desmaiadas; usavam sapatos de salto baixo, castanho-claro, e as capas de chuva eram quase sempre de um marrom amarelado. Eu tentava escolher racionalmente a cabine mais apropriada, mas acabava quase sempre cedendo ao instinto ou à sorte; nesses assuntos, instinto e sorte são tão úteis quanto a razão. Não tentava puxar conversa logo de saída. Esperava até chegar o condutor. O bilhete de excursão era, convenientemente, castanho-claro, enquanto o bilhete normal era verde. Se a moça mostrava ao condutor um bilhete castanho-claro, eu concluía que também era turista. Tinha sempre comigo umas revistas, principalmente a *Punch*, que, já naquela época, como agora, saía às quartas-feiras. Era uma revista que eu sempre podia oferecer; sempre era aceita. Agora eu já podia puxar o tipo de conversa na qual estava ficando perito. O francês lento; a pergunta sobre o *o* riscado do norueguês ou o *jota* sueco; depois, a sugestão de explorarmos o centro cultural juntos. Havia três ou quatro etapas em que tudo podia ir por água abaixo. Mas quando se está no veio, como dizem os franceses, quando a dedicação e o compromisso são totais, raramente se comete um erro. Julgarão que minto se eu afirmar que, em quatro quartas-feiras seguidas, tive sucesso no trem de Oxford? Uma norueguesa — e que país, a Noruega! muito embora sua reputação, sob este aspecto, seja ofuscada pela fama um tanto exagerada de sua vulgar vizinha, a Suécia —, uma garota francesa e uma mulher francesa, e uma suíça-alemã. Depois desta última e perturbadora aventura, passei a freqüentar outros lugares.

Muito perturbadora, mesmo. Nada de explorar faculdades em férias com escadarias de madeira em espiral, visitando as salas espaçosas dos alunos e seus quartinhos apertados. Só fizemos andar e andar, parando de vez em quando para descansar; e terminamos o passeio em Londres, em St. John's Wood, já depois da uma da manhã, ainda andando, após um número infindável de xícaras de chá tomadas em quiosques, desnecessárias, já que a excitação que eu sentia, de um jeito que jamais experimentara em Londres, teria bastado para me dar energia. Nas ruas desertas — e este detalhe revela o quanto a cidade mudou de lá para cá, pois hoje em dia as ruas são tão barulhentas às duas da manhã quanto durante o dia

—, nas ruas desertas me fora feita uma declaração, que me comovera sem que eu o quisesse. Beatrice resolveu que eu ia ser seu amigo. Ela explicou a importância da palavra, e comecei a temer que isto implicasse uma visita a meu quarto em forma de livro. Mas não; demos várias voltas em torno da casa onde ela estava morando, em St. John's Wood; e quando finalmente paramos em frente dela e chegou o momento da separação, vi com alívio que nada estava sendo esperado de mim. Ela beijou-me de leve os lábios — observe-se como eu havia me submetido totalmente a ela — e, por alguns instantes, apertou-me a face com a mão, como se estivesse lhe apreendendo a forma. Beatrice disse então que havia sido um bom começo.

Voltei para a pensão muito perturbado. Não sabia direito como era o rosto da moça. Entregara-me totalmente à sua vontade; ela servira de guia, eu a seguira. Quando Beatrice fez a declaração, senti-me obrigado a corresponder. Tivera o cuidado de não cometer perjúrio — como eu sempre fazia nesses encontros —, mas lhe dera uma nota de um dólar de Isabella, a qual eu sempre levava na carteira para usar como assunto de conversa depois que se esgotava a graça do *jota* sueco. No momento da entrega da nota, o ato pareceu importante — como fraquejamos quando a emoção nos domina! Agora, porém, daquela emoção só restavam a perturbação e uma sensação de ameaça. A ameaça do "bom começo"; a ameaça, repetida várias vezes, de que o pai dela chegaria de Basiléia dentro de duas semanas, um "homem culto", a quem ela tinha muita vontade de me apresentar, já que tínhamos tanta coisa em comum.

Tive sorte, porém. Aquele dia permaneceu íntegro, impoluto. Mas foi mesmo sorte? Não teria eu talvez encontrado aquela ordem que eu buscava, não teria aquela ordem decorrido deste rompimento completo com o passado, se eu tivesse insistido naquela emoção? Mas eu tinha minhas dúvidas; não sabia se, durante aquele dia, eu tinha simplesmente me transformado naquilo que ela queria que eu fosse. Mesmo assim, me pergunto: não teria sido melhor, ou ao menos mais divertido, se eu tivesse conhecido o pai, o homem culto — ah, como são engraçadas essas expressões européias quando traduzidas para o inglês! — e ido embora com aquela jovem, para ordenhar vacas nas montanhas e rolar queijos pelas encostas abaixo?

Mas tive sorte — vá lá o termo. Na tarde seguinte, recebi uma carta num envelope pequeno. *Quero devolver o seu dólar. Por favor, fique com ele*. Só isso; nada de *querido*, nada de *amor*. A clarividência da suíça! O mistério fora demais para ela; preferiu evitá-lo. Ela havia percebido não só o que havia de absurdo em nosso relacionamento, como também o que nele havia de errado. E havia percebido, talvez, a ausência de virtude.

Vou explicar. *Virtus*: quem poderia estudar no Colégio Imperial de Isabella, cursar latim com o major Grant e desconhecer o significado desta palavra? Vamos até o quarto em forma de livro; a cena não termina quando fechamos a porta e o rosto da moça, já se tornando sério e vazio, está imóvel e virado para o lado. Era um momento lógico. Mas era, na realidade, o momento que eu temia. Nós dois soltos em Londres, a grande cidade; eu, com meu passado, minha própria escuridão; ela, sem dúvida, com o dela. Sempre, nestes momentos, a conversa sobre o passado, as paisagens, o ambiente familiar que eu queria ouvi-las descrever, e sempre tinha medo de ouvir. Nem mesmo na minha imaginação, jamais tive vontade de entrar naquelas fazendas na Normandia ou naqueles apartamentos em Nassjo (pronuncia-se Nechuê), naquelas casas situadas nos fiordes rochosos dos livros de geografia. Nunca quis saber das afinidades que as prendiam a estes cenários, as mesquinharias que já as aprisionavam. Nunca quis que nossa escuridão, nossas auras, se misturassem. Compreenda-se a linguagem que estou usando. Estou descrevendo uma falha, uma deficiência; e essas coisas são muito peculiares. Eu havia vivido sempre entre mulheres; não seria capaz de conceber uma existência sem elas, sem a sua influência. Talvez meu relacionamento com Lieni já me bastasse; talvez qualquer outra coisa fosse uma perversão. Intimidade: esta palavra encerra o horror. Eu seria capaz de ficar o resto da vida agarrado a uns seios de mulher, desde que fossem fartos, pesados o bastante para necessitarem de um suporte. O problema era a pele, o cheiro da pele. Havia calombos e arranhões, dezenas de coisinhas que me irritavam profundamente. Eu era capaz de realizar o ato exigido, muitas vezes, porém, do mesmo modo como eu era capaz de me embriagar ou jantar duas vezes seguidas. Intimidade: uma violação e uma autoviolação. Estas cenas no quarto em forma de livro nem sempre acabavam bem; às vezes acabavam em lágrimas, às vezes em cenas de raiva, o seio sendo guardado de volta na blusa, a porta fechando-se, a sensação de que o quarto precisava urgentemente ser purificado.

Mas eu tinha de pensar no meu "personagem". Passei a colecionar troféus das garotas que eu trazia ao quarto em forma de livro: meias, várias peças de roupa de baixo, uma vez até os sapatos de uma jovem que havia pensado em passar a noite ali. Não por motivos fetichistas, palavra! Mas até hoje não entendo o que me motivava. Creio que eu tinha lido ou ouvido falar que alguns homens ficavam excitados quando pensavam numa garota voltando para casa de metrô sem uma das peças de seu vestuário. Também não sei por que comecei a anotar num diário minhas conquistas sexuais. Lembro que comecei por puro tédio e falta do que fazer, mas em pouco tempo a coisa virou uma espécie de empreendimento auto-erótico. Era a mim mesmo, minhas mais sutis reações, que eu queria analisar. Ridículo! Abjeto! Era o que eu próprio achava na época. Entretanto insisti, e só parei quando descobri que Lieni, que me preparava para minhas conquistas, lia este diário tão assiduamente quanto eu escrevia nele. Não fiquei aborrecido com isso. Era esse o tipo de relação que eu tinha com Lieni: não me parecia uma intrusão ela entrar em meu quarto quando bem entendia ou ler minhas cartas. Eu até incentivava esse tipo de participação. Abandonei, porém, o diário. Ela falou a respeito dele para alguns dos pensionistas na ante-sala do porão uma noite; todos acharam muita graça na história, algo bem adequado a meu ''personagem''. O francês disse: — Você devia ir para a França, casar com uma garota francesa. — Mas ele devia estar pensando em outra coisa, talvez no jantar, preparado por Lieni, que acabara de comer, pois acrescentou: — Ela vai fazer para você os pratos mais incríveis só com um pedacinho de pão e um pedacinho de queijo. — Daí em diante, Lieni passou a tomar mais liberdades. Passou a citar trechos do diário que, pelo visto, conhecia de cor, na frente de terceiros e, nos seus gracejos tipicamente malteses, agarrava-me a virilha e me ameaçava de arrancar ''aquilo'' fora com uma dentada. Em momentos de grande hilaridade, chegava a tentar desabotoar-me. Assim, meu personagem foi acrescido deste aspecto humorístico.

Os sinais de alerta eram evidentes. No entanto, na época eu achava que aquilo era só uma brincadeira, que ao colecionar troféus e anotar minhas experiências eu estivesse exprimindo um aspecto inexistente de minha personalidade. Como se alguma coisa na vida fosse só uma brincadeira. Como se a personalidade, apesar de todos os seus desvios e sinuosidades caprichosas, de todas as suas incoerências aparentes, não formasse um todo. Há certos estados em que, em períodos de tensão, afundamos sem perceber; é somente quando emergimos deles que vemos o quanto nos distorcemos, apesar de não termos perdido a consciência de nossa integridade e sanidade. Ao vir a Londres, a grande cidade, em busca da ordem, do florescimento, da extensão de mim mesmo que deveria ocorrer numa cidade de luminosidade tão miraculosa, eu tentara acelerar um processo que até então parecia estar fora de meu alcance. Eu tentara construir uma personalidade para mim mesmo. Era algo que eu já tinha tentado fazer mais de uma vez, e eu esperava ver a resposta nos olhos dos outros. Agora, no entanto, não sabia mais quem eu era; a ambição tornou-se confusa e depois murchou; e quando dei por mim tinha saudades das certezas que tinha no tempo em que vivia na ilha de Isabella, certezas que eu havia desprezado, rotulando-as de naufrágio.

Naufrágio: já usei esta palavra antes. Sendo originário de uma ilha, era esta a palavra que sempre me ocorria. E era isto que eu parecia ter encontrado mais uma vez na cidade grande: esta sensação de estar à deriva, de ser uma célula de percepção, pouco mais que isso, que poderia ser alterada, ainda que apenas de passagem, por qualquer encontro. O filho-amante-irmão de Lieni, o jogador que inventava seus próprios jogos nos salões públicos, o jovem sensível com uma moça como Beatrice; o homem bruto com a moça que, ao despir-se, exibira umas costas irritantemente ásperas, e que, em lágrimas, ao sentir-se rejeitada — como são inconseqüentes as pessoas nos momentos críticos! — me mostrou uma foto da fazenda em que morava, na Normandia. Este incidente foi por algum tempo uma lembrança vergonhosa para mim, pois cheguei a gritar com a garota. Em toda a minha vida, cometi três ou quatro atos de pura crueldade, não mais do que isso. Já relatei dois; eles ocorreram bem próximos um do outro, num período de tensão.

Na cidade grande, tão tridimensional, com raízes tão profundas no solo, que extraía a cor de profundezas tamanhas, apenas a cidade era real. Nós, que vínhamos a ela, perdíamos parte de nossa solidez; ficávamos presos a posturas fixas e estereotipadas. E, nesta dissociação crescente entre nós mesmos e a cidade na qual caminhávamos, dezenas de encontros esparsos, sem ligação sequer conosco mesmo, que não passávamos de observadores: todos se reduziam, reciprocamente, a uma sucessão de tais encontros. Dessa maneira, primeiro a experiência, depois a personalidade dividiam-se numa multiplicidade de compartimentos. Cada pessoa ocultava sua própria escuridão. Lieni; o estudante inglês com seu cachecol; Duminicu, que imagino sempre de camiseta e calças, sentado em sua cama estreita, coberta com uma colcha carmim manchada de esperma, espetando pedaços de presunto enlatado, falando, entre e durante as bocadas, sobre sua fuga iminente, tremelicando o bigode acima da boca flácida; e mesmo eu. E já sentindo pequenas pontadas de pânico, também. Não o pânico de quem se sente só ou perdido, e sim o de quem não se sente mais uma pessoa inteira. A ameaça representada pelas vidas das outras pessoas, as paisagens secretas relembradas, os relacionamentos, aquela ordem que não era minha. Antes eu ansiava por grandeza. Como poderia a grandeza vir a mim na cidade? Como construir uma ordem a partir de todas essas aventuras, de todos esses encontros desconexos, em que nem eu era sempre o mesmo, não era sequer o fio que unia todas essas coisas? Elas surgiam da escuridão, numa sucessão infindável, e não era possível localizá-las, fixar-lhes o lugar. E, sempre, ao cair da tarde, o quarto em forma de livro, a janela alta e eu sentado em frente à janela ou ao espelho.

Todos os sinais eram visíveis. O desastre se aproximava, mas só o percebi depois que havia acontecido, quando a minha busca pela ordem já fora substituída por algo mais imediato e mais confortador. E eu sentia uma necessidade constante de ser confortado. Comecei a recorrer às prostitutas. Não foi só o instinto que me levou a isso; fora também influenciado por leituras. Fiquei viciado naquilo que estas mulheres ofereciam, que era ao mesmo tempo menos e mais que prazer: um medo súbito, rapidamente dissipado. Mas era uma situação grotesca, e o que era mais grotesco nela era o vocabulário. Serviços pessoais, castigo, dominação; trinta xelins com roupa, dois guinéus sem. A primeira vez foi um fracasso; foi medo do começo ao fim. Lembro-me de uma ante-sala muito quente, com um aquecedor a gás, um papel de parede com florezinhas e casas de campo e uma empregada velha sentada numa poltrona, que fumava um cigarro e lia um jornal, à luz parca da luminária do teto. No quarto, começou a conversa sobre pagamento, incluindo o pedido de uma quantia adicional para a empregada; esta parte eu achava tolerável. Depois veio a humilhação. Depois de algum tempo, aquele corpo me repeliu, e ficou endireitando os cabelos duros e fedorentos. Mas a crueldade e a desonestidade eram, conforme verifiquei mais tarde, exceções; jamais voltei a encontrá-las. As ocasiões seguintes formam um todo indistinto: foram encontros não com corpos individuais, e sim com carne anônima. Cada ocasião me afundava mais no vazio, aquela sensação prolongada de choque com a qual eu passava todos os minutos de todos os dias tentando me acostumar. Não dispensava, porém, a faixa vermelha, o penteado cuidadoso: isto era, naquela época, meu único ato de heroísmo.

O que escrevo pode dar a entender que Lieni de algum modo tinha culpa. Não é essa minha intenção. Lieni poderia até ter me salvado. Eu não estava com ela quando o desastre aconteceu. Eu já havia me mudado da pensão, e a mudança fora o clímax da perturbação. O prédio tinha sido vendido à condessa, e todos nós, Lieni inclusive, tivemos que ir embora. Assim, nos dispersamos. Nunca procurei Lieni. Em pouco tempo, eu estava envolvido na minha luta particular; creio que não teria conseguido encará-la. Vi-a, de um táxi, doze anos depois. Foi no mesmo bairro, durante uma tarde ensolarada de domingo, numa rua suja, cheia de papéis. Estava num grupo de malteses com capas de chuva, talvez os mesmos homens que eu conhecera: baixos, pálidos, preocupados, com corpos e rostos que ostentavam os sinais de uma infância miserável. Lieni havia mudado um pouco de estilo. Continuava usando saltos muito altos, e um batom vivo demais nos lábios grandes: não a moça londrina elegante, e sim uma mulher corpulenta que era facilmente identificável como uma imigrante, maltesa, italiana, cipriota.

Seis meses depois da mudança, li a respeito da condessa e da pensão no *News of the World*. A pensão fora transformada num bordel. Fui logo mostrar a notícia à sra. Mural, minha senhoria, satisfeito por encontrar uma menção a um endereço que tinha uma relação comigo. O jornal era dos Mural, e eles adoravam esse tipo de notícia. Mas desta vez a notícia não os agradou. Os Mural estavam subindo na vida no período do pós-guerra; tinham filhos escoteiros; estavam se tornando mais circunspectos à medida que iam ganhando poder aquisitivo. Certa vez o sr. Mural mandou fazer um terno sob medida numa firma com muitas filiais; o cartão que informava que o terno estava pronto ficou uma semana exposto na bandeja da correspondência do *hall*. Ele cobrava tudo escrupulosamente. A conta que me entregaram depois que me recuperei de uma doença de pouca importância, que os obrigara a me dar comida, começava assim: *Telefonema para médico 3 pence*. Paguei sem fazer nenhum comentário. Depois de dobrar meu cheque, sem guardá-lo, ele se tornou jovial; contou-me que uma vez, durante a guerra, vira o imperador Hailé Selassié. — Sozinho, na estação de Swindon — disse ele. Pobre imperador! A sra. Mural alimentava muito bem sua família, fim para o qual lançava mão do meu talão de racionamento. É bem verdade que uma parte dele era usada em meu próprio proveito. Meu café da manhã, com um bocadinho de manteiga racionada e um pratinho de açúcar racionado, era trazido todas as manhãs a meu quarto por uma verdadeira procissão: a sra. Mural, as filhas, de cinco e sete anos de idade, e o cachorro.

Numa dessas manhãs, a menina mais velha ficou no meu quarto. Tinha algo a dizer. Perguntou:

— Posso mostrar meus desenhos feios?

Aquilo me interessou. Ela mostrou-me os desenhos: bonecos nus vistos por uma criança. Fiquei profundamente comovido. Ela perguntou:

— Você gostou dos meus desenhos feios?

— Gostei dos seus desenhos, sim, Yvonne.

— Amanhã eu mostro mais. Quer ficar com esses?

— Preferia que você ficasse com eles, Yvonne.

— Não, pode ficar com eles. Eu se quiser faço outros para mim.

Tornei-me o incentivador daquela arte assídua; pelo menos foi o que ela disse quando os pais descobriram. Dá até para entender por que os Mural eram a favor de manter a Inglaterra branca, como se diz hoje em dia.

Eu me mudava de um quarto a outro, de bairro a bairro, afastando-me cada vez mais do coração da cidade. Aquelas casas! A impressão de um vermelho frágil e provisório, de casas pousadas superficialmente em campos esmagados! Aquelas lojas! Aqueles jornaleiros! Em pouco tempo eu esgotava um bairro. Lembro-me do tédio de um domingo de verão — uma vez, na minha imaginação, a foto de uma garota fora tirada num dia como este: puro sentimentalismo antropomórfico —, neste dia, desenhei os fundos de todas as casas que podiam ser vistas de minha janela. Sentia-me indócil. Viajei pelo interior, pegando um trem depois do outro, sem rumo, apenas para ficar em movimento. Viajei para o continente. Gastei minhas economias. Tudo que via de interessante ou belo lembrava minha perturbação, o que estragava tanto o momento, quanto o objeto. Meu mundo estava sendo corrompido! Eu não queria ver. Mas a inquietação não passava. Ela levava-me a uma sucessão infindável de quartos sujos, com cortinas cerradas e colchas que lembravam outros corpos quentes. E certa vez — foi o que mais me fez sentir nojo de mim mesmo — vi de relance o jantar de uma prostituta, comida de camponês, numa mesa nua, num quarto de fundos.

Com o fim de Lieni e da pensão do sr. Shylock, um tipo de ordem havia morrido para sempre. E quando uma ordem acaba, ela acaba, mesmo. Eu não estava marcado. Nenhuma câmara celestial registrava meus movimentos. Aboli as paisagens de minha mente. Provença numa manhã de sol, a xícara de café no vagão-leito, com uma colher de sopa pesada dentro para não virar; o planalto pardo do norte da Espanha numa tempestade de neve; a sacudidela súbita me acordando nos Alpes e, lá fora, a poucos centímetros da minha janela, um mundo simplificado em branco e preto. Aboli todas as paisagens às quais não podia me apegar, ansiando apenas por aquelas que eu conhecera. Pensei em fugir, em fugir para aquilo de que, há tão pouco tempo, eu tentara fugir.

Mas eu não podia ir embora de repente. Havia que pensar no diploma; além disso, eu queria voltar tão íntegro quanto havia chegado. Levei dois anos para reunir forças. E, quando parti, não fui sozinho.

Partimos de Avonmouth, um porto localizado numa terra inóspita, de um verde pardacento. Era agosto, mas o vento estava frio. Gaivotas boiavam como rolhas em meio aos detritos do porto. Seguimos para o sul e navegamos por treze dias. Uma tarde, o vento começou a soprar. Pegamos nossos suéteres, mas não foi necessário vesti-los; era um vento quente. A manteiga derretia-se nos pratos; o sal empedrava no saleiro; o uniforme negro dos oficiais foi substituído por um outro, branco; no café da manhã passaram a servir sorvete em vez de caldo de carne. O vento arrancava uma névoa das cristas das ondas e nela surgia um arco-íris. Então chegou o dia em que, ao acordarmos, constatamos que o navio estava parado. Olhamos para fora e vimos a ilha. Cada vigia emoldurava um quadro: céu azul-claro, morros verdejantes, casas de cores vivas, coqueiros e mar verde.

Assim, eu havia completado a viagem de ida e volta entre minhas duas paisagens de mar e neve. A cada uma delas, na primeira despedida, eu julguei ter dito adeus, já que chegara a conhecê-las à minha maneira. A ilha à minha frente agora: o cenário tecnicolor de *The Black Swan*, com cinematográficos galeões e navios de guerra, velas infladas e música matinal de Max Steiner. No entanto, para ser franco, minha felicidade não era completa. Era uma coisa forçada, com um toque de medo; era um pouco como a situação do turista que tenta se entusiasmar com o objeto de sua peregrinação, o qual, por ser tão conhecido, não lhe diz mais nada. Foi a mesma coisa que ocorreu em Londres, depois: apesar de estar no centro, entre hotéis que cobravam seis guinéus por noite, porteiros atenciosos e Humbers dirigidos por choferes, o salão de Lord Stockwell e a alcova de Lady Stella, aquela outra Londres que eu deixara para trás permanecia como uma ameaça. Bem, como vocês sabem, a ameaça se concretizou, vindo dos dois lados.

3

Durante o período de minha vida que se seguiu, o período entre a minha preparação para a vida e minha saída de cena, aquele período entre parênteses, o mais ativo que já vivi, em que um observador poderia ter a impressão de que eu estava realizando meu destino — durante esse período, a intensidade emocional foi algo que jamais consegui obter.

Parecia-me que eu fracassara duplamente, que eu continuava a viver entre duas ameaças. Foi nessa época, como já disse, que pensei em escrever. Minha intenção era manifestar a inquietação, a profunda desordem, causada pelas grandes explorações, a subversão das organizações sociais estabelecidas em três continentes, a convivência forçada entre povos que só poderiam se realizar na segurança de suas próprias sociedades e das paisagens cantadas por seus ancestrais — minha intenção era exprimir, em parte, a inquietação causada por esta grande convulsão. Os impérios de nossa época foram efêmeros, mas causaram no mundo mudanças permanentes; seu desaparecimento é sua característica menos importante. Minha intenção era esboçar um tema que, cinqüenta anos depois, um grande historiador pudesse desenvolver. Pois hoje em dia, na verdade, não se faz história; só há manifestos e pesquisas de antiquários; e em relação à questão dos impérios, só há panfletos escritos por boçais. Não serei eu, no entanto, quem há de escrever esta obra; sofri demais essa inquietação que seria meu tema. E há que se confessar também que o que me atraía no sonho de escrever era menos o ato e o trabalho do que a tranqüilidade e a ordem que seriam conseqüências do ato.

Como já disse, eu escreveria no ocaso de minha vida. A vida já vivida, as realizações concluídas, as oportunidades aproveitadas. Aposentado, iria morar numa velha plantação de cacau, uma de nossas plantações abandonadas, em que escravos haviam trabalhado, devastada pela vassoura-de-bruxa, incapaz de me proporcionar uma renda que redespertasse em mim a cobiça aquisitiva. Iria morar na velha casa de madeira, cinzenta, com telhado de aço corrugado pintado com faixas desbotadas de vermelho e branco, as varandas de beirais baixos cheias de frescas samambaias, o assoalho escuro, gasto, reluzente. Por toda parte, um cheiro de madeira velha e cera; por toda parte, detalhes agradáveis à vista, madeira trabalhada, arabescos brancos sobre as portas, o biombo entre a sala de estar e a de jantar, as portas altas, com almofadas. Não há casa que se compare com uma velha casa de fazenda das ilhas. Restam poucas; duvido que atualmente haja mais de quatro em Isabella.

Quanto ao cacau, é meu produto agrícola favorito. Ele dá nos vales de nossas serras, um lugar fresco no qual, em certas manhãs, sai vapor da boca quando a gente fala. Há fontes de água doce que formam cachoeiras em miniatura sobre pedras recobertas de musgo e depois correm, limpas, frias, rasas, em leitos de areia branca. Nas matas de cacau, o chão fica coberto de folhas de cacaueiro, largas, marrons e amarelas; e entre os cacaueiros há pés de café de um verde vivo, com frutinhas vermelhas, arbustos mirrados, de tronco preto, esgarçado em galhos nervosos, como carvalhos; tudo isso protegido por árvores gigantescas, as *immortelles*, que numa determinada época do ano perdem todas as folhas e incendeiam todas as encostas com flores amarelas e alaranjadas em forma de pássaro e que durante dias caem sobre a mata. Ouve-se por toda parte o murmúrio dos riachos, riachos que descem as serras e, depois das chuvas, transformam-se em torrentes que de vez em quando inundam as depressões. Caminhemos pela mata nessa época, às cinco horas. É um passeio de gruta a gruta; a água da inundação é cor de lama; ela borbulha, suspira e estala na sombra; e da superfície desta água erguem-se os troncos negros e torturados dos cacaueiros, com frutas reluzentes, de todas as cores, desde o verde-limão, passando pelo escarlate, até o púrpura, ligadas individualmente a eles por talos curtíssimos, sem folhas.

Nos vales profundos das matas de cacau, o sol nasce tarde. Eu iria passear a cavalo de manhã cedo. Os trabalhadores estariam realizando suas tarefas não muito exigentes; colhendo as frutas com facas em formas de mãos que se assemelham às armas usadas pelos cavaleiros medievais; ou sentados à sombra, figuras bucólicas, diante de uma pilha multicolorida desses mesmos frutos, ocupados em parti-los. Trocaríamos palavras sobre seu trabalho, suas famílias, os estudos de seus filhos. Trabalhadores dos tempos de outrora! Que ainda não eram "o povo"! Depois, na hora do desjejum, voltar para casa, onde o aroma de chocolate fresco se misturaria ao cheiro de madeira velha. O chocolate verdadeiro, que era bebido por Montezuma e sua corte. Não este pó que já perdeu todas as suas virtudes, e sim o chocolate feito de sementes torradas reduzidas a uma pasta, temperado com condimentos e seco ao sol, liberando todos os seus sabores no leite quente. Chocolate e mamão e banana frita, pão fresco e abacate; tudo isso servido numa toalha de mesa de um branco imaculado, ainda com os vincos de quando foi passada a ferro; o guardanapo limpo no prato reluzente; os copos refletindo a luz filtrada pelas samambaias e a tela fina, quase invisível, que impediria a entrada dos insetos tropicais sem prejudicar a vista. Eu passaria o resto da manhã à minha escrivaninha, cobrindo lentamente o papel branco com a mais negra das tintas, e também o final da tarde, quando não se ouviria outro som que não o do gerador, instalado a uma certa distância da casa, ou então, se não houvesse gerador, o zumbido da lamparina. Assim transcorreriam os dias, o trabalho literário alternando-se com o agrícola; e a palavra "agricultura" reassumiria suas conotações clássicas, despindo-se de seu áspero significado insular.

É assim que minha imaginação compõe agora a cena. Se me demoro nesta descrição, é porque escrevo em circunstâncias tão diversas! Trabalho numa mesa rústica, estreita, adquirida com certa dificuldade, por não fazer parte do mobiliário padrão do hotel. O quarto fica no anexo do prédio. A janela é de alumínio, de tamanho e forma padronizados; a porta lisa, também padronizada quanto ao tamanho e a forma, é feita de um material tão leve que já está empenada e, a menos que se passe o trinco, fica o tempo todo abrindo e fechando lentamente. O rodapé encolheu, como todo o madeiramento. Nada aqui foi feito com amor, nem sequer com habilidade; conseqüentemente, não há nada que dê prazer à vista. A janela dá para o campo de golfe do hotel, no qual, em dias de sol, as senhoras de meia-idade — galinhas disfarçadas de frangotes, como diz o *barman* — ficam a se bronzear. Mais além, um muro de tijolos de um vermelho pálido, e do outro lado do muro — em contraponto com o papel de parede do meu quarto, que tem uma estampa de carros antigos — vem o rugido incessante do trânsito; o ar poluto vibra. Nada de cacaueiros! Nada de flores amarelas e alaranjadas! Nada de fontes correndo em leitos de areia branca coberta de folhas secas douradas e folhas vermelhas ainda frescas! Nada de passeios a cavalo pela manhã!

Todos os dias, na hora do almoço, saio do hotel e vou a um bar bem perto daqui. O hotel não serve almoço em dias úteis e, sem contar com um restaurante execrável, o bar é o único lugar num raio de cinco quilômetros, mais ou menos, em que se pode comer; é nesse tipo de bairro que fica o hotel. Para entrar no bar, é necessário atravessar um amplo estacionamento; os jardins que foram substituídos por esta extensão do asfalto são perpetuados dentro do bar, em fotografias expostas entre anúncios humorísticos. Normalmente peço um sanduíche de queijo e um copo de sidra; não ouso ir além disso. A garçonete, que corta o presunto ou a carne com um ar de satisfação que é o segredo de seu sucesso, vive enxugando a mão no avental, enquanto o rapazinho espinhento mergulha copos sujos em água suja. Conversa-se sobre estradas engarrafadas e férias no estrangeiro. Um sujeito sentado ao balcão afirma que ''um cavalheiro de verdade não anda de avião''; fica impressionado com o que acaba de dizer; repete a frase. Todo mundo faz tudo de modo excessivamente enfático ou excessivamente ruidoso: são copos que batem na mesa, facas que arranham pratos, vozes altas demais, gargalhadas exageradas, roupas vulgares. Não acredito nessa jovialidade, não creio que haja comunicação entre estas pessoas, assim como não me convence a hilaridade dos anúncios que as cercam: esses desenhos irritantes em que as bocas dos bonecos estão excessivamente abertas, para ressaltar o humor do que eles dizem, aquelas bolachas de chope cujas legendas circulares já conheço de cor. *Quem vem lá? Um soldado. O que ele quer? Chope gelado.* E esta outra, atribuída a Charles Dickens: *Ah, estou morto de morte matada! Para viver de novo, daria uma cerveja gelada.*

É com alívio que volto para o hotel. Aqui, ao menos, há decoro e tranqüilidade; ninguém insiste numa comunicação impossível. A gerência é discreta, mas vigilante. Ainda que nada agrade à vista, tudo funciona; tudo tem aquele brilho e calor das coisas que são usadas e limpas diariamente. A impessoalidade é abrandada por pequenos detalhes, como as flores recém-colhidas na minha mesa na sala de jantar. É um grande salão, escuro, com paredes revestidas de madeira; há uma lareira grande, de enfeite, encimada por um consolo alto. Jantamos sob retratos a óleo de nosso amo e sua esposa, os quais jantam no mesmo salão, separados de nós não pela elevação de sua mesa, e sim — não fosse esta a era da tecnologia — por uma divisão de vidro laminado, que serve ao duplo propósito de permitir inspeção mútua e manter uma distância respeitosa. Não julgamos despropositada esta distinção; somo-lhes gratos pelo que nos concedem, e dependemos deles para que esta ordem seja preservada.

Pois aqui há um certo tipo de ordem. Mas não é a minha. Ela transcende meu sonho. Numa cidade já simplificada, reduzida a células individuais, esta ordem é mais uma simplificação. Ela não se assenta sobre nada; não está ligada a nada. Falamos em voltar a uma vida mais simples. Mas não falamos a sério. É deste tipo de simplificação que queremos fugir, para voltar a uma complexidade mais primeva.

Observem-se, porém, as contradições naquele sonho da velha plantação de cacau. Era um sonho do passado, e surgiu numa época em que, gerando conflitos e insegurança, nós havíamos destruído o passado. A Sociedade Agrícola e a Câmara de Comércio não eram nossas amigas. O tipo mais comum de ambição política é o desejo de derrubar e suceder. Mas a ordem que o político colonial sucede não é a sua. É algo que ele é compelido a destruir; a destruição decorre de sua aparição, e é uma condição de seu poder. Assim, o desejo legítimo de suceder é neutralizado; e segue-se um conflito dramático. Eu temia o conflito. Meu sonho da plantação de cacau não visava derrubar nada; e era mais do que um sonho de ordem. Era um desejo, sentido no ápice do poder, de recolhimento; um desejo melancólico de desfazer coisas. Nada tinha a ver com a motivação do político. Também, nunca fui um político. Nunca tive a obsessão, a consciência de uma missão, a mágoa necessária.

Os políticos são pessoas que verdadeiramente fazem algo a partir do nada. Pouco de concreto têm a oferecer. Não são engenheiros nem artistas; nada constroem. São manipuladores; oferecem seus serviços de manipulação. Como nada têm a oferecer, raramente sabem o que querem. Por vezes afirmam querer o poder. Mas o definem de modo vago e impreciso. O que é poder? A limusine com chofer e bancos forrados de fino linho branco, os agentes de segurança esperando no portão, os criados hábeis e respeitosos? Mas isto é apenas comodismo, coisa que pode ser adquirida por qualquer um a qualquer momento, num hotel de primeira. É o poder de intimidar, humilhar, vingar-se? Mas esta é a espécie mais efêmera de poder, que desaparece tão depressa quanto surge; e o verdadeiro político é aquele que quer jogar o jogo o resto da vida. O político é mais do que um homem imbuído de uma causa, mesmo quando a causa em questão é apenas subir na vida. Ele é impelido por alguma magoazinha, uma falhazinha. Ele tenta exercitar uma habilidade que, mesmo para ele, nunca é tão concreta quanto a do engenheiro; só se torna consciente da verdadeira natureza de sua habilidade quando começa a exercitá-la. É muito comum ocorrer de um homem, depois de anos de lutas e manipulações, chegar bem perto do posto que almeja, por vezes chegar a conquistá-lo, e então revelar-se um fracassado. Tais indivíduos não merecem piedade, pois, dentre os que aspiram ao poder, eles são homens completos; buscaram e conseguiram a auto-realização em outra área; foi necessária uma guerra mundial para salvar um Churchill do fracasso na política. Já o verdadeiro político só exerce sua habilidade e se completa quando tem sucesso. De repente, seus talentos se manifestam. O homem que antes era mesquinho, descontrolado e inseguro agora revela qualidades insuspeitas: generosidade, moderação e a capacidade de agir com uma brutalidade rápida. Apenas o poder revela o político; é ingenuidade manifestar surpresa perante um fracasso inesperado ou um sucesso inesperado.

O mais comum, porém, é vermos o verdadeiro político em decadência. Os talentos, jamais manifestos, as habilidades, jamais descobertas, azedam dentro dele; e o homem que começou sábio e generoso, lutando por uma causa nobre, termina se revelando fraco e vacilante. Abandona seus princípios; a cada derrota torna-se mais desesperado; perde seu senso de oportunidade e muda de posição cedo demais ou tarde demais; chega até a perder sua dignidade. Recorre à bebida, à gastronomia, às mulheres, vulgares ou refinadíssimas; torna-se um bufão, algo que até mesmo ele considera desprezível, menos nas horas tranqüilas do cair da tarde, quando sua platéia se reduz a ele próprio e sua esposa, que, embora cheia de rancor, permanece fiel, porque só ela o conhece de verdade. E, aconteça o que acontecer, ele jamais desiste. Este é o líder. Este é o verdadeiro político, o homem versado numa nebulosa arte. Ofereça-lhe o poder. O poder o reanimará, fará com que ele volte a ser o que era antes.

Não estou tentando pintar um auto-retrato. Para mim, a política nunca foi muito mais do que um jogo, algo que tornava a vida mais interessante, uma extensão da inclinação entusiástica em que voltei para minha ilha. Um homem mais bem equipado, que desse mais atenção às fontes de poder e tivesse mais instintos apropriados, teria sobrevivido. Entusiasmo: depois da estada em Londres, era isto que eu queria manter. O poder me veio com facilidade; pegou-me de surpresa. Deixou-me num estado de tremulação o qual, mais do que qualquer outra coisa, me incapacitava para o cargo que passei a ocupar. Lembro-me muito bem — e como me parece distante esta emoção agora! Mas sei que, se me derem o poder novamente, ela há de voltar — lembro-me muito bem da pena que eu sentia das pessoas, de todas as pessoas. Todas elas pareciam em condição tão inferior à minha que minha sorte inexplicável me dava medo.

Bastava que minha secretária dissesse uma palavra para que o barbeiro viesse correndo de sua pequena barbearia até minha residência. O prazer que lhe dava minha casa era maior do que o que eu mesmo sentia. Mandara construí-la alguns anos antes, quando meu casamento começou a soçobrar; tomei como modelo a casa dos Vetii em Pompéia, com uma piscina em vez de *impluvium*. O barbeiro, satisfeito, corria os dedos por meus cabelos e dizia: — Cabelo do senhor muito macio. O senhor usa o quê? Coisa especial? — Era o tipo de comentário que Lieni teria feito; eu morria de pena do homem. Sem dúvida, meu cabelo era naturalmente fino; o próprio Lord Stockwell o elogiou quando fomos apresentados: — O senhor nunca há de ficar calvo, eu lhe asseguro. — Contudo foi num momento tenso durante a nossa crise de nacionalização, e as propriedades de Stockwell estavam em jogo. Por meio desta frase, Lord Stockwell não apenas pôs fim à tensão como também — como não pude deixar de observar, cheio de admiração — fez graça com sua estatura imensa, deselegante, que certamente fazia com que ele só visse de mim o cabelo. Para Lord Stockwell havia uma desculpa, como para Lieni. Mas não para aquele humilde barbeiro; e pensei: "Como é que este homem agüenta? Como, passando a mão no cabelo dos outros todos os dias, ele consegue seguir em frente?". E não era só o barbeiro e os ridículos engraxates, que se dedicavam com vigor e com um curioso prazer feminino à tarefa de limpar escrupulosamente meus sapatos, para que eu lhes elogiasse o trabalho. Como agüentavam os jornalistas, "encontrando-me no aeroporto" — palavras deliciosas que sempre apareciam nas suas reportagens? Corriam para ter comigo tão ansiosos, tão convencidos da importância de seu trabalho quanto a aprendiz de cabeleireira. Haviam perdido o senso do lugar que ocupavam no esquema geral das coisas. Como conseguiam manter o amor-próprio?

A todos eu tentava, em segredo, e do alto do meu poder, transmitir minha aprovação e, acima de tudo, minha admiração por uma coragem de que eu não me julgava capaz. De modo que, do alto do poder, descobri um centro imóvel dentro de mim, um centro de distanciamento, que meu comportamento jamais traía; pois o dândi autoconfiante e irreverente que fora meu personagem na pensão do sr. Shylock era o personagem que eu preservava e promovia, quase espontaneamente agora, a partir do momento em que abria a boca para falar. Empenhava-me muito nos contatos com pessoas de todos os níveis; rapidamente elas me exauriam, tamanho era o esforço que eu fazia para me pôr no lugar delas. E, no entanto, quando chegou a hora, fui acusado de ser arrogante e distante.

Lembro-me de uma dessas entrevistas. Foi na época em que íamos começar a renegociar os *royalties* de nossa bauxita. Foi um triunfo pessoal para mim; fui, como se diz, o homem do momento. Foi com um olhar de pura compaixão que, enquanto falávamos, observei as roupas do repórter, sua gravata brilhante, seu rosto jovem absorto, cansado, preocupado, sua voz insegura que tentava ser ríspida, suas mãos finas e fracas. No fim, guardando seu caderno, ele pareceu distraído por um momento, como se pensasse em seus problemas particulares. Achei que ele ia falar dele mesmo. Eu já havia descoberto que era esta a necessidade premente daqueles cujo trabalho é limitar-se a relatar as opiniões dos outros; jamais os desestimulei a satisfazê-la. Assim, fiquei particularmente desconcertado quando, sem nenhuma malícia, como se procurasse consolo, o repórter perguntou: — E se tudo isso acabasse amanhã, o que o senhor faria? — Minha técnica era a de responder imediatamente a qualquer pergunta. Desta vez, porém, hesitei. Ocorreram-me imagens as mais absurdas. Alívio: foi esta minha primeira reação, e era uma reação ao homem a minha frente. Nada de desagradável, pois, ao mesmo tempo em que a palavra me ocorreu, me vi numa clareira em alguma floresta, vestido de cavaleiro andante, vestido de penitente, com andrajos de eremita, chegando a um santuário de joelhos, sangrando, fazendo uma penitência individual pelo homem a minha frente, por mim mesmo, por todos os homens, pelos quais, no final das contas, nada se podia fazer. Alívio, solidão; penitência, paz. As palavras e imagens vinham emaranhadas. Por um momento trêmulo, senti uma felicidade avassaladora: sofrer por todos os homens. Não me entendam mal, não me acusem de presunção. Compreendam apenas aquele centro de imobilidade, aquela vontade de afastamento, aquela compaixão que, no fundo, era medo. Compreendam minha incapacidade de me adequar ao papel que criara para mim mesmo, enquanto político, dândi, homem entusiasmado. Mas foi assumindo este papel que, recuperando-me depressa, respondi. Ora, disse eu, eu voltaria a meus negócios particulares e à vida que levava antes, no tempo em que era casado; fora uma vida bem agradável.

E disse isso com sinceridade. Como se, naquele mundo de conflitos que havíamos criado, fosse possível simplesmente pular fora e voltar à ordem do passado! Como se eu não tivesse percebido aonde o repórter queria chegar com sua sua pergunta! O que o teria feito perguntar aquilo? Alguma insegurança pessoal, talvez; aquela vontade de provocar que é típica dos fracos. Fosse o que fosse, ele havia se vingado. Os que fazem coisas pouco tempo duram; os que apenas relatam os feitos prosseguem. E aquele repórter certamente continua correndo para entrevistar outras pessoas, enquanto o mundo está pouco ligando para minhas opiniões. Seja bom para com aqueles que encontras ao subir, diz o ditado; pois são os mesmos que hás de encontrar quando estiveres descendo. Frívolo, muito prudente, e muito presunçoso. A tragédia do poder, em casos como o meu, é que não há descida. Há apenas extinção. Do pó ao pó, dos andrajos aos andrajos, do medo ao medo.

4

No período ativo de minha vida, a que me referi como um período entre parênteses, meu casamento constituiu um episódio; e foi mero acidente eu ingressar na carreira política quase imediatamente após o fim do casamento. Causa e efeito, foi o que muita gente pensou; o que é óbvio e plausível, no entanto, muitas vezes é falso. Na época, meu casamento e as circunstâncias da separação me valeram muita comiseração; posteriormente, estas mesmas coisas serviram de pretexto para me atacarem. Parecia um caso típico de casamento inter-racial fadado ao fracasso. Fui considerado a vítima, o explorado, o que tentou dar conforto e *status* a uma mulher que, em seu país de origem, carecia de ambos. Até certo ponto, isto é verdade; mas é apenas parte da verdade. Jamais me considerei uma vítima, e mesmo agora tudo que tenho contra Sandra é seu nome, o qual, quer seja pronunciado com uma vogal curta ou uma vogal longa na primeira sílaba, tem sempre o efeito de me proporcionar uma sensação desagradável. Os comentários maliciosos eram no sentido de que eu correra atrás dela, por vaidade; os favoráveis, de que fora ela quem tomara a iniciativa. E, de fato, o casamento foi idéia dela.

Foi durante o período de crise e angústia no qual, como já disse, viajei pela Inglaterra e pela Europa continental a esmo, sem procurar nada, nem mesmo prazer. Após cada uma dessas viagens, eu voltava mais exausto do que antes, mais oprimido por uma sensação de perda de tempo e impotência. Estava, pois, dominado por esse estado de espírito quando, numa tarde de minha última semana de férias, por falta do que fazer, entrei na Escola e, não encontrando lá nada que me interessasse, fiquei a ler os últimos anúncios afixados ao quadro de avisos no período letivo anterior. Ah, estas associações de alunos! Sempre brincando de estudantes, brincando de contestar e bancando os iconoclastas, desempenhando o papel de jovens que têm o direito de zombar de tudo, que se preparam para a vida! A desonestidade dos jovens! Eu não fazia parte de nenhuma dessas associações. Sei que esta confissão há de surpreender aqueles que tentam ver uma ligação entre minha carreira subseqüente e minha passagem por esta célebre Escola. Sua reputação, observei posteriormente, impressionava sobretudo aqueles que viriam a desaparecer no mais completo anonimato ao voltarem para seus países de origem.

Li um aviso mal datilografado de uma certa Liga Turca ou Associação Turca; a Assembléia Geral Anual estava sendo adiada *sine die* — e, ao que tudo indicava, de modo totalmente arbitrário. Embaixo, escrito de um lado a outro da folha numa tinta de um azul muito vivo, lia-se: *P. S. Disculpa qualquer tanstrorno!* Sob esta exclamação vinha uma assinatura floreada e esparramada. Aquele turco exuberante e descarado! Tenho bons motivos para lembrar-me dele, pois foi quando eu examinava seu aviso, tentando encontrar mais algum disparate, que percebi Sandra vindo pelo corredor em minha direção. Trocamos olhares, mas por algum motivo não nos falamos. Ela se aproximou e ficou bem a meu lado. Olhou para o aviso do turco e fingiu estar tão interessada nele quanto eu. Esperando que a cumprimentasse, ela não disse nada. Fui eu que, após alguns segundos, rompi o silêncio.

Ela parecia estar de péssimo humor. Talvez estivesse exagerando a irritação que sentia para chamar minha atenção; creio que eu era a única pessoa além de seus familiares que se interessava por seus estados de espírito. Quando lhe perguntei como tinha passado as férias, ela mencionou o conflito crônico com seu pai. O último capítulo ocorrera naquela manhã; ela estava fervendo de raiva desde então, e acabara saindo de casa à tarde. — Um pai — ela me dissera na primeira vez que conversamos — é um ônus que a natureza impõe à gente. — Nesta mesma ocasião, disse também que queria ser ou uma freira ou a amante de um rei. A frase me impressionou, e despertou em mim sentimentos de inferioridade; minha admiração, no entanto, transformou-se em um misto de pena e algo assim como afeto quando encontrei frase idêntica numa peça de Bernard Shaw. Atribuí a uma fonte semelhante o comentário que ela fez sobre os pais, embora jamais o tivesse localizado. Agora ela tinha outro comentário para mim, e o fez ali, à frente do quadro de avisos.

— Sabe o que eu disse a ele hoje? Eu disse que ele estava discutindo como um caranguejo. Gostou? Discutindo como um caranguejo.

Respondi que gostava. Desviando a vista do quadro de avisos, ela então disse:

— Não suporto o cheiro de banheiro público cheio de gente que tem aqui na porcaria desse lugar.

Expliquei-lhe que tinha a ver com o tipo de desinfetante usado. Ela me pediu que lhe pagasse um chá. Eram assim suas falas: curtas e inconseqüentes; e eu demonstrara ter apreciado seus dois comentários. Mas nem por isso sua irritação passou. Saímos da escola e caminhamos pela Aldwych até Bush House; fomos à cantina dos Serviços Europeus da BBC. Eu já fora tantas vezes a esta cantina que agora ninguém mais me barrava na entrada.

Reconheço que Sandra não é o tipo de mulher que todo mundo acha atraente; aliás, poucas mulheres o são. Na época, porém, ela me desarmava, como me desarmaria agora, bem o sei: sua beleza era dessas que aumentam com a força e a definição da maturidade. Era alta, o rosto ossudo era um tanto comprido, e eu gostava de um certo quê de agressividade que havia no queixo e no lábio inferior. Gostava da testa estreita e dos olhos ligeiramente mal-humorados — talvez ela precisasse usar óculos. Havia ainda uma aspereza em sua pele que me encantava. Agradava-me uma certa aspereza na pele; para mim, era indício de uma sensualidade sutil. Havia firmeza e precisão em seus movimentos, e sempre algo um pouco cortante em sua fala. Seus modos constantemente provocavam as mulheres, o que dava a impressão de que era irônica mesmo quando não tinha esta intenção. Gostava de usar a capa cáqui, muito velha e encardida, que era sempre um prazer ajudá-la a tirar, pois debaixo dela — e isto era sempre uma surpresa — havia cores suaves e frias e um corpo limpo e muito bem cuidado. Nem mesmo a capa conseguia ocultar a forma abundante dos seios, aos quais eu já tivera acesso, ainda que por pouco tempo. Não eram as metades de maçã firmes do austero ideal francês, e sim seios curvos, arredondados, com um peso que quase chegava ao excessivo, e que levava o observador, embora reconhecendo a inutilidade e mesmo a crueza do gesto, a instintivamente segurá-los com a mão para lhes dar apoio. Seios que, em estado natural, mudam de forma e contorno a cada mudança de postura do corpo; seios que terminam por enlouquecer o observador porque, face a uma beleza tão completa, ele fica sem saber o que fazer. Ninguém amava os seios de Sandra mais que a própria. Ela os acariciava em momentos distraídos; aliás, foi justamente esta postura ritualística, quase faraônica — a mão direita segurando e acariciando o seio esquerdo, a esquerda sustentando o direito — que atraiu minha atenção, ao mesmo tempo surpreendendo-me e deliciando-me, na árida biblioteca certa manhã, e me encorajou a escrever um convite para um café num formulário da biblioteca e empurrá-lo para o outro lado da mesa polida, onde estávamos sentados frente a frente. Foi total minha felicidade ao descobrir, mais tarde, quando ela me revelou os seios, que ela pintava os mamilos. Tão absurdo, tão patético, tão encantador. Beijei, acariciei com as mãos e as faces; palavras inadequadas me foram arrancadas dos lábios. — Lindo, lindo — disse eu. E Sandra respondeu: — Obrigada. — Um comentário pouco animador para quem, como eu, tinha o rosto aninhado entre seus seios; e por um momento minha cabeça e minhas mãos imobilizaram-se. Foi, porém, um comentário revelador, com sua falta de humor e sua autoconfiança. Ninguém poderia adorá-la tanto quanto ela própria se adorava; e mesmo naquele primeiro encontro pude perceber a sensação de autoviolação que ela sentia. Estava perfeitamente senhora de si, mas no momento seguinte insistiu, nervosa, para que cessassem aquelas carícias.

O idioma é coisa muito importante. Até então, eu só me relacionara com mulheres que falavam pouco inglês, e cujas línguas nativas muitas vezes me eram totalmente desconhecidas. Nós nos comunicávamos numa espécie de língua franca. Isto era cansativo, eu nunca sabia direito qual o grau de complicação que havíamos atingido após as simplicidades do sexo. No começo, havia nisso um certo charme, e era o que eu queria; agora era como entrar num mundo imperfeito, um grotesco túnel do amor, no qual, como num sonho, no momento crítico constata-se que as pernas ou os braços não funcionam, e tem-se vontade de gritar. Com Sandra, esta frustração não ocorria; a simples possibilidade de nos comunicarmos era um prazer; quanto a isto, eu havia mudado. E apesar das freqüentes interrupções que ela me impunha em meu quarto, nosso relacionamento crescia. Com surpresa, descobri que a situação de Sandra, embora fosse londrina, era semelhante à minha. Ela não pertencia a nenhuma comunidade, nenhum grupo, e havia rejeitado sua família. Via-se a si mesma sozinha no mundo, e estava decidida a lutar para subir na vida. Detestava a vulgaridade — termo que ela própria empregava — na qual, como reconhecia com sinceridade, ela tivera origem, e em relação à qual podia falar com conhecimento de causa; ninguém entendia do assunto mais do que ela. Tinha um olho implacável para detectar o vulgar, e foi com ela que aprendi o conceito e a faculdade de percebê-lo. Sem família, com duas ou três amizades do tempo da escola, já dispersas: era fácil entender o quanto ela se sentia presa e temerosa, e o quanto lhe era importante livrar-se do perigo daquela vulgaridade que a cercava. A amante do rei! Eu compreendia a magnitude de sua ambição e das dificuldades de sua luta, e a apoiava, sem saber ainda qual o papel que em breve eu viria a desempenhar no sentido de ajudá-la em seu empreendimento.

Também a guerra deixara nela sua marca. Ninguém mais sensível a qualquer coisa que sugerisse luxo, ninguém com mais capacidade de criar ocasiões especiais. Uma garrafa de vinho era uma ocasião, ou uma ida a um restaurante, uma poltrona no balcão nobre. Para ela, cada coisa era um acontecimento. Estaria eu sendo explorado? Nunca entendi mal seu interesse, mas ninguém jamais se ofereceu mais prontamente do que eu. Sandra era voraz. Nas suas ambições sociais, nas suas leituras aplicadas dos escritores contemporâneos de prestígio, na sua sede de cultura — coisas pelas quais ela aceitava de bom grado, talvez até gratuitamente, a pecha de excêntrica no meio familiar —, na maneira como andava, no jeito cáustico de falar, até mesmo no modo como comia os pratos que considerava caros — em todas estas coisas e, também, principalmente, na adoração que tinha pelo próprio corpo, havia um amor-próprio abrasador. Entretanto, como poderia eu resistir àquele entusiasmo imediato? Sua voracidade me atraía. Eu, que vagava por aquela cidade grande que me reduzira à inutilidade, via em Sandra tudo que havia de positivo. Ela mostrava-me quanta coisa se podia extrair com facilidade da cidade; mostrava-me como era fácil criar uma ocasião especial. Seu entusiasmo me fortalecia; muitas vezes, em público, eu fingia vê-la pela primeira vez: aqueles olhos apertados, míopes, impacientes, aquele lábio inferior proeminente. Naquela época, em Londres, quando a cada manhã eu era obrigado a me obrigar a vestir-me, viver mais um dia, quando em noites inumeráveis só me era possível adormecer quando me lembrava da presença confortadora de uma Luger à minha cabeceira, ou da possibilidade de voltar no dia seguinte, abandonar a Escola e o diploma; naquela época de trevas pensar em Sandra me dava forças. Eu dizia a mim mesmo: ''Amanhã vou estar com ela. Vou adiar a decisão e agüentar-me até o momento de vê-la''. E o dia chegava; e criávamos, do cotidiano prosaico que nos cercava, uma ocasião especial. Era a base perfeita para um relacionamento.

Naquele dia, quando fomos até a cantina no subsolo para tomar chá, Sandra estava particularmente deprimida. A capa encardida estava presa à cintura com um cinto. Nas últimas semanas, a convivência com a família fora difícil; tinha sido obrigada a agüentar muito sarcasmo. Pela segunda vez, havia sido reprovada num exame de qualificação. Com isso, perdera a bolsa que o governo lhe pagava, e teria de sair da Escola. Não haveria mais diploma; aquele caminho lhe fora fechado. Ali, naquele subsolo de teto baixo, sem janelas, Sandra delineou uma vida tão despida de interesse e sentido, uma vida que agora, com a reprovação no exame, não poderia mais ser animada nem por ambições vagas nem pela sede de cultura, que minha própria perturbação acabou por acentuar-se. O desespero dela me afetou; um agia sobre o outro e reagia em função do outro, ali na cantina de uma estação de rádio que, ouvida em países longínquos, era a própria voz da metrópole, cheia de autoridade e fascínio, que trazia à lembrança imagens — vistas no cinema e em revistas — de cordilheiras de concreto, tijolo e vidro, automóveis em desfile, fileiras de luzes, agitação, ante-salas de teatros repletas de gente, o mundo em que tudo era possível; agora, ali no coração daquela metrópole, estávamos nós dois, sentados a uma mesa de plástico, diante de xícaras grossas de chá e pratos com farelos amarelados, um absorvendo a tensão do outro. O que podia ela esperar da vida? O curso de secretária, o curso de bibliotecária, o patrão vulgar. Sandra vociferava, atacando a sociedade, revoltada por nela não ter protetores e padrinhos. Um emprego de bancária ou datilógrafa, um balcão na Woolworth's. Estava chegando à histeria. Lágrimas de raiva inundaram seus olhos. Então, de repente, fixando em mim os olhos rasos d'água, Sandra disse, quase como quem dá uma ordem, com um olhar de ódio total:

— Por que você não me pede em casamento, sua *besta*?

Já revirei esta cena em minha memória mais de uma vez; creio que foi exatamente assim que a coisa se deu. O tom do pedido, tão impróprio, levando-se em conta sua natureza, parece-me decorrer de uma série de causas diversas. A meu ver, a idéia lhe ocorreu na hora, um único lampejo límpido na escuridão do pânico; irritou-se consigo por não ter pensado nisso antes, por querer que seu desejo se concretizasse imediatamente, por haver manifestado fraqueza. E creio que se a idéia me fosse comunicada como uma súplica em vez de uma ordem, se tivesse havido o menor indício de que era fruto da insegurança e não da firmeza e da lucidez, talvez minha reação tivesse sido diversa. No entanto — e é bom sempre se ter em mente minha disposição de espírito — tamanha era a minha confiança em sua voracidade, em Sandra como uma pessoa incapaz de fracassar — uma dependência supersticiosa em relação a ela, que era parte da força que ela me proporcionava — que, naquele momento, tive a impressão de que unir-me a ela seria uma maneira de adquirir aquela proteção que ela oferecia, compartilhar daquela sua qualidade de ser marcada, uma qualidade que eu já tivera, mas havia perdido. Assim, fiz o que ela me pedia, e — por estranho que pareça agora — cheguei a pedir-lhe desculpas por não tê-lo feito antes. Sua raiva desapareceu. Por um breve instante, Sandra pareceu um pouco envergonhada e apreensiva. Ficamos em silêncio, na cantina barulhenta. E um ou dois segundos depois, pela primeira vez desde que havíamos começado aquela conversa, pensei nos seios pintados de Sandra.

Mais tarde, houve momentos de silêncio e admiração, é claro. Mas Sandra não me deu muito tempo. Depois de dois dias apenas, mudou-se para meu apartamento, o que agradou imensamente à velha sra. Ellis, minha senhoria, que, através de uma cortesia exagerada, eu dominava inteiramente. Descobri que Sandra dissera a ela que já estávamos casados; e para a sra. Ellis, como para tantas outras pessoas depois, este casamento possuía elementos de um romantismo exótico e arrebatador. A anciã, porém, demonstrou uma certa preocupação comigo; com lágrimas nos olhos, ao me entregar um cãozinho de porcelana, seu presente de casamento, ela manifestou a esperança de que minha escolha se revelasse acertada. Naquele momento, estranhei aquelas palavras. Sandra, por outro lado, falou de seus problemas com o pai, que discutia como um caranguejo; e por um momento — ah, se ela soubesse! — senti que eu estava completamente do lado dele. Pelo visto, também a ele Sandra dissera que já estávamos casados. Protestei, mas não com a veemência apropriada; contentei-me em me perguntar por que, já que nada ainda lhe havia acontecido, ela decidira tocar no assunto com o pai. Eu ainda estava, àquela altura, mesmo que sem muito esforço, tentando ganhar tempo. Respondeu-me ela: — Não tenho paciência nem para entrar em detalhes nem para mentir para ele. — Com esta frase, ela me convenceu; Sandra tinha o dom da palavra exata. Disse também que, com relação à sra. Ellis, logo estaríamos "regularizando nossa situação". Era essa outra peculiaridade de seu modo de falar. Chamava os trabalhadores de "mão-de-obra"; muitas vezes ligava frases entre as quais não havia qualquer relação, usando a expressão "e o resultado final foi que..."; meu apartamento de dois cômodos virou nosso "estabelecimento", o qual precisava ser "abastecido". Talvez fosse a influência da Escola.

Assim, no guarda-roupa marrom reluzente de meu quarto, agora era guardada a capa encardida; e em cabides forrados de cetim azul e rosa pendiam agora os vestidos e blusas de cores suaves e frias que eu antes contemplava embevecido. O momento me parecia profundamente trágico. Sandra, percebendo meu estado de espírito, ofereceu-me os seios pintados aquela noite. Se antes ela fora de uma passividade completa, aceitando meus beijos e carícias como uma homenagem a que ela tinha direito, agora ela se esforçava para tomar a iniciativa. Fazia-me deitar de costas e apertava seus seios contra meu peito, meu ventre, minha virilha. Debruçava-se sobre mim e, segurando os seios, traçava linhas em meu corpo com os mamilos; roçava os seios em meu corpo, uma cócega suave. Tudo isso era feito com uma certa firmeza e sentimento de dever; não obstante, eu sentia gratidão. Ela fazia também certas coisas que me intrigavam. Pintava meus mamilos, depois mordia-os com muita força, depois apertava-os com as unhas, como se quisesse arrancá-los fora. Apesar da dor — que matava a paixão, devo confessar: minha primeira preocupação depois era ver se ela havia chegado a me ferir e se aquilo que parecia batom não seria, na verdade, sangue —, apesar de tudo isso, eu julgava divisar a natureza experimental, investigadora, destas atenções e as atribuí a algum manual de sexo consultado às pressas, do mesmo modo como antes eu atribuíra todos seus ditos de espírito a Bernard Shaw. Eu não queria ferir-lhe o orgulho nem fazê-la abandonar estes estudos. Reprimia o impulso de gritar de dor e afastar sua mão com um tapa. Por fim — para mim era uma questão urgente, como se há de compreender — tínhamos sucesso, de certo modo. Ela parecia cansada, mas também satisfeita.

Posteriormente, ocorreu-me que a arte do amor físico é de domínio das mulheres, e depende muito da posição por elas ocupada na sociedade. À medida que esta posição progride, a arte do amor decai. A mulher passa a não ser mais nem servidora nem servida e, com esta emancipação, a pudicícia, o medo do erótico, o medo do medo, tem de ser reformulado. Difunde-se a idéia absurda de que o sexo não é nem vício nem mistério. Assim chegamos a uma visão comercial ou camponesa da sexualidade; e o elogio do amor profano dá origem ao lirismo rústico que decanta a gravidez e o parto. Mas basta. Minha intenção era dizer apenas que, em relação ao sexo, eu e Sandra nos adaptamos bem um ao outro, e deixar registrada minha perplexidade perante o fato de que, neste mundo imperfeito em que vivemos, através de acidentes e decisões arbitrárias de todos os tipos, com muita freqüência encontramos seres semelhantes a nós.

Casamo-nos no cartório de Willesden. Fomos até lá no ônibus da linha oito, acompanhados de duas testemunhas, nossos colegas. Os detalhes da absurda cerimônia são tão conhecidos que não vale a pena explicitá-los. O escrivão, lembro-me, estava preocupado com Sandra. Avisou-a de que em certos países o marido podia divorciar-se da mulher com a maior facilidade; de seu próprio punho escreveu o endereço de uma associação que fornecia informações e proteção às mulheres britânicas no estrangeiro. A mim, não ofereceu nem conselhos nem consolo — na verdade, tratava-me com uma reprovação contida — e, naquele recinto espaçoso, cheio de cadeiras dobráveis desocupadas, o ato terrível foi consumado. Neste momento fiquei verdadeiramente horrorizado. Tive vontade de sair dali imediatamente, para pensar, para ficar sozinho de novo. Fui detido, contudo, por uma de nossas testemunhas: o poeta, filósofo, político, já havia, eu desconfiava, submergido totalmente na sociedade que tanto queria dominar, e já estava, com seu paletó de *tweed* e com a barba que começava a cultivar, assemelhando-se ao mestre-escola que fatalmente ia acabar se tornando. — Parabéns, meu rapaz. Bem sei que isso não é coisa que se peça a um sujeito que acaba de se casar, mas será que não dava para você me emprestar umas cinco libras? — Achei que tanto seu linguajar quanto a quantia especificada provinham de alguma fonte literária e que ambos excediam suas necessidades. Dei-lhe dez xelins. Interrompi seus profusos agradecimentos e, dizendo a Sandra de um modo confuso e exagerado que tinha algo a fazer no centro, saí correndo atrás de um ônibus número oito, peguei-o e fui levado, num estado de quase estupefação, a Holborn, onde, cedendo à força do hábito, saltei e entrei num bar, já me sentindo, embora casado há apenas alguns minutos, como aquele personagem de quadrinhos que está certo de que em breve uma tempestade explodirá sobre sua cabeça, por ter ele negligenciado algum dever matrimonial.

Ah, o romantismo de um casamento inter-racial! Imaginem-me sentado num bar em Holborn, tomando uma Guiness para me acalmar, segurando um jornal vespertino para parecer mais natural — pura tapeação: era um matutino, pois ainda era cedo demais — e sentindo um medo terrível. Era assim que eu me via na hora. Distanciei-me daquela figura pensativa e meditei sobre a terrível aventura em que ela havia acabado de se meter. *Quantum mutatus ab illo!* Estas palavras se repetiam na minha cabeça, até perderem o sentido, até se transformarem num sentimento de perda e tristeza e doçura e apreensão. Foi este o castigo do dândi, do personagem criado em Londres, do freqüentador dos salões do Conselho Britânico, das galerias de arte e trens de excursão. *Quantum mutatus ab illo!*

Já falei do entusiasmo com que parti de Londres e que tentei conservar durante os dez anos que se seguiram, saboreando, incessantemente, a cada dia, o prazer da integridade do espírito. Também mencionei a inquietação que senti quando, na manhã de minha chegada, vi através de todas as vigias o azul, o verde e o dourado da ilha tropical. Tão pura e fresca! E eu sabia o quanto ela era horrivelmente artificial; exaurida, fraudulenta, cruel e, acima de tudo, um lugar que não era meu. Mas fingi que era e me encostei na amurada juntamente com os turistas munidos de máquinas fotográficas, que jogavam moedas na água límpida e ficavam vendo os negrinhos mergulhando para pegá-las, com seus pés de solas rosadas, semelhantes a nadadeiras luminosas. Os meninos mergulhavam também para pegar laranjas, maçãs, qualquer coisa que fosse jogada na água. A baía, de um verde acinzentado, ainda estava silenciosa e escura; ao longe, na névoa da madrugada, pequeninos barcos de pescadores estavam em atividade. Lá embaixo, os meninos mergulhadores balançavam-se em suas jangadas e riam, cheios de dentes; as gotas d'água brilhavam em suas cabeças, que pareciam secas; eles nos incitavam a jogar mais coisas. Alguém jogou uma laranja podre, os meninos mergulharam. Achei aquilo intolerável: isto foi uma das coisas que posteriormente proibi. Não por muito tempo, é claro. A angústia só pode ser compartilhada até certo ponto; ir além deste ponto é presunção. Os meninos mergulhadores voltaram a aparecer, recentemente, na propaganda turística de Isabella.

Detenho-me agora no momento de minha chegada mais do que o fiz no momento em si. Voltar tão cedo para uma paisagem que eu julgava ter expulso de minha vida de uma vez por todas era um fracasso, uma humilhação. Estes sentimentos, no entanto, juntamente com minha inquietação, eu os reprimia. Não acredito muito em justiça, mas acho que há um equilíbrio moral em todos os acontecimentos humanos. Se examinamos a fundo, encontramos a origem dos infortúnios que mais cedo ou mais tarde nos sobrevêm, justamente em pequenas desonestidades desse tipo, nessas pequenas corrupções. Naquela primeira manhã eu deveria ter dito: "Esta ilha corrompida não é para mim. Resolvi anos atrás que esta paisagem não era minha. Vamos ficar no navio e ir para outro lugar".

Para mim mesmo, tenho a desculpa de que eu estava entusiasmado, de que havia sofrido um fracasso recente e devastador. Talvez, além disso, como resultado de meu casamento, eu tivesse começado a abrir mão do controle sobre minha vida, não apenas em favor de Sandra, mas do sabor dos acontecimentos. Assim, uma desonestidade se ligou a outra, uma inquietação a outra: examinar minhas reações mais a fundo seria me expor novamente àquela sensação de falta de direção e impotência, o pesadelo que havia combatido por tantas noites com a lembrança da Luger à minha cabeceira. Creio que é essa também a desculpa que tenho de dar para meu comportamento nos anos subseqüentes. E me parece estranho que só agora, ao escrever isto, é que possa ver, como o historiador de uma revolução, a ela favorável, que percebe a semente da tragédia em algum pequeno evento a que ninguém deu importância, só agora é que vejo que todas as atividades desses anos, que, como já disse, na minha cabeça transcorriam entre parênteses, representavam uma forma de recolhimento, e faziam parte do dano que me foi causado por aquela cidade tridimensional, excessivamente sólida, na qual eu me sentia constantemente um espectro, em desintegração, sem rumo, fluido. Aquela cidade que, embora criada pelo homem, havia escapado de seu controle: a crise mental fora a reação negativa; a atividade, a reação positiva: aspectos opostos, porém, iguais, de uma adaptação à consciência de um lugar que, tal qual uma lembrança, quando intensa demais torna-se dolorosa.

Mas, por enquanto, deixei tudo por conta da sorte de Sandra. Breve esta sorte foi testada. À medida que nos aproximávamos das docas, a ilha dos cartazes para turistas foi desaparecendo. Morros, palmeiras e barcos de pescadores na névoa matinal foram substituídos pela parafernália internacional de um porto como os outros; por entre os altos armazéns víamos guindastes, asfalto e uma locomotiva pequena e velha. Aqui e ali, um negro seminu, com um *short* cáqui espetacularmente andrajoso, descansava num caminhão estacionado. Para o turista sequioso de exotismos, o negro pareceria de uma ociosidade tipicamente tropical; mas eu sabia que aqueles trapos constituíam sua roupa de trabalho, por assim dizer; que ele era um estivador, e que fazia parte de um sindicato particularmente intransigente, que costumava recorrer à operação tartaruga e era caracterizado por uma incompetência proposital, peculiaridades que já haviam motivado incontáveis inquéritos dos quais nada se concluía.

Por enquanto, porém, a cena era de paz: guindastes em repouso, os estivadores violentos aparentemente em repouso, tudo aguardando o calor e o pó de mais um dia de trabalho, que já se aproximava. Mas antes mesmo disto acontecer, uma terrível confusão explodiu.

É forçoso confessar que eu não havia informado minha mãe do casamento. Meu nervosismo sempre se convertia em cansaço toda vez que eu me sentava para lhe escrever aquela carta. Sandra pensava que minha mãe já sabia, e a consternação das duas, precipitada pelo comentário casual que dirigi a Sandra — Ah, veja, aquela é a minha mãe! — é fácil de imaginar. Mas talvez não seja assim tão fácil: nosso povo é melodramático, não perde uma oportunidade de fazer uma boa cena. Imagine-se, pois, Sandra, com seu traje de desembarque cuidadosamente escolhido, vendo-se cara a cara com uma viúva hindu, com seus trajes convencionais. Imaginem-na pensar que os braços levantados e o grito de minha mãe constituíssem um ritual de boas-vindas e, decidida a conviver civilizadamente com estranhos e antiqüíssimos costumes, reprimir toda e qualquer manifestação de surpresa ou estupefação. E então, quando o grito só foi interrompido para ressurgir ainda mais clamoroso e os gestos de desespero se converteram em gestos explícitos de rejeição, hesitar no meio de sua aproximação já hesitante em direção à figura histérica de minha mãe, e por fim permanecer imóvel no centro de uma cena que já começava a atrair uma platéia razoável de estivadores sacudidos de seu torpor, passageiros, turistas, funcionários, tripulações de navios das mais variadas procedências.

Quanto a mim, permaneci na mais perfeita calma. Não dei atenção às interjeições de minha mãe, que gritava que eu a havia assassinado, e fui cuidar da bagagem, cumprimentando com a cabeça os funcionários da alfândega que reconheci, trocando palavras com os repórteres dos jornais, que entrevistavam todos os estudantes que voltavam do estrangeiro. Meu velho colega do Colégio Imperial de Isabella, Eden, agora era repórter do *Inquirer*, coitado. (Ele foi bom comigo: sua reportagem afirmava apenas que eu e minha esposa havíamos sido recebidos no cais por minha mãe.) Eu estava calmo por achar que o fato não era importante. Já estava desconfiado — e posteriormente minha suspeita foi confirmada — de que, com tanta gente se deslocando entre Londres e Isabella, minha mãe já sabia de meu casamento, e havia ensaiado a cena que agora representava com grande êxito. Foi, de fato, uma cena grandiosa, talvez a mais grandiosa de sua vida, e foi uma espécie de vingança pelo ridículo a que eu a havia exposto, principalmente perante aquelas famílias que tinham filhas casadouras e que, durante minha ausência, certamente a teriam cortejado. Embora seja eu mesmo quem o diga, o fato é que eu era um partido e tanto! Não apenas um dos herdeiros da fortuna da Bella Bella, a distribuidora de Coca-Cola da ilha, como também — ao contrário da maioria dos comerciantes de nossa terra — um homem formado, viajado. Assim, para minha mãe aquilo fora mesmo um choque. Mas eu sabia também que, se ela tivesse ficado passiva e calada, isto sim seria um sinal de perigo. Teria indicado uma repreensão duradoura, que poderia levá-la a suicidar-se lentamente, decidindo em segredo parar de se alimentar. Por outro lado, aquela cena no cais do porto era puro teatro; era um bom sinal.

Mas a coisa não era tão simples. Naturalmente, Sandra não pôde fazer esta mesma avaliação, e eu não a pude transmitir a ela através de algumas palavras cochichadas. Ela ficou parada perto de nossa bagagem. Parecia muito irritada, e imaginei que isto queria dizer que estava controlando a situação e a si própria; era o que eu realmente esperava dela. Expliquei-lhe que seria uma imprudência irmos para a casa de minha mãe. Ela replicou, ríspida, em jargão universitário: — Uma abordagem interessante, essa. Por acaso existe alguma espécie de hotel nesta porcaria de ilha? — Entendi mal seu estado de espírito; achei que ela estava sendo firme e decidida. Foi somente mais tarde, quando já era tarde demais para me arrepender, que percebi que aquela minha placidez fria abalara mais Sandra do que minha mãe. Eu confiava na franqueza de Sandra, e na visão que lhe atribuía; mas, para ela, a impressão era de que eu a abandonava no seu momento de maior insegurança. Creio que ela nunca mais me perdoou, nem a mim nem à ilha. No entanto, minha conduta resultou dos melhores sentimentos que eu tinha em relação a ela! Lembro com que afeto a contemplei quando, exausta por algo mais que o calor da tarde isabelense, Sandra espreguiçava-se na cama de nosso quarto de hotel, com seu sutiã branco e limpo e sua casta anágua de algodão branco, sob o ventilador elétrico do teto. Estava com os óculos escuros baratos, de aro branco, que eu achava prejudiciais à vista, que ela havia comprado nos Açores. Estava fumando um cigarro à maneira das operárias, os lábios úmidos apertando o cigarro colocado no centro da boca, tragando fundo, como se a fumaça fosse o alimento de que ela tinha uma necessidade urgente. Havia aprendido aquele maneirismo num projeto agrícola do governo, em Dorset, onde passara um mês e aprendera a fumar; eu o achava muitíssimo atraente. A fumaça formava torvelinhos e desfazia-se na corrente de ar que vinha do ventilador. Eu também estava exausto, à beira da autocomiseração; e enquanto contemplava aquela figura cômica, tensa, de óculos escuros, deitada na cama, sua pele começando a umedecer-se, pensei que ela tivera muita coragem em vir de tão longe, para uma vida sobre a qual nada sabia. Antes desta viagem, Sandra jamais viajara nem se hospedara em um hotel; e pensei que, embora fosse um excelente partido em Isabella, eu não poderia ter trazido um trunfo maior em meu retorno à ilha do que aquela esposa.

Cerca de duas semanas depois — duas semanas, imagino eu, de cenas em diversas salas de visita na ilha — o tão esperado encontro com minha mãe foi organizado por minhas irmãs casadas. Fomos todos tomar chá numa mesa de metal desbeiçada no pátio quente do hotel, em que a sombra era escassa, com folhas marrons e esverdeadas de amendoeiras a nossos pés, e acertamos uma reconciliação. Mas o mal estava feito. Do mesmo modo como havia exagerado a importância da cena no cais do porto, Sandra agora exagerou sua vitória. Achei que aquilo tornava seu caráter ainda mais pronunciado; foi um prenúncio de tudo que viria a acontecer.

5

Os castigos que minha mãe invocara no cais do porto não eram coisas importantes. Vivíamos numa sociedade caótica, desordenada e miscigenada, em que uma exclusão estigmatizante era impossível; e antes mesmo de decorrerem aquelas duas semanas iniciais, já estávamos entrosados com o grupo neutro e fluido que se tornaria nosso meio durante os próximos cinco ou seis anos. Os homens eram profissionais liberais, jovens, indianos em sua maioria, com alguns brancos e mestiços; todos haviam estudado no estrangeiro e se casado no estrangeiro; o que os unia em Isabella era menos sua origem e seu *status* de profissionais liberais do que suas esposas e namoradas estrangeiras e extraordinariamente cosmopolitas. Havia também um componente adicional de americanos, indivíduos e casais. Era um grupo para quem a ilha era um cenário; suas atividades e interesses não eram mais do que o que pareciam ser. Não havia compromissos e profundezas que complicassem a situação; para todos eles o passado havia sido descartado. Naquelas duas semanas, aprendemos tudo que havia para se aprender em relação àquele grupo; daí em diante só houve repetição e envelhecimento. Mas de início ficamos deslumbrados. Tínhamos vindo para a ilha esperando encontrar uma vida insular, mesquinha e limitadora; ficamos deslumbrados, como se com o sol, com a liberdade de comportamento afirmada por todos aqueles que conhecíamos. As roupas! Tão leves, tão limpas, mudadas com tanta freqüência! Ficamos deslumbrados de andar entre os ricos, ser considerados ricos também; e daí tiramos a conclusão de que, num tal meio, em breve teríamos uma riqueza equivalente. Jogamos para o alto a austeridade e a prudência. Como gastamos naquelas duas semanas! Demos tanto quanto recebemos. Consumimos champanhe e caviar em quantidade. Fazia parte da simplicidade de nosso grupo; adorávamos champanhe e caviar só pelo que essas palavras representavam. E depois da angústia de Londres, daqueles quartos mesquinhos, das portas fechadas, das janelas herméticas, dos tetos encardidos, das cortinas gastas, depois dos medidores de gás e eletricidade acionados por moedas, das caminhadas melancólicas por paisagens de tijolos, daquela vida insípida, eu me sentia aliviado. E ainda durante as primeiras duas semanas, ouvi Sandra manifestar seu desprezo pelo *demisec* e manifestar sua predileção por Mercier. Moça esplêndida, que emergira com tanta sinceridade de um meio vulgar! Foi nosso período de maior felicidade; Sandra nunca foi tão ávida, tão cheia de gratidão. Comemorávamos nossa liberdade inesperada; comemorávamos a ilha e nosso conhecimento do mundo exterior, que já se tornava ambíguo; comemorávamos nosso cosmopolitismo, que aqui tinha mais significado do que nos salões do Conselho Britânico.

Comemoração, entusiasmo, e, no fundo, uma grande paz. Antes, sequioso de conhecer o mundo, eu quisera despedir-me para sempre da ilha. Agora, num piquenique na areia quente de uma praia recortada por trepadeiras de um verde suculento, onde brotavam flores roxas, ou num churrasco ao lado de uma piscina iluminada, era possível, sem medo nem saudade nem a sensação de estar longe do mundo, fazer com que uma das mulheres de nosso grupo revelasse seu segredo adolescente de passeios de bicicleta por uma estrada de terra até os morros avermelhados perto de sua cidadezinha, num estado a oeste do Mississípi, para ver o sol se pôr; que outra nos comunicasse uma outra imagem, em cinza e branco, de neve e alemães em Praga; que ainda outra nos pintasse uma paisagem da Inglaterra central no crepúsculo, durante o verão, um passeio ao longo de um riacho com margens cobertas de margaridas, uma caminhada infindável que se transformava em uma cena noturna, com cisnes; imagens que, na ilha, eram cenas de um mundo agora totalmente apreendido, do qual eu não me sentia mais capaz de fazer parte, do qual todos nós havíamos conseguido nos desligar. Deliciava-me contemplar este mundo fragmentado que havíamos aproximado; e eu o fazia com a sensação de que minha extinção era iminente. Eu pertencia a uma pequena comunidade que, nesta parte do mundo, estava fadada a desaparecer. Éramos de uma raça intermediária, de genes passivos, que no espaço de duas gerações poderia dissolver-se em uma entre três raças diferentes, deixando apenas, talvez, a forma de um olho ou a flexibilidade de um punho esguio como sinal de sua passagem. As repreensões de minha mãe eram, sem dúvida, teatrais; mas eram também um ato de respeito em relação ao passado, a peregrinações incertas e desconhecidas por um continente estranho. Esse respeito eu também sentia. Mas a sensação de liberdade que sentia ao saber-me o último de minha linhagem! Entenda-se esta sensação como um estado de espírito subjacente, que de vez em quando vinha à tona numa névoa de embriaguez, quando a música da orquestra ou da vitrola tornava-se distante, e eu examinava nosso grupo como se pela primeira vez, com Sandra e eu dentro dele. Era uma disposição de espírito que jamais era perscrutada além deste ponto, e jamais era revelada. Era o estado de espírito de minha serenidade, de minha nova vida ativa. Dentro de mim, com aquela mesma serenidade, aquele afastamento de Londres e aquela aceitação completa de uma nova forma de vida, já encontrada pronta, eu sentia que havia mudado. Admitia que a mudança era involuntária, de forma que meu "personagem" não era mais o que os outros achavam que fosse, e sim algo pessoal e escolhido. No auge de meu entusiasmo, julguei que aquela serenidade fosse minha força e imaginei-a dentro de um campo emurado, impenetrável. Eu vivia de modo neutro; a atividade era real, mas só existia na superfície; achava que nunca mais permitiria que me ferissem outra vez.

Diriam depois que eu "trabalhava com afinco e me divertia com afinco". Ah, essas expressões simétricas! Eu não tinha profissão nem emprego. Precisava de dinheiro. Avaliei meus recursos e tentei encontrar uma saída. Numa ilha em que, excluídas as profissões liberais e a agricultura, só se ganhava dinheiro como agente comercial, eu certamente parecia um aventureiro um tanto calculista. Mas pelo menos a Escola não pode dizer que os anos que nela passei foram desperdiçados. Uma pequena parte da fortuna da Bella Bella chegara a minhas mãos; cinco anos depois, aquela parte fora multiplicada até exceder o total. Eu fui um daqueles que previram o crescimento das cidades no pós-guerra, a destruição dos espaços vazios entre os centros urbanos e, em Isabella, fui o primeiro. O que fiz foi um tanto óbvio, levando-se em conta os recursos de que dispunha. Eu havia herdado um terreno de sessenta hectares de mato, nos arredores da cidade. Fazia parte de uma plantação de frutas cítricas que fora atacada por uma praga e abandonada durante a depressão; fora então vendido a um turfista que tentou, sem sucesso, criar cavalos de corrida ali; depois fora comprado por meu avô, apenas porque era terra e estava barato. Meu avô nada lucrou com o terreno; duvido que tenha dado sequer para pagar o salário do vigia e a forragem de sua mula. De vez em quando, aos domingos, meu avô ia lá, pegava uns abacates e laranjas, e fazia de conta que aquelas frutas lhe saíam de graça. Não fora uma herança cobiçada. Uma plantação abandonada de frutas cítricas é uma favela na natureza tropical. A terra não era boa; as cascas das árvores eram cobertas de fungos e musgos; os galhos pardos, frágeis e quase nus de folhas; as folhas eram amarelas; as frutas apodreciam antes de ficarem maduras e pendiam macias e descoloridas dos ramos, como se doentes, exalando um cheiro pestilento. Quando herdei o terreno, a minha primeira idéia foi vendê-lo. Mas, mesmo em 1945, não consegui encontrar ninguém interessado em comprá-lo.

Ainda perdurava a idéia — sem dúvida reforçada pela péssima rede de transportes, que se tornara ainda pior durante a guerra — de que cidade era cidade, e campo era campo. E nossa cidade, além disso, permanecia imutável há tanto tempo que tínhamos concepções rígidas, quase medievais e supersticiosas, a respeito de seus limites. O último poste de telégrafo dentro do perímetro urbano estava coberto de cartazes, o poste seguinte, a duzentos metros do outro — já no campo — estava completamente nu.

Era esta a terra que eu agora resolvera urbanizar. Até um certo ponto, o terreno já estava ajardinado, com trechos mais baixos e pequenas elevações; ficava perto da cidade o bastante para ter água e eletricidade sem maiores problemas. Dividi-o em cento e cinqüenta lotes de dois mil metros quadrados cada; construí ruas, instalei uma infra-estrutura e coloquei os lotes à venda: dois mil dólares cada lote, contratos de vinte e cinco anos, aluguel de quinhentos dólares por ano. Devo lembrar que se trata de dólares de Isabella e que, na época, cinco dólares isabelenses valiam três dólares norte-americanos. Os preços não eram exorbitantes. Nossa cidade fora construída com aluguéis de curto prazo, e mesmo numa área pouco valorizada pagava-se até cinco dólares por mês de aluguel por um terreno de dois mil metros quadrados. Na verdade, as condições que eu oferecia eram mais do que razoáveis; a única exigência problemática era a de que todas as casas tinham que ser aprovadas por mim, e não podiam custar menos de quinze mil dólares. O que é uma ninharia hoje em dia, quando professores e funcionários públicos compram casas de vinte mil dólares. Mas no início dos anos 50 isso era dinheiro em Isabella, e Kripalville — foi este o nome que dei ao empreendimento, que rapidamente deu na corruptela Crippleville,* a qual tinha lá seus atrativos — seria destinado a uma elite. Tudo que era necessário era método, precisão e tempo. Trabalhei no empreendimento, com toda a calma, por dois anos. Estava absolutamente convicto de que daria certo e jamais cheguei a me preocupar, nem mesmo quando passei a dever ao banco cento e cinqüenta mil dólares. Lidava com os homens como lidava com o dinheiro: por instinto.

(*) *Cripple* significa "aleijado". (N. T.)

Quando se tratava de contratar alguém, eu jamais levava em conta os conselhos e as referências, nem era influenciado por considerações de ordem racial. Só empregava um operário, um mestre-de-obras, um funcionário, se imediatamente simpatizasse com ele; e jamais dava uma segunda oportunidade a quem quer que fosse. Aquele que o decepcionou uma vez, fará o mesmo se tiver oportunidade. Isto é particularmente verdadeiro quando se trata de alguém que o decepcionou após um longo período de bons serviços. Quando um homem assim comete alguma negligência, é porque sua atitude em relação às suas responsabilidades e seu empregador mudou definitivamente; o relacionamento não deu certo, e não faz sentido tentar descobrir de quem é a culpa; o homem em questão está precisando de um novo patrão, uma nova relação de trabalho; melhor deixá-lo ir embora logo de uma vez.

E Crippleville deu certo. Não há episódios dramáticos a relembrar. Em um ano, cem lotes já haviam sido adquiridos. As pessoas compravam, mas nem sempre construíam e, dois anos depois, os terrenos estavam trocando de dono a preços de cinco ou seis mil dólares. Agora a coisa parece simples e óbvia; já me parecia assim na época. Mas, no momento em que a coisa foi feita, eu, por assim dizer, prendi a respiração. Não por causa dos riscos que corria, mas por não ter levado em conta justamente os fatores que foram responsáveis pelo sucesso do empreendimento. A ausência de mosquitos foi um desses fatores; dois ou três outros empreendimentos, inspirados no meu, terminaram como favelas infestadas de malária. Outro fator foram os morros ao redor de Crippleville. Para mim, possuíam um valor puramente estético. No entanto, enquanto alguns empreendimentos foram engolidos por outros construídos na sua vizinhança e entraram em rápido declínio por esse motivo, os morros de Crippleville limitaram o crescimento da cidade naquela direção, e suas características originais foram preservadas. Além disso, a estrada que ligava o centro da cidade a Crippleville passava por bairros razoavelmente agradáveis, ao passo que para chegar a quase todos os outros subúrbios era necessário atravessar favelas. Pois só levei em conta esses fatores quando já estava concluída a obra; então prendi a respiração. Creio que foi minha determinação, minha convicção que me permitiu conseguir empréstimos com tanta facilidade; mas também tive a sorte de lidar com um banco americano que estava ansioso para se estabelecer na ilha. Acho improvável que qualquer dos bancos ingleses ou canadenses mais antigos fosse tão permissivo, e até teria compreendido sua relutância.

Um homem obcecado pela segurança financeira passa a vida toda trabalhando e economizando e, se no final consegue acumular dez mil libras, se dá por feliz. Um outro, serenamente convicto de sua extinção iminente, ganha meio milhão de dólares em cinco anos. A meu ver, não se trata nem de ambição nem de cálculo. Trata-se de um dom que nos é concedido. Quando temos sucesso, nada nos parece mais fácil e natural que o sucesso; quando fracassamos, nada parece mais improvável. Observe-se como me valeram minha sorte e minha intuição. Quando minha iniciativa original começou a dar certo, tomei a precaução de comprar as terras que circundavam o empreendimento, todas as que pude comprar. O que eu estava fazendo — embora na época não tivesse esta impressão — era pôr em risco todos os lucros fáceis que eu poderia ganhar. Os terrenos que adquiri agora foram urbanizados de modo diferente. Deixei muitos espaços vazios, dividi o resto em pequenos lotes, de quinhentos metros quadrados cada, e os coloquei à venda por preços proporcionalmente menores: quinhentos dólares o terreno, aluguel a cento e vinte e cinco dólares por ano, uma casa por cinco mil dólares. Preços excelentes; pode-se imaginar a corrida de compradores. Mais uma vez, uma idéia simples; entretanto, eu poderia muito bem ter tentado repetir a façanha original, o que não teria dado certo, tal como ocorreu com alguns de meus imitadores. Nossa classe média era pequena e o número de pessoas que queriam e podiam gastar muito dinheiro com uma casa era limitado. Com meu novo empreendimento, menos luxuoso, a exclusividade do antigo foi realçada. Este, por sua vez, emprestava um certo *glamour* ao novo. Um ajudava o outro; Crippleville adquiriu uma integridade que se revelaria duradoura. Não foi tudo previsto de antemão: foi instinto, intuição.

Assim, um sucesso levava a outro, e aquilo parecia não ter fim. Era perturbadora esta convicção, esta certeza em relação a coisas que, conforme ficava claro depois, tinham dado certo por um triz. Eu não me sentia responsável pelo que acontecera; sempre me sentia divorciado daquilo que fazia. Foi só com o tempo que desapareceu a sensação de irrealidade, violação, admiração por mim mesmo. Só agora sinto que realmente posso reivindicar o mérito do que fiz. Lembro-me de um incidente insignificante, que ocorreu quase no início. Os operários estavam fazendo terraplenagem. Certa tarde, o mestre-de-obras veio me dizer que haviam encontrado o toco e as raízes de uma árvore gigantesca; fora necessário utilizar três cargas de dinamite. Mostrou-me a cratera: uma ferida imensa na terra avermelhada. Uma árvore gigantesca, que talvez já fosse velha quando Colombo chegou: lamentei não tê-la visto; gostaria de ter preservado o toco. Conservei um pedaço da madeira em minha mesa, para manifestar meu interesse, para não esquecer aquela violação, como um talismã. O sucesso tem dessas coisas! O caminho estava desimpedido para que eu seguisse em frente, dizia eu. Logo comecei a achar que eu *tinha* de seguir em frente. Entre aquela vida e a inatividade, entre o choque de um mundo sem fim e um mundo sem sentido, não havia um caminho intermediário. E, para ser franco, fiquei aliviado quando chegou a hora de me recolher. Isso pode parecer um contrasenso. Mas o dom que nos é concedido é também um fardo intolerável. Ele nos isola, nos distorce, nos separa daquilo que identificamos como o que somos, e do qual jamais nos afastamos. A cada semana, em algum lugar do mundo, um homem, partindo do nada, ganha cem mil libras, que em pouco tempo há de perder. A tragédia, até mesmo o dissabor, existe apenas nos olhos de quem vê. O dom é mefistofélico. É renegado por vontade própria, ainda que inconscientemente. Mas mesmo assim, o estigma permanece.

Na ilha, no interior de nosso grupo, de certo modo nos isolávamos do resto. A inveja não constitui uma explicação satisfatória. Imagine-se a impressão perturbadora que causávamos numa manhã de domingo, na casa da moça da Letônia, por exemplo. É hora do ponche. Estou de óculos escuros; os punhos de minha camisa, de algodão cru indiano, estão abotoados; estou debruçado para a frente, com um copo suado de rum seguro pelas duas mãos. Sandra está sentada num sofá alto, negro — talvez um baú letão, transformado em sofá: a conversão de casas e móveis é uma ocupação constante das mulheres de nossa ilha. Sandra traja calças compridas brancas. As pernas estão abertas, e as mãos, entre as pernas, apertam a beira do sofá; sua aliança de casamento, muito fina e barata, comprada de segunda mão, quase não se percebe. Com os pés, ela marca o ritmo da música que vem da vitrola; os saltos de suas sandálias douradas, indianas, destacam seus tornozelos bem torneados, de veias finas, que muito contribuem para a elegância esguia de seus pés, cuja forma e cor são acentuadas pelo esmalte vermelho das unhas com dedos bem formados e pelas tiras douradas das sandálias. Os sapatos e meias de Londres antes ocultavam aqueles pés. Eram nervosos sem serem demasiadamente ossudos; eram pés bons de se acariciar, coisa que eu fazia com freqüência. Voltemos, porém, àquele momento. Estou olhando para baixo, através das lentes escuras de meus óculos — faltam-me bolsos para guardá-los: uma inconveniência constante dos trajes tropicais —, vendo o *Isabella Inquirer* aberto na coluna social, espalhado no piso romano, que aqui na sombra é fresco, mas que, quando se funde com o concreto do pátio ao lado da piscina, é de um branco ofuscante. As coisas estão mudando. A coluna social está cheia de fotos de funcionários de olhos arregalados com jaquetões grandes demais para eles, de braços dados com noivas cheias de babados de renda. O povo está avançando e recentemente o *Inquirer* passou a ser o *seu* jornal. Para nós, no entanto, que consideramos ponto de honra jamais sermos mencionados, a coluna social ainda guarda um certo interesse. Segundo ficamos sabendo, o colunista nos oferece uma brincadeira semanal, um item especialmente hilariante: uma descrição aparentemente séria, por exemplo, das núpcias de um homem "que trabalha na Câmara dos Vereadores", sendo este fato mencionado só no final. É esta a brincadeira da manhã de domingo que procuramos, para nos divertirmos com ela. Faz parte de nosso amor-próprio, a crueldade que é necessária em um país pobre; também faz parte de nossa simplicidade colonial. Isto, naturalmente, é o que percebo hoje. Esta auto-avaliação não se faz presente no momento em que, por detrás dos óculos escuros, meus olhos correm de item a item, tentando localizar a ficção da semana. Além disso, vejo com o canto dos olhos as calças brancas muito limpas de Sandra, e aqueles pés que eu gostaria de acariciar. Há prazer e avidez naqueles pés; e percebo que Sandra está se esforçando mais do que nunca com a letã. Ela é nova em nosso grupo. É ruiva, tem uma carinha de rato, um nariz arrebitado e usa óculos; é realmente de uma feiúra aterradora, o que faz com que todos se sintam obrigados a ser particularmente simpáticos com ela. Isso vai dar problemas dentro em breve. A letã vai levar a sério demais essas atenções todas, e, adquirindo confiança, vai acabar se excedendo; e aí as pessoas não serão mais tão boazinhas quanto antes. Ela já está causando uma certa tensão por servir todos os vinhos em cestinhas de vime; seu prazer é tão grande quanto nosso constrangimento; não sabemos usar essas cestinhas, mas de nada adiantou demonstrarmos este fato, pois o marido dela também adora a cestinha e, como homem de origem simples, está exultante com sua emancipação, adorando todo tipo de engenhoca.

Entram os outros. Crianças mimadas, exagerando seu papel; é a sensação que sempre tenho quando ouço suas vozeinhas refinadas, dando gritinhos ao longe; seus patinhos de borracha especiais e outros acessórios infláveis totalmente inúteis flutuam na piscina. Os pais fazem os comentários semijocosos de praxe a respeito de Crippleville, e eu mal dou sinal de tê-los ouvido; não que tais comentários me irritem, mas tenho por hábito jamais falar de negócios fora do horário comercial. Não se trata de uma questão de princípios, é apenas uma decorrência de minha serenidade que, sob este aspecto, Sandra, com seu medo feminino de se abrir demais em relação a qualquer assunto, também adotou. Depois, começo a me dar conta da atenção da inatenção forçada. As pessoas falam um pouco alto demais e com uma ênfase um tanto quanto demasiada; são excessivamente agressivas ou defensivas. Elas estão representando, exagerando sua domesticidade, os pequenos detalhes, enfatizando demais sua auto-realização. Os pés de Sandra já não marcam o ritmo da música como antes. E ocorre-me que constituímos uma fonte de tensão para essa gente por quem é tão importante ser bem recebido, cuja amizade valorizamos, cujos prazeres são também os nossos. Sandra é toda naturalidade, toda encantamento, aparentemente. E talvez não sejam só as aparências. Mas ela é tão jovem! Seu marido é tão jovem! Pode-se mesmo confiar nesta naturalidade? Fora desta reunião, eles não estão apenas ganhando o necessário ao sustento, estão fazendo fortuna e como isto deve consumi-los! É na aquisição desta fortuna, na administração de Crippleville, nas transações com empreiteiras e bancos e advogados e contadores, que reside seu verdadeiro interesse. É o lado maior e mais importante de suas vidas. Estão ganhando uma fortuna e se consumindo nesta tarefa com uma dedicação que deve obcecá-los. Aqui eles podem ser naturais, relaxar; mas não estarão, neste caso, explorando seus amigos? Tudo isto consigo enxergar. Entendo que toda tentativa de ser simpático deve parecer falsa e insegura, que deve dar vontade de ser indelicado comigo e que até a gargalhada que solto ao encontrar a ficção na coluna social deve ser irritante. Esta juventude, esta placidez, esta frieza que oculta a paixão — a paixão pelo dinheiro — é realmente uma coisa inominável. Tudo isto eu vejo, mas não sei como comunicá-lo a Sandra. Ela ainda é a minha sorte. Deixo que ela própria combata, como sempre, em suas batalhas; sei que vai vencer. Ainda me dá prazer aquele seu jeito de falar, palavroso e mordaz, aquele queixo e lábio inferior proeminentes.

Assim, estávamos um pouco isolados. Um pouco acima. É o instinto humano de ordem; e aqueles que tão prontamente colocaram-se abaixo de nós exigiam que demonstrássemos possuir qualidades extraordinárias. Tínhamos de ser mais simpáticos, mais cheios de consideração, menos impacientes, e, acima de tudo, jamais poderíamos dar atenção à única coisa — dinheiro, em nosso caso — que, para os outros, nos separava deles. Éramos constantemente desafiados, provocados, espicaçados, testados. A força superior que nos era atribuída levava nossos amigos a exibirem uma fraqueza a ela proporcional. E reagíamos erradamente a isso. Como é difícil ser superior! Eu tentava uma acomodação, ao invés de impor autoridade. E, ainda por cima, lá estava Sandra com seu dom de expressão, sua língua londrina, lutando em vez de confortar e consolar. Eu a incentivava, creio que por achar graça, devo confessar. Muitas vezes ela fazia comentários ferinos em público apenas para me dar prazer.

Num domingo, fomos visitar a casa que um dos casais de nosso grupo havia construído numa serra que há no centro da ilha. Todo mundo queria uma casa na praia — uma casa de montanha era original. Já ouvíramos falar muito sobre esta casa; os detalhes, porém, tinham sido mantidos em segredo, para fazer surpresa. A estrada era ruim e perigosa; chovia. Sandra estava dirigindo; quando chegamos, não estava de bom humor. Praticamente a primeira coisa que ela disse a nossa anfitriã, quando esta fez uma pergunta descompromissada, mas excessivamente modesta, a respeito do que ela achava da casa, foi o seguinte: —Vocês deviam decidir se isto é uma cabana ou uma casa. — Imediatamente sentimos um frio no ar, que não era só o frio da altitude que motivara a construção daquela casa. Ali o termômetro talvez caísse para quinze graus logo antes do amanhecer, e o máximo que se podia dizer era que uma lareira acesa não causaria muito desconforto. Muito pinho envernizado, lembro-me; uma abundância de nós na madeira; muito escandinava, todos concordamos. Fomos levados à enorme lareira, ladeada por cintos de couro e bronze, ou coisa parecida, dispostos assimetricamente. Ficamos perplexos, mudos; o momento apropriado para exclamações e elogios já havia passado; afastamo-nos. Fomos até uma janela aberta, que dava para uma mata vicejante e úmida; o sol havia saído e a água da chuva já começava a evaporar-se. Disse Sandra: —Aqui em cima deve fazer um frio desgraçado. — Nossa anfitriã, que era sueca, perdeu o domínio de seu sotaque inglês. Sandra, embora percebesse que havia ido longe demais sem ter sido nem um pouco espirituosa — e talvez justamente por percebê-lo —, não fez nenhuma tentativa de reparar o mal já feito, nem mesmo quando, provocando exclamações com muitos sotaques diferentes entre as outras moças, nossa anfitriã serviu-nos sanduíches abertos, cujo nome nativo, em tantas ocasiões no passado, havia-me servido de pretexto para brincadeiras sem graça. O inglês da anfitriã parecia sueco quando ela se despediu de nós. Já dirigindo o carro, descendo as curvas úmidas e perigosas, e agora tendo apenas a mim como platéia, Sandra não perdeu nem um pouco daquela irritação ou hostilidade que ela própria provocara em si. — Aquela lapãzinha vulgar! — Uma pequena explosão mal-humorada, após alguns comentários intermitentes. Eu ri e Sandra sorriu, de cenho franzido, prestando atenção na estrada. Beijei meu dedo e encostei-o em seus lábios. Aquele dom de expressão! Porém, no caso, pura fantasia; pois a sueca era uma mulher e tanto, e era de uma família de Estocolmo da maior distinção; o pai era editor.

O dom de expressão: cada vez mais Sandra dependia dela, deixando que meras palavras se cristalizassem em juízos e atitudes inflexíveis. Ela usava seu dom para tornar grotescas as jovens cuja companhia de início ela procurara, e cuja forma de vida antes lhe deliciava. Transformava-as numa espécie de coro cômico e, para cada uma delas, arranjava uma descrição racial pejorativa. Uma jovem corpulenta de Amsterdã, casada com um homem do Suriname que havia emigrado para Isabella, era uma "sub-boche"; a letã ganhou o cognome revelador de "subasiática". Eu aceitava essas expressões, e em nossa casa, onde havia, naturalmente, algumas contradições raciais, eu dava por mim dizendo com a maior naturalidade coisas como : "Vamos convidar a sub-boche para uma *genever* no domingo de manhã?" ou "Pelo visto, a lapã perdoou você. Quer que você vá a uma festa que ela está dando em homenagem a um compatriota barbudo dela. Ele está aqui para recolher músicas de vodu para tocar no rádio lá na Suécia''.

Um convite como este último era, sem dúvida, uma reconciliação. Entre nós, por mais cosmopolitas que fôssemos, nada mais importante do que visitantes de uma terra razoavelmente longínqua. As mulheres disputavam tais visitantes, fazendo exclusões para indicar quem havia caído em desgraça e convites para anunciar reconciliações. Era esta a base da hospitalidade de que nos orgulhávamos, estes paparicos com os visitantes enquanto eles permaneciam nesta condição, enquanto duravam seus cigarros, camisas e sapatos estrangeiros, antes que eles se tornassem parte de nosso grupo. Invariavelmente, com um desses visitantes, ocorria um momento, não planejado, de tristeza coletiva, em que cada mulher parecia ver por um instante a paisagem que havia deixado para trás. E numa varanda escura, da qual oferecíamos ao visitante a noite tropical, sussurravam-se críticas, prevendo-se os comentários da visita, a respeito da estreiteza da vida insular: a falta de boas conversas, de uma sociedade decente, a impossibilidade de se ir ao teatro ou assistir a uma *boa* orquestra sinfônica. Por que motivo a questão da qualidade das orquestras sinfônicas era enfatizada, não sei. Sempre o era; dava a impressão de que uma das condições a que se tinha de submeter o habitante de Isabella era uma série interminável de concertos com orquestras sinfônicas medíocres. E foi numa dessas sessões de críticas sussurradas — no Comissariado Indiano, no Dia da República da Índia, com todo o corpo diplomático ou pseudodiplomático de Isabella reunido, as mulheres de sari, luz refletindo-se nas sedas de Benares e jóias da Guiana —, foi então que Sandra, ela também de sari, conseguiu indispor-se com todo o grupo, dizendo bem alto, durante a reclamação coletiva a respeito da qualidade da música na ilha: — A única coisa que aprendi a identificar desde que vim para cá foi o que é uma orquestra sinfônica medíocre.

E assim, Sandra continuava a combater com sua maneira de falar londrina, reagindo diretamente a hostilidades que não eram hostilidades, e sim apenas aquele tipo de provocação que expliquei acima. Por fim, havia um estado de guerra não declarado entre nós e os outros. Continuávamos a nos reunir, a oferecer e receber hospitalidade; só que agora valia tudo. Foi o nosso isolamento final. Eu teria que pagar por tudo isso mais tarde, mas na época quem sofreu foi Sandra. Vulgar: fora este o adjetivo que ela introduzira, e era este o adjetivo que agora lhe era sempre atribuído. Sandra passara a ser uma moça do East End de Londres, sem educação nem instrução, que fora salva por mim, por ter eu me deslumbrado com o *glamour* de sua raça. Mas o dinheiro provocava fantasias ainda maiores. Creio que jamais conseguiríamos convencer alguém de que para Sandra o dinheiro era algo encarado com naturalidade, como algo que ela sempre considerara seu elemento natural; que nunca pensara muito em dinheiro, que mesmo quando estudante nunca soube exatamente qual o valor de sua bolsa de estudos, nem quanto havia em sua conta bancária; que em relação a questões financeiras Sandra não tinha aquela precisão neurótica que era uma característica minha — pois só me sentia tranqüilo quando sabia exatamente quanto tinha e quanto eu deveria ter dentro de um ano —; e que a mim não causara nenhuma surpresa constatar que a mesma jovem a qual, antes de se casar, considerava cinqüenta libras uma fortuna, três anos depois falava com a maior tranqüilidade sobre nosso saque a descoberto no valor de cem mil dólares. Seu amor ao luxo, sua facilidade de criar uma ocasião especial com muito pouco — tais coisas jamais mudaram desde a época em que a conheci. Suas exigências, mesmo durante a fase das vacas gordas, nunca foram grandes e, quando ela me deixou, partiu mais ou menos tal como havia chegado. Não apenas por orgulho, nem tampouco por achar que aquele meu dinheiro, por ser fruto de um dom, fosse de algum modo imerecido, e sim — tenho certeza — por estar convencida de que dinheiro não era mais problema. É a forma específica de loucura provocada pelo dom de ganhar dinheiro; é ela que faz com que tanta gente, para o espanto de todos, jogue fora tudo que tem.

As simplificações! As distorções! O incidente do Comissariado Indiano, por exemplo, foi mais do que modificado quando passado adiante. Segundo se dizia, falava-se de música. O Comissário de Comércio canadense perguntara a Sandra: — A senhora gosta de música? — E, diziam, Sandra respondera, com um sotaque londrino vulgar: — Com quem o senhor pensa que está falando? Fique sabendo que eu gosto de ouvir uma boa orquestra sinfônica. — Depois espalhou-se a história de um suposto incidente ocorrido numa livraria, do qual eu teria participado. Teria sido o vendedor quem espalhara a história hilariante? O vendedor, na história, me dizia: — Ah, sua mulher gosta de ler! — E eu respondia, zangado: — Pois fique sabendo que minha mulher lê bons livros! — Era esse o estilo dessas histórias: eu e Sandra sempre dizíamos "fique sabendo". Tais histórias, bem como outras, que envolviam lascívia, infidelidade e até mesmo peculiaridades sexuais, não arrancavam de mim nenhuma reação, e eu pensava que Sandra também tinha a mesma serenidade, que era em parte um dom seu, o qual eu passara a ter depois de me casar com ela. No entanto, ela sofria mais do que eu pensava. Nunca me ocorreu que nem sempre Sandra sabia enfrentar a situação que ela própria tinha criado; nunca me ocorreu que, com todo seu dom de expressão, às vezes as expressões usadas pelos outros a faziam sofrer; e que perante uma distorção de baixo nível ela era indefesa, como algumas crianças sentem-se indefesas perante as chacotas de seus colegas, apesar de todas as explicações tranqüilizadoras dos pais.

Sandra começava a cultivar uma amizade com afinco, com ciúme, alguma mulher recém-chegada, ainda nova no grupo; via esta amiga diariamente e lhe demonstrava todo tipo de sentimento de generosidade e apreço. Rapidamente, todos os aspectos do relacionamento se desgastavam, e ocorria a ruptura inevitável, a raiva que, na verdade, era mágoa. Comecei a perceber que, cada vez mais, Sandra cultivava as americanas. Em nosso grupo, eram um elemento neutro, e sentiam-se tão encantadas com o sotaque de Sandra quanto ela sentia-se com o delas. A cada novo conhecimento, a cada nova amizade, ela criava um novo mito a respeito da simpatia inata de alguma etnia. Jamais se contentava com o indivíduo enquanto tal; queria sempre ir além; isto era tudo que restava de sua avidez e de seu entusiasmo, que podiam ser despertados por tão pouco. Lamento não ter visto então, como vejo agora, com tanta clareza, que Sandra estava afundando.

O que constitui um casamento? O que faz com que uma casa habitada por duas pessoas seja uma casa vazia? Sem dúvida éramos compatíveis, até mesmo complementares. No entanto, foi justamente esta compatibilidade que a afastou de mim. Ela já começara a assimilar de mim aquele senso geográfico, aquela sensação de ter sido excluído do mundo, aquela ânsia por todas as paisagens e lembranças contidas nas memórias das pessoas que conhecíamos. Falava cada vez mais de sua infância, da escola, dos passeios, de uma amiga que sonhava ter um automóvel completamente branco. Certa manhã — já há algum tempo vínhamos dormindo em quartos separados — ela contou-me que acordara no meio da noite presa de uma sensação de medo, um medo simples do espaço, do mundo ausente. Senti-me fortalecido de saber que ela compartilhava de um medo que eu conhecia tão bem e, de modo sutil, minha atitude em relação a ela modificou-se. Justamente as coisas que eu antes admirava nela — confiança, ambição, integridade — passaram a constituir os motivos pelos quais ela me inspirava pena; senti que havíamos ficado juntos movidos por um impulso de autodefesa. Mas havia sempre o alvorecer, sempre a frase consoladora — que coisa confortante e enganadora, o dom da fala! — Imagino que este seja o lugar mais inferior do mundo — disse ela. — Nativos inferiores, expatriados inferiores. Terrivelmente inferiores, terrivelmente felizes. Duas coisas que sempre vêm juntas. — Propus uma viagem à Inglaterra, mas ela não estava interessada. A Inglaterra continuava a ser um país do qual ela queria afastar-se. Não havia uma família nem um grupo esperando por ela; e ela não era uma turista; não queria ver a Torre de Londres nem visitar as galerias de arte nem ir ao teatro; não precisava sequer fechar os olhos para ver o que representaria passar duas semanas ou um mês em Londres. Disse ela: — Isso eu já considero lido. — Passava mais tempo em casa; nas tardes quentes e abafadas, muitas vezes andava descalça, com a anágua branca de algodão e um sutiã cobrindo os seios que ela não mais pintava. Três vezes por semana, vinha um homem pela manhã cuidar do jardim; tínhamos uma faxineira de Granada. Fora estes dois, não tínhamos empregados, pois Sandra passara a incomodar-se com eles, às vezes tornando-se histérica, por achá-los intrusos. De qualquer modo, não havia muito o que fazer em casa. A cozinha bem equipada de nossa casa alugada era pouco usada. Dela só o que saía era café, torradas, leite quente, ovos mexidos, alguma fritura simples. Nas prateleiras havia latas usadas, mofadas, e potes de ervas; à noite, assim que a luz fluorescente se acendia, baratas ágeis corriam por todos os lados através das superfícies brancas e nuas. As mulheres de nosso grupo indignavam-se. Tomavam meu partido, na época; mais tarde, é claro, a coisa seria diferente.

Contudo, para mim, tanto quanto para Sandra, nossa casa era um lugar onde se devia ficar o mínimo possível. Naquele lugar, o mais inferior do mundo, para o qual havíamos ido, aonde ir? Às praias? Já conhecíamos todas, podíamos considerá-las "lidas". Às aldeias das montanhas, de negros ou de mulatos, com seu passado escravagista, seus costumes de escravos? Era mais interessante ler sobre elas no *Inquirer* de domingo do que visitá-las. Aldeias em mau estado, de concreto e ferro corrugado, num cenário verde, um verde sempre brilhante, todas iguais. À noite saíamos de carro, só para fazer alguma coisa. Íamos até o aeroporto e ficávamos bebendo junto com os passageiros em trânsito, ouvindo os nomes de cidades estrangeiras. Íamos a todos os bares e restaurantes e boates que abriam: Isabella era o tipo de lugar onde tais estabelecimentos regularmente abriam e fechavam sob nova administração. Ficávamos particularmente alegres quando saíamos. Era na rua, numa multidão, tarde da noite e sob o efeito do champanhe, que comungávamos. Ver Sandra sentada do outro lado de uma sala me excitava às vezes a ponto de ser vergonhoso. Aqueles olhos mal-humorados! Aquele rosto ossudo com queixo proeminente! Aqueles pés, nervosos e expressivos como mãos, mas muito mais sutis e complexos, muito mais belos! Aqueles seios que ela estava sempre disposta a me oferecer, como se a uma criança. Eu gostava de me aproximar dela e afastá-la do homem — normalmente americano, agora — que havia sido atraído por aqueles seios. E assim, em público, comungávamos. Era a palavra que empregávamos. Eu dizia: — Vamos comungar? — E ela respondia às vezes: — Vamos. Vou pegar algo para beber antes. — Então sentava-se num sofá alto, a cabeça e os ombros encostados na parede, os pés apoiados em meu ombro, pois eu me sentava no chão à sua frente, e contentava-me em beijar e acariciar aqueles pés e pernas que se contraíam e me apertavam em resposta. Essas demonstrações públicas, tanto quanto o vazio da cozinha de Sandra, indignava os instintos femininos da Europa e da Ásia — talvez com razão.

Essa disposição de espírito que nos dominava, porém, raramente levava a alguma forma de consumação. Talvez até isto acontecesse se estivéssemos dispostos a afrontar todas as sensibilidades, fazer em público o que os boatos plebeus atribuíam a nosso grupo. Mas nesse estado de espírito raramente íamos para casa; não conseguíamos obliterar a sensação de fracasso, de vazio daquela casa, de que qualquer solução a que chegássemos seria apenas provisória, não destruiria a noite nem a manhã seguinte. Nunca havíamos dormido em cama de casal; este hábito sempre me parecera desagradável e — nos trópicos, onde o corpo exsuda óleo — pouco saudável; e havíamos passado a dormir em quartos separados para que a insônia de um não perturbasse o outro. Assim, freqüentemente, ao voltarmos para casa, cada um simplesmente ia para seu quarto.

Seria a casa? Era um desses casarões de madeira do período colonial, já um pouco decadente, apesar da cozinha moderna. Nós dois a achávamos bonita, mas, por algum motivo, jamais conseguimos colonizá-la. Grandes espaços permaneciam vazios; parecia uma casa alugada que se está prestes a entregar ao dono. Nunca nos parecera importante ter casa própria. Aquela casa não me inspirava nenhum sentimento que se tem normalmente pelo lar, como algo que se criou. Eu não possuía coisas, nenhum tesouro, nenhuma coleção, nem mesmo de livros. Não tinha deuses lares, como diria Sandra, e, fora alguns prêmios ganhos na escola, ela também não os tinha. Ainda assim, construir uma casa parecia apropriado; continuar morando numa velha casa alugada estava começando a parecer uma ostentação. Um dia, folheando um livro de fotos de Pompéia e Herculano, fiquei admirado com a simplicidade da casa romana, a austeridade de sua fachada, o esplendor privado de seu interior. Pareceu-me adequada ao nosso clima e cedi a um impulso.

Mas não seria mais que isso? Não seria aquele corpo envolto em roupas de algodão, com a limpeza e o frescor do despojado, um corpo sem perigos nem mistérios e, portanto, ameaçador? Um corpo que não era mais do que aquilo que era, que não continha nenhuma promessa de crescimento, que era só carne, futilidade e nossa própria extinção iminente.

Não há corpo que violemos tanto quanto o nosso próprio; em relação a ele demonstramos a mesma perversidade do gato que constantemente rasga suas feridas, abrindo-as. Senti que ali havia dissipação, e foi como se dissesse: assim seja. Meus hábitos dos tempos de estudante, que eu nunca havia perdido completamente, agora se reafirmaram. Na ilha eu conhecera mulheres de diversas raças, da maior discrição; o que no começo fora uma extravagância ocasional tornou-se, como antes, um vício, só que agora não havia culpa, e a coisa era impessoal. Às vezes era necessário sufocar o nojo, às vezes tudo corria bem. E era após uma tarde boa, em que tudo corria bem — fala-se da tristeza do animal após o coito, mas no meu caso a consumação do ato era sempre seguida de um ânimo excepcionalmente terno e otimista —, foi após uma tarde boa que dei por mim prestes a dizer a Sandra, enquanto nos vestíamos para sair — a frase já estava pronta na minha cabeça: eu passara toda a tarde convertendo o prazer em palavras que o descrevessem — ''Querida, passei uma tarde maravilhosa, na cama, com uma mulher deliciosa, de grande habilidade''. Foi só quando, como já disse, estava a ponto de pronunciar esta frase que me dei conta de que talvez Sandra já tivesse formado em sua cabeça frases como esta.

E surpreendi-me com minha própria inocência.

Os homens que se encontram nas circunstâncias em que eu agora sentia estar há algum tempo despertam uma série de reações diversas. Uma é o escárnio; não o compreendo. Jamais consegui conceber esta atitude siciliana em relação à posse, se bem que me pergunto se este escárnio não seria apenas uma atitude convencional, e insincera, que visa encobrir um medo secreto. Mas há também a raiva, o desprezo, a piedade. E, dada a natureza especial de meu casamento, estas coisas viriam a cair sobre minha cabeça com máxima intensidade. Teria sido minha serenidade que me fez indiferente, aquela mesma serenidade que me levara a ignorar tantas coisas que tantas pessoas me haviam dito? Acreditarão em mim se eu disser que meu primeiro impulso foi pensar não em mim mesmo, e sim em Sandra? Fui dominado, inundado, por um sentimento de piedade por ela; nunca antes eu me sentira tão responsável por Sandra. Por mim mesmo, senti apenas uma leve e nauseante pontada de medo. Medo da irrealidade que me cercava, aquele medo de quem vê os véus caindo um por um, sufocando suas reações mais profundas, e entra em pânico por não conseguir arrancar fora toda a irrealidade a seu redor e chegar ao duro, ao concreto, onde tudo se torna simples, prosaico, fácil de apreender. Era meu medo londrino, só que agora eu temia também pela sorte que atribuía a Sandra, esta sorte à qual eu julgava que minha própria sorte estava atrelada. Foi então que comecei a desejar não ter mais nada daquilo: nem dom, nem ambição, nem coisa alguma; e consolei-me conscientemente com a idéia da extinção, como um destino indefinido e geral, tal como antes, em Londres, só conseguia dormir pensando na Luger à minha cabeceira. Uma estranha reação a uma descoberta terrível! Bom demais para ser verdade. Talvez. Mas certamente bom demais para ser bom. Eu deveria ter brigado, feito cenas. Deveria ter esbofeteado aquela boca que me dava tanto prazer contemplar. Isso talvez tivesse reanimado a nós dois. Entretanto, deixei que a pobre menina afundasse. Não manifestei nem meu medo nem minha piedade, e esperei em silêncio que alguma coisa nos sobreviesse.

Enquanto isso, em Crippleville, nossa casa romana estava sendo construída. Ela se construía por si própria. Ambos havíamos perdido o interesse por ela, mas um não confessava este segredo ao outro. É duro acompanhar a construção de uma casa quando se sabe que será habitada por outrem. Uma casa, porém, é uma dessas coisas que demonstram com clareza o princípio da inércia. É mais difícil abandonar a construção de uma casa do que levá-la a cabo. Assim, levamos a cabo a construção da nossa, realizando todos os rituais adequados, não fosse a casa um símbolo sagrado; até que chegamos ao rito final, a inauguração, a instalação dos deuses lares que transformam os tijolos e a madeira em algo mais do que o que são. As luzes, a comida, a piscina iluminada (uma adaptação do *impluvium* romano), a orquestra discreta; os rostos radiantes daqueles que, do lado de fora do portão, vieram para assistir; a rua cheia de automóveis; e até mesmo dois policiais, como serventes de hospital, com braçadeiras brancas. No centro de tudo isso, eu me sentia um estranho, um sentimento que é tão comum nos momentos solenes de nossa vida. Todos os convidados haviam comparecido. Reparei no americano de Sandra, manifestando uma jovialidade um pouco excessiva em relação a mim, que só experimentava por ele sentimentos paternos; só que agora havia também a consciência do que ele deveria sentir por mim, de modo que um constrangimento surgiu entre nós. Percebi também como, mesmo agora, nossa posição social ainda era evidenciada; ainda nos era possível aceitar nossos papéis, desde que soubéssemos desempenhá-los. As mulheres estavam particularmente bem vestidas; via-se que a maioria delas havia passado a manhã ou a tarde no cabeleireiro. Independentemente do que houvesse acontecido entre nós, o fato é que a inauguração de nossa casa foi uma ocasião especial, magnífica.

Levando-se em conta meu temperamento atual, não admira que a festa tenha terminado mal, transformando-se num outro tipo de ocasião. Nunca entendi exatamente como a coisa começou. Talvez fosse o exemplo infeliz de algumas festas de ''quebra-quebra'' recentes; nessas festas, numa hora combinada, normalmente depois dos drinques e antes do jantar, pedia-se aos convidados que quebrassem certas coisas especificadas pelo anfitrião — peças de cristal ou porcelana de aparelhos dos quais pouco restava, móveis que a rapidez da mudança de gosto havia condenado, um rádio antiquado, brinquedos para os quais as crianças não mais ligavam. Pode ter sido também aquele tédio contra o qual todos nós lutávamos; quando não falávamos dos filhos, falávamos de ocasiões recentes e de ocasiões ainda por vir. E, de fato, depois do champanhe, do caviar com manteiga, do churrasco, o que havia para fazer? Que coisa nova poderia distrair-nos? Após a emoção de preparar a comida sobre uma fogueira, o que poderíamos fazer senão comê-la? Além disso, havia ali uma piscina. Piscina é uma coisa tediosa. Você mergulha, dá umas dez braçadas, se diverte. Mas se você não é um nadador que quer praticar, se você é apenas um banhista extravagante, se você quer ficar na piscina só para saborear o luxo de estar numa piscina à noite, cercado de criados de uniforme que, ao menor gesto seu, correm até a borda com fartas bandejas de comidas e bebidas, se é só isso que você quer, em pouco tempo você se torna inquieto. Foi ali, no tédio da piscina, que tudo começou, tenho certeza. Da piscina as pessoas gritavam, pedindo bolas, jogos. Teria sido da mão pesada do americano que partiu a bola que foi parar sobre as mesas, quebrando pratos e copos e rachando uma janela? Não tenho certeza. Segundos depois, porém, a bola estava correndo de mão em mão, da piscina para a casa e da casa para a piscina, e uma fúria destruidora se apossou dos convidados. A piscina ficava numa posição central, de modo que era particularmente fácil e divertido destruir coisas. Risos animados se ouviram; era como se aquele primeiro ruído de vidro e porcelana se quebrando houvesse desencadeado uma onda de histeria entre os convidados. Todo mundo fingia estar mais bêbado do que realmente estava e, de repente, todos estavam muito ativos. No entanto, pela primeira vez desde que eu voltara para a ilha, senti raiva, uma raiva profunda, cega, perigosa. Gritei, berrei; não sei para que lado fui, nem em quem bati, nem o que disse depois que pressenti a raiva explodindo em mim. Apenas imagens: o azul revolto da água, imobilizando-se momentaneamente; as bordas molhadas da piscina; as luzes fortes; as áreas mais escuras; as moscas esvoaçando acima das luzes submersas da piscina; um ou dois rostos que expressavam com clareza a idéia de que eu havia enlouquecido; as bebidas derramadas e a comida desperdiçada a meu redor.

Depois me vi no carro, atravessando os portões, passando pelos carros estacionados dos convidados, passando pelos rostos, mulheres envoltas em véus, protegendo-se da friagem da noite; atravessei a cidade, saí dela, e segui em frente, sem parar, através da escuridão, passando por uma ou outra luz, casas adormecidas, sem querer parar, até que cheguei às ruínas da famosa plantação antiga, onde os escravos trabalhavam, as paredes de tijolo da usina de açúcar, cobertas de mato, feitas de tijolos trazidos da Europa no século XVIII como lastro. Como eu queria chorar! Os estragos na casa nova: não, não era isso. Não era a raiva que sentimos quando uma coisa nova é arranhada ou amassada e temos a impressão de que foi totalmente destruída. Eu já percebera que os estragos haviam sido superficiais; numa manhã de trabalho tudo poderia ser consertado. Não era isso. Era só que eu estava com vontade de chorar. Debrucei-me sobre o volante e tentei fazê-lo, mas não consegui. A dor permanecia atravessada na garganta, a dor sem nome da qual se sente não ser possível escapar, o desespero absoluto.

Chorando por não haver mais mundos a conquistar. Compreendo essas lágrimas de Alexandre. Eram lágrimas verdadeiras, mas sua causa era mais profunda. São as lágrimas de crianças à frente de uma cabana ao pôr-do-sol, quando os campos escurecem; lágrimas de homens que, em meio a uma grande realização, sentem-se cansados, dominados por uma sensação de futilidade, que anseiam por ser os primeiros homens do mundo, por penitenciarem-se por toda a espécie humana, porque sentem o alheamento entre o homem e a terra que ele pisa e sabem que, independentemente do que venham a fazer, esta distância permanecerá. Lágrimas de homens que se vêem diante do fim, que prevêem sua própria extinção. Porém este humor é passageiro. Alexandre volta para junto de seus generais, encarando com indulgência a sensibilidade que eles entenderão erradamente; a criança volta para dentro da cabana e a imensidão do mundo se reduz a uma pequena esfera quente. Assim, agora, debruçado sobre o volante de meu carro, voltei a mim, a raiva e o desespero desapareceram, só restando uma sensação de indignação e vergonha, e a consciência de que aquela antiga plantação era um lugar muito freqüentado por casais de namorados, além de estupradores e outros que queriam vingar-se da sociedade. Retomei a estrada principal, liguei o rádio do carro, e lentamente agora, ao som da música, de velhas canções baratas, as lágrimas escorriam, e era até agradável.

Não havia mais carros parados à frente da casa; não havia mais uma multidão, nem policiais. A casa estava vazia, as luzes menos intensas, a piscina na escuridão. Apenas as duas bicas continuavam a esguichar água. Tudo havia sido limpo — não havia mais cacos de vidro, o concreto em torno da piscina, com o calor da noite, já estava quase seco — e o afeto que senti pela criadagem! Um instinto tão nobre, o instinto de reparar, consertar, preparar para a manhã. Aqui e ali uma vidraça rachada. Simples. Os estragos eram pequenos. Mas não fui até o quarto de Sandra. Eu havia perdido o privilégio; minhas preces estavam sendo atendidas. Indiretamente, como sempre acontece.

6

Agora só restava a Sandra ir embora. Não deve ter sido fácil para ela. Mas eu achava que o mais magoado fora eu, e achava que, não dizendo nada, estava agindo corretamente. Afinal, Sandra tinha condições de ir embora: outros relacionamentos a aguardavam, outros países. Eu não tinha para onde ir, não queria conhecer nenhuma paisagem nova, havia me desligado daquela avidez que continuava atribuindo a ela. Não cabia a mim a decisão de ir embora; só a ela. Continuamos saindo juntos, conhecendo novos restaurantes e boates. Mas eu estava aguardando sua partida. Já havíamos passado da hora de brigar. Houve uma briga, no entanto, antes de Sandra partir. Não comigo, mas com Wendy Deschampsneufs.

O nome Deschampsneufs era famoso em nossa ilha. Era uma das tradicionais famílias francesas de Isabella — sempre havia um Deschampsneufs na comissão de nosso Clube de Turfe, sempre um Deschampsneufs em evidência no Cercle Sportif —, mas sua reputação passou a ser um pouco ambígua desde o surgimento inesperado de um Deschampsneufs líder popular, defensor do ‘‘homem desvalido’’, durante o Motim das Taxas de 1877. O desafio ao governo colonial foi sério o bastante para que fosse decretado estado de emergência e o governador fosse substituído. Dez anos depois, porém, os Deschampsneufs já haviam voltado a ser perfeitamente respeitáveis, ao menos o bastante para receber como hóspede o panfletário imperialista James Anthony Froude, que veio conhecer a ilha. A história da passagem de Froude por Isabella tornou-se famosa. Ele chegou num estado de grande tensão. Homem patologicamente depressivo, Froude andava extremamente abalado porque um telegrafista irlandês em Nova York, entre uma e outra notícia, estava transmitindo relatos muito vívidos de derrotas imaginárias da Inglaterra em diversas partes do mundo. Assim, em Isabella, Froude não estava muito interessado em ver plantações decadentes e ouvir histórias de fracassos do império. Os Deschampsneufs se ofereceram para levá-lo até o Caldeirão do Diabo, um lago sulfuroso de águas quentes no alto das montanhas. Era uma viagem difícil, que levava três dias, a pé e em lombo de mula, atravessando florestas e lamaçais, na chuva, e os nervos de Froude estavam à flor da pele. Cada vez que via no mato uma cabana de negros começava a esbravejar contra o ócio dos negros, fazendo previsões pessimistas a respeito do futuro desta raça. Viu que o mato estava devorando com rapidez as antigas plantações, e fazia reflexões amargas sobre a abolição da escravatura, a qual, julgava ele, os próprios negros viriam um dia a lamentar. A única esperança de Isabella, dizia, era a colonização em grande escala por asiáticos, os quais, "além dos méritos nada desprezíveis de serem pitorescos e civilizados, possuem as virtudes da frugalidade e da diligência". O clímax ocorreu quando, ao chegarem ao Caldeirão, encontraram um negro sozinho, nu em pêlo, lavando roupas. Froude, abusando de seus privilégios de visitante e violando os costumes da ilha, "com toda a civilidade solicitou ao jovem negro que vestisse seu traje já bastante sumário e se afastasse dali, na direção que bem entendesse". O negro ficou "aborrecido", depois "agressivo'' e, o próprio relato de Froude, deixava claro que, não fora a intervenção do grande Deschampsneufs, com algumas palavras tranqüilizadoras no patoá das montanhas, Froude não teria escapado de uma agressão ou ao menos de uma demonstração de agressividade. Isto não aplacou sua ira; o capítulo sobre Isabella em *O Arco de Ulisses* terminava com uma diatribe contra os franceses, seu idioma e sua religião; e a existência destas coisas numa ilha britânica Froude considerava um grande perigo para o império. Assim, a reputação ambígua dos Deschampsneufs permaneceu. Desde então, a família não fizera nada de extraordinário, mas bastava qualquer coisa, por menor que fosse — um Deschampsneufs afirmar a superioridade dos cavalos crioulos em relação aos ingleses, por exemplo — para reavivar a reputação da família: um tanto altiva, porém totalmente dedicada à ilha, lá à sua maneira.

Com Wendy Deschampsneufs, pequena, feia, inteligente e alegre, comemorando com entusiasmo, como todos nós já havíamos feito, a volta à ilha — havia estudado numa escola belga ou suíça —, eu não poderia nunca ficar tranqüilo. Eu a vira uma vez, de passagem, quando ela era criança; havia subido no meu colo, na minha cadeira, exibindo-se. Não era uma lembrança agradável para mim, aquela tarde em que fui tomar chá na casa dos Deschampsneufs, quando julgava estar me despedindo da ilha e, ao ver Wendy crescida, todo o meu constrangimento voltou à tona. Eu jamais contestara as credenciais da família, mas tampouco jamais me interessara por ela. Os descendentes dos escravos tranqüilizavam-se com algumas palavras em patoá pronunciadas por um descendente dos senhores de escravos. Mas eu era um intruso mais recente, o asiático pitoresco, sem vínculos nem com estes nem com aqueles. Durante boa parte de minha juventude, no entanto — por motivos que serão esclarecidos no devido lugar —, eu me sentira ligado à família

Deschampsneufs. Naquela tarde do chá, eu não conseguira deixar clara a minha situação e, por isso, tinha a impressão de continuar envolvido de algum modo naquele conflito entre senhor e escravo. Conseqüentemente, estava partindo da ilha com o estigma que havia tentado evitar, e que haveria de me fazer voltar a ela. Este fracasso, esta fraqueza, era motivo de vergonha. Quando eu baixava o jornal com a sensação de que alguma coisa não estava certa, alguma coisa havia ficado por fazer, e depois voltava atrás para descobrir o que era, invariavelmente eu constatava que fora a aparição desconcertante do nome Deschampsneufs, de cuja irrelevância para mim eu tinha plena consciência, mas que constituía um fardo do qual eu não conseguia me livrar. Identifico em mim a atitude que já atribuí a outros. Wendy fazia-me ficar dividido entre a vontade de esmagar e o medo de magoar. Como aquele nome a deixava cheia! Como eu ficara chocado ao vê-la pela primeira vez numa das casas que visitamos, e ouvir seu nome pronunciado com a maior sem-cerimônia!

Porém, se eu ficara constrangido, de algum modo que não conseguia explicar, Sandra, por outro lado, foi imediatamente cativada; e um relacionamento muito intenso logo brotou entre as duas mulheres. Passavam, todos os dias, horas juntas; passavam um dia e até um fim de semana inteiro juntas; sem dúvida metiam-se em aventuras. Naqueles últimos dias, freqüentemente eu tinha a sensação absurda de que era responsável por duas mulheres estranhas. Qual o fundamento da atração que as unia? Seria a atração entre a bela e a feia? Talvez; se bem que, nesse tipo de relacionamento, Wendy teria o peso de seu nome para contrabalançar sua feiúra. Teria Wendy identificado Sandra como uma pessoa prestes a partir da ilha, e que portanto não representava nenhuma ameaça? Teriam as duas, partindo de pontos opostos, acabado assumindo as mesmas atitudes sociais? Sentia-me convicto de que havia de tudo isso um pouco. E um pouco de entusiasmo, também: pois nestes últimos dias Sandra voltou a florescer maravilhosamente. Na mitologia de nossa ilha, era assim que terminavam os casamentos como o meu: a mulher vai embora com alguém do Cercle Sportif, e o marido traído, mas conformado, aguarda dentro do carro. É bem verdade que as circunstâncias eram ligeiramente diferentes. Eu não conseguia acreditar na história espalhada pelas mulheres de nosso grupo, segundo a qual Sandra, sob a influência de Wendy, havia começado a freqüentar o Cercle. Para estas mulheres, de origem metropolitana, com dinheiro novo, suas pretensões, seus cestinhos de servir vinho, suas conversas sobre decoração e sobre os livros criticados no último número da *Time*, o Cercle deveria parecer vulgar; e eu não podia imaginar Sandra, com seu dom de expressão e sua atitude em relação à vulgaridade, aturando por muito tempo aqueles comerciantes, bancários e administradores de propriedades.

Como era de se esperar, aquilo chegou ao fim. Os fins de semana, as idas a bares e cafés com ar condicionado em companhia de Wendy, os passeios à praia e, sem dúvida, as aventuras — tudo terminou. E, como sempre, a notícia foi transmitida por Sandra, andando pela casa de anágua e sutiã. Uma vez, olhando pela porta aberta do quarto dela, num final de tarde, vi-a deitada na cama, os pés juntos, os dedos dos pés contorcendo-se nervosos; fiquei muito comovido.

Restava um restaurante a visitar. Fomos lá num sábado. Levaram-nos a uma mesa bem à frente, perto da plataforma onde ficavam o mestre-de-cerimônias e a orquestra. De vez em quando alguém aproximava-se do mestre-de-cerimônias, sussurrava-lhe no ouvido alguma coisa ou lhe entregava um pedaço de papel; um ou dois minutos depois, um *spot* iluminava uma das mesas; a pessoa que se dirigira ao mestre-de-cerimônias ficava de pé enquanto a orquestra tocava, fazendo caretas cômicas ou demonstrando aborrecimento, como se lhe tivessem violado a privacidade. Sandra e eu concordamos: aquele restaurante provavelmente não ia durar muito tempo. Havia muita gente zanzando entre nossa mesa e a orquestra, e foi com surpresa que vimos Wendy Deschampsneufs com um pequeno grupo a uma distância de três mesas de nós.

Vi que Sandra sentira-se atraída. Vi que, desgraçadamente, estava cedendo à tentação. A música terminou. Ela levantou-se e aproximou-se da outra. E Wendy não a viu. Não demonstrou nenhuma raiva, não ficou tamborilando com os dedos nem batendo o pé, nem cantarolou, nem mexeu com a cabeça de leve, nem ficou com o olhar fixo. Wendy simplesmente não a viu. Era como se ela tivesse nascido e sido educada para viver este momento perfeito de cegueira. Foi somente alguns segundos depois que Sandra começou a voltar. Enquanto andava, foi ficando um pouco mais tranqüila. Pegou a bolsa, numa cadeira à nossa mesa, e disse, com uma voz bem nítida, naquela sala pequena:

— O Níger é um afluente daquele Sena.

A frase insular! O grito do derrotado na guerra entre senhor e escravo! Fiquei enojado. A frase que me ocorrera durante o chá na casa dos Deschampsneufs, quando Wendy subiu em minha cadeira e se esfregou em mim como um gato, agora me voltou à mente, do começo ao fim: *Por quê, ao reconhecer o inimigo, você não o matou imediatamente?* Estas reações de fraqueza, quando quem mais queremos assustar com nossa capacidade de magoar é nossa própria pessoa! Tudo ia acabar de modo muito diferente. E mesmo naquele instante já era tarde demais para fazer ou dizer alguma coisa: no instante em que descemos as escadas, passando pela "decoração tropical" nova em folha, saindo do restaurante grotesco, com ar condicionado, para a rua quente e malcheirosa.

7

Meu primeiro impulso foi dedicar-me à historiografia, como já disse. O impulso me surpreendeu no meio da atividade, durante aqueles momentos de imobilidade e recolhimento que me ocorriam no tempo em que eu estava no poder, quando juntamente com a compaixão pelos outros me vinha uma imagem de mim mesmo não como indivíduo, e sim como ator, naquela brincadeira infantil em que todo ato da vítima é encarado como ato de obediência a uma ordem do atormentador, em que até mesmo a recusa é inútil, pois também ela pode ser considerada como cumprimento a uma ordem, e a única saída é chorar e ir embora. Foi o choque da visão do primeiro historiador, um momento religioso, por assim dizer, humilhante, a visão de uma desordem que homem algum poderia controlar sozinho, e que, não obstante, me dava a impressão de que, se eu pudesse fixá-la, talvez isto me trouxesse a tranqüilidade. É a visão que permanece comigo agora. Este homem, este quarto, esta cidade; esta história, esta língua, esta forma. É o momento que morre, mas que a minha narrativa ideal gostaria de prolongar. É um momento que vem a mim por um breve instante quando vou até o centro desta cidade, esta agonizante cidade mecanizada, e na janela de uma estamparia vejo uma imagem da cidade em tempos idos: por exemplo, carneiros em Soho Square. Por um instante apenas, anseio por ser transportado para dentro daquela cena e, ao mesmo tempo, fico aturdido com o absurdo deste desejo e com toda a perda que ele implica; e no meio de uma rua tão real, no meio de uma avaliação de minha própria situação que é tão prática e realista, sou como aquela criança à frente de uma cabana ao pôr-do-sol, para quem o mundo é tão grande e desconhecido, e o tempo tão ilimitado; e tenho visões de cavaleiros na Ásia Central, um dos quais sou eu, galopando sob um céu que ameaça neve, em direção ao fim de um mundo vazio.

SEGUNDA PARTE

1

Em Isabella, quando eu era pequeno, ser pobre era uma coisa vergonhosa. Infelizmente, agora não é mais. E fiquei atônito, quando vim à Inglaterra pela primeira vez, ao constatar que aqui também não era. Cheguei numa época de reformas. Os políticos jactavam-se de suas origens humildes e, cheios de uma cólera virtuosa, afirmavam ter sido moleques descalços. Em Isabella, onde havia moleques descalços em profusão, esta expressão era muito empregada pelas crianças como xingamento; e eu, colocando-me no lugar destes grandes homens, sentia vergonha. Descender de gerações e gerações de vagabundos e fracassados, uma linhagem ininterrupta de gente sem imaginação, sem iniciativa e oprimida, sempre me parecera motivo para sentir uma vergonha profunda e inconfessa. A atitude de Sandra, que desprezava suas origens, me parecia mais saudável e mais liberal, pois era um melhor estímulo para a iniciativa pessoal. Intrigava-me, contudo, que também ela não tentasse esconder suas origens.

Isso, sem dúvida, era uma decorrência da minha ambígua formação no Novo Mundo. Meu pai era mestre-escola e pobre. Nunca conheci sua família e, naturalmente, esperava o pior. Muito embora fosse através de meu pai que eu mais tarde terminasse arrastado para uma carreira política, quando menino fiz o possível para ocultar este meu parentesco. Preferia enfatizar minhas ligações com a família de minha mãe. Era das mais ricas da ilha, e fazia parte daquele pequeno grupo conhecido como "os milionários de Isabella". Era com muito prazer que eu ouvia, na escola, Cecil, irmão de minha mãe, que era mais ou menos da minha idade, dizer que éramos parentes. Cecil era um tirano; ele me oferecia e retirava sua proteção a seu bel-prazer. Mas jamais pensei em renegar meus laços com ele.

A família de minha mãe era proprietária da Bella Bella, que entre outras coisas era distribuidora de Coca-Cola. Assim, desde pequeno, manifestei pela Coca-Cola um interesse quase que de proprietário. Ouvia com humor as chacotas referentes ao refrigerante, e gostava de fazer de conta que eu é que estava sendo atingido por elas, embora não conseguisse chegar ao ponto a que chegava Cecil, que desafiava para uma briga todo garoto que manifestasse desrespeito pelo produto de sua família. Meu avô materno era um bom relações públicas, embora talvez não conhecesse esse termo; estou certo de que não havia ninguém em Isabella que nunca tivesse ouvido falar da Bella Bella. Nós, ou melhor, *eles* patrocinavam dois programas na estação de rádio da ilha: um, *Canções de Outrora*, em que eram atendidos os pedidos dos ouvintes, um programa um tanto enfadonho, em que se anunciava a Bella Bella em geral; o outro, extremamente popular, patrocinado pela Coca-Cola, *O Teste da Coca-Cola*, que oferecia prêmios. Eram oferecidos ingressos para este programa nas escolas de toda a ilha, e eram sempre muito disputados. Em duas ou três tardes, todas as semanas, grupos de escolares eram levados para conhecer as instalações industriais da Bella Bella. Meu avô afirmara às autoridades da área de educação que tais visitas a modernas fábricas eram instrutivas e, apesar da oposição veemente, porém irrelevante, de meu pai, as autoridades se convenceram. As visitas ocorriam durante o horário de aula; no final, cada criança ganhava um refrigerante gratuito; e, como no caso do programa de rádio, o grande interesse das crianças exigia um controle numérico rígido.

Eu gostava de visitar a fábrica com esses grupos, embora na época minha obscuridade entre os colegas fosse para mim uma tortura. Ansiava por algum sinal de respeito, de reconhecimento, que fosse, da parte dos empregados, e alimentava fantasias nas quais, numa situação de emergência, eu demonstrava minha familiaridade com a complexa maquinaria da grande empresa. Para Cecil, tudo era bem fácil. Ele nunca ficava com a turma, enfiava-se em todos os cantos, e todos o chamavam de *senhor* Cecil. Fazia comentários severos a respeito da clareza ou da consistência do xarope — a respeito do que a Coca-Cola era muito exigente — e tentava insinuar que estava ali na qualidade não de estudante, e sim de espião. Era o que fazíamos às vezes na cidade, assustando comerciantes que, de início, nos haviam tomado por meros garotos. Às vezes eu tentava bancar o espião sozinho. Nem sempre dava certo.

Cecil era tão impressionado com a riqueza e a importância de sua família que até parecia que ela enriquecera numa época em que ele já compreendia tais coisas, o que não era o caso. Por outro lado, talvez Cecil ainda se lembrasse, como eu me lembrava, da antiga casa da família. Nos fundos dessa casa havia uma grande área coberta e, durante muito tempo, ali ficou uma espécie de poste de metal enferrujado, que, segundo se dizia, fora a primeira aparelhagem de engarrafamento adquirida pela Bella Bella. Creio que fora usada para tampar garrafas manualmente, uma por uma. Lembrava-me também de uma longa galeria de madeira que havia na casa. Era dividida em cubículos escuros, com prateleiras nas quais se encontravam garrafas de concentrados coloridos e pacotinhos contendo pós, tudo importado da Inglaterra. Os rótulos tinham uma aparência curiosamente científica e medicinal, em preto e branco, com letras pequenas, que contrastava com as cores vivas e os desenhos de frutas dos rótulos dos refrigerantes feitos com estes produtos.

Na casa nova, é claro, não havia nenhum sinal de indústria caseira. Creio que Cecil lamentava este fato. Ele era a Bella Bella e a Coca-Cola. Não gostava que ninguém, nem mesmo ele, esquecesse este fato. Conhecia todos os dados e cifras referentes às vendas de Coca-Cola, pois desde muito pequeno conhecia os segredos comerciais da família; sabia de mil histórias sobre a Coca-Cola. Foi Cecil quem me disse que a Coca-Cola era afrodisíaca, ou que era considerada como tal em certos países orientais. E creio que foi Cecil quem me disse que, para evitar que a fórmula secreta da Coca-Cola se perdesse para todo o sempre em algum acidente terrível, os diretores americanos da empresa jamais viajavam juntos, nem mesmo de elevador. Talvez esta história, no entanto, tenha a ver com outra companhia, e me tenha sido contada depois, por outra pessoa. A respeito do próprio Cecil, contava-se que uma vez, indo de lancha para um piquenique de crianças em uma das ilhotas perto de Isabella, ficou tão irritado ao ver umas caixas de Pepsi-Cola, que iam ser consumidas no piquenique, que as jogou todas ao mar antes que as pessoas se dessem conta do que estava acontecendo. Depois tentou justificar o que fizera perante os anfitriões estupefatos e os convidados indignados com um prolongado acesso de cólera, protestando contra aquela falta de consideração para com sua família. Ouvi essa história muitas vezes; tornou-se uma espécie de lenda. O próprio Cecil costumava contá-la quando rapaz, já contemplando com tristeza sua infância, como quem relembra a melhor fase de sua vida. Quando menino, Cecil tinha muita liberdade. Gostava de considerar-se uma pessoa excêntrica e violenta, e era incentivado nisto pela família, que se deliciava com as histórias que resultavam. Cecil era agressivo por natureza; creio que a paixão por tornar-se protagonista de histórias na vida real teve o efeito de desequilibrá-lo para sempre. Foi a única pessoa que conheci que mesmo quando criança já tentava ser um "personagem".

Meu pai detestava Cecil. Seu ódio era uma reação, bastante moderada, ao desprezo que por ele tinha Cecil, o qual não sentia nenhum respeito pelos mais velhos. Meu pai dizia com freqüência: — Esse monstrinho ainda vai acabar na forca; podem escrever o que eu digo. — Por odiar Cecil, odiava a Coca-Cola, e certa vez jurou jamais provar o refrigerante, um juramento que, segundo creio, ele cumpriu. Falei a respeito desse juramento a Cecil, que comentou: — É uma bebida para gente jovem. — Transmiti esse comentário a meu pai, que espumou de raiva. Mas o fato é que um sentia-se melindrado com o desprezo do outro; um queria depreciar o outro; e eu agia como intermediário entre o menino e o homem de meia-idade.

— O Nana — disse eu uma vez, referindo-me ao pai de Cecil —, o Nana foi aos Estados Unidos comprar um cachimbo.

— Você acredita mesmo nisso? Ele deve ter comprado um cachimbo quando estava lá. Não foi aos Estados Unidos para comprar um cachimbo.

— Foi o Cecil quem me disse.

— Se você acredita nisso, você é mais bobo que aquele bobalhão.

Em outra ocasião, quando meu pai soube que eu ia com minha turma visitar a Bella Bella, ele foi até a ratoeira, pegou um camundongo morto e, com um sorriso preocupante, cochichou-me no ouvido:

— Aposto seis centavos, um xelim, que você não é capaz de jogar isso aqui dentro do tonel ou lá o que seja que eles usam. Aposto que não é.

Em parte, o problema tinha relação com o fato de que a família de minha mãe havia ficado rica cinco ou seis anos depois do momento apropriado. Quando meu pai se casou com minha mãe, a condescendência fora toda da parte dele. Meu pai tinha mais de trinta anos, já gozava de certo renome entre os missionários e era considerado uma estrela ascendente no Departamento de Educação. Prova deste período de glória era um livro fino e antiquado que havia na estante de meu pai, *O Missionário-Mártir de Isabella*. O livro fazia parte de uma série de *Missionários-Mártires*: nas guardas enfeitadas vinha a lista completa da coleção. Havia mártires de lugares sobre os quais eu nunca ouvira falar, como Thebaw. O martírio do missionário de Isabella não era particularmente sangrento: ele morrera em idade avançada, na cama, em seu país de origem, vítima, porém, de uma malária contraída nos trópicos. O livro consistia em trechos extraídos do diário do missionário, do diário de sua mulher, de cartas e sermões; terminava com o texto do discurso pronunciado por ocasião de seu enterro. Havia também muitas fotos, que davam a impressão de que Isabella era um lugar extremamente agreste. Uma delas mostrava meu pai quando jovem, pouco mais que um menino, com um grupo de pessoas à frente de uma cabana de sapé, tendo a floresta ao fundo. A reprodução era de má qualidade, o contraste entre luz e sombra mal definido e, com aqueles trajes antiquados que não lhe assentavam nada bem, que pareciam forçá-lo a esticar o pescoço e o queixo, meu pai parecia um aborígene perdido naquele fim de mundo, numa clareira na floresta. Esta impressão não chegava a contrastar com o teor do texto, pois os diários e cartas do missionário e sua esposa revelavam uma visão surpreendente do mundo. O centro deste mundo era a atividade missionária do casal; tudo partia dela e convergia para ela. Isabella tornava-se uma terra quase bíblica, cheia de símbolos e presságios e sinais da glória de Deus, uma terra de viagens estóicas, multidões zombeteiras, encontros com funcionários de uniforme cáqui hostis ao trabalho missionário e disputas com brâmanes trapaceiros, envoltos em mantos orientais, que tentavam solapar-lhes o trabalho. Eu não reconhecia aquela ilha. Também não reconhecia meu pai nas descrições que constavam do diário da mulher do missionário. Fora ela quem descobrira meu pai. Fora ela quem percebera que, apesar de tão jovem, ele exibia os sinais da graça divina. Eu lia, incrédulo, que o rapazinho, meu pai, "proclamava os terrores da lei" e incitava "multidões zombeteiras" a "receber o Evangelho da graça". Vez após vez, ele vinha acudir sua protetora quando ela estava envolvida "num combate desigual com um adversário ardiloso". "Deixe-me falar", dizia ele com simplicidade. Então ela se colocava atrás do rapaz e, "como um corcel exultante no calor da batalha, ele atacava onde o perigo era maior, e o antagonista calava-se". Certo domingo, ela o aguardava na sede da missão. Ele estava atrasado; ela estava ficando impaciente. Foi então que viu meu pai ao longe, vindo pela estrada esburacada em sua bicicleta, e todas as censuras desapareceram de sua mente. Imaginou que ele tivera problemas com um pneu furado; viu-o "em sua bicicleta, como se montado num asno, vindo cumprir suas obrigações dominicais". Ele aproximou-se lentamente, e passou por trás da alta cerca viva de hibiscos que havia ao redor da sede. Dele, só se via agora o turbante branco, que refletia o sol com um brilho ofuscante. A mulher julgou então ver um anjo voando no céu, trazendo o Evangelho imorredouro para pregar perante aqueles que vivem nesta terra. Eu achava esta anotação do diário da mulher inexplicavelmente tocante. Toda vez que chegava nesse trecho, sentia a necessidade de chegar a algum clímax na narrativa. No restante de *O Missionário-Mártir de Isabella*, porém, não havia mais nenhuma menção a meu pai. A mulher do missionário, que era muito mais jovem que o marido e, como ficava claro com base tanto no seu próprio depoimento quanto no dele, tinha saúde muito frágil, adoeceu e voltou para seu país de origem. Após alguns anos de trabalho solitário, o missionário foi, também ele, embora. De modo que tudo aquilo não dera em nada, no que dizia respeito a meu pai. Quando lia esse livro, tinha a impressão de que meu pai era um homem que fora arrancado de sua verdadeira terra, que na minha imaginação era tão gloriosa quanto a Isabella descrita no diário da mulher do missionário: só mesmo num lugar assim as pessoas veriam coisas mágicas num turbante branco, numa cerca viva, numa bicicleta ao sol. Parecia-me que, como numa história infantil, meu pai havia naufragado na ilha e, com o passar dos anos, perdera todas as esperanças de ser encontrado. O livro mágico ficava em sua estante, mas meu pai jamais falava nele, nem — que eu saiba — o lia. Talvez ele também achasse que o menino da história fosse outra pessoa.

— A sua mãe e a família dela agora se acham os maiorais — dizia ele, quando o assunto era a Coca-Cola ou quando eu chegava em casa depois de passar o fim de semana com Cecil —, mas eu me lembro do tempo em que a mãe da sua mãe vendia leite à *minha* mãe. Era ela que trazia a vaca. Ela que ordenhava a vaca, numa panela, garrafa ou balde, e vendia o leite ali mesmo, na rua. Puxava a vaca por uma corda. E me lembro do tempo em que o pai da sua mãe, com Conselho e tudo — acrescentava ele, aludindo ao fato de que meu avô era membro tanto do Conselho Legislativo quanto do Conselho Executivo —, enchia as garrafas com um funil.

Isto não diminuía nem um pouco a admiração que eu sentia por eles. Eu imaginava minha avó materna andando com sua vaca por uma paisagem bucólica: imagens de jardins ingleses que conhecia de calendários sobrepunham-se a nossas aldeias isabelenses cheias de lama e capim: estradas em manhãs frescas, ladeadas por regos verdejantes, água cristalina, jardins de cabanas de sapé cheios de flores delicadas de todas as cores. Minha avó era uma figura saída de contos de fada, tão colorida quanto seu marido. Eu o imaginava sentado a uma mesa de madeira, à luz de uma lamparina a óleo, enchendo as garrafas escrupulosamente com um funil, realizando esta tarefa com uma serenidade íntegra, quase religiosa, a mente concentrada num ideal que transcendia a frivolidade de sua ocupação presente de preparar refrigerantes, cuja qualidade e quantidade, no entanto, eram coisas da maior importância. O ideal, quando atingido, surpreenderia o mundo que dele zombava. Não surpreenderia a ele próprio. Nem a sua esposa, a qual, tão dedicada quanto ele, pensava num ideal muito além das estradas floridas pelas quais ela passava todas as manhãs, como uma penitente, com sua vaquinha leiteira.

Como se pode imaginar, era uma humilhação prolongada para meu pai constatar que ele, que se casara com a filha de um comerciante, com o passar dos anos fora obrigado a assumir a condição de um mestre-escola mal pago com o qual a família do rico industrial tivera a imprudência de casar uma filha. E de nada adiantava minha mãe agir como quem aceita em silêncio a própria culpa. Minha mãe recebera pouca instrução em moldes ingleses, de maneira que havia uma distância equivalente à de uma geração entre ela e os irmãos que nasceram depois, já no período de riqueza. Por esse motivo, ela aumentava sua idade. Gostava de considerar-se uma pessoa antiquada que tinha mais em comum com os pais do que com os irmãos. Era assim que tentava resolver uma circunstância difícil. Creio que conseguiu. A educação tradicional que recebera, que a ensinara a aceitar tudo sem queixas, sob este aspecto lhe era útil. Ela aceitava os desaforos de meu pai; aceitava a antipatia implícita — explícita, no caso de Cecil — que sua família sentia por meu pai. Por meio de uma eterna manifestação de culpa, ela permanecia fiel a ambas as partes, mesmo depois que meu pai parou de freqüentar a casa dos sogros.

Assim, desde pequeno percebi a maneira estranha pela qual dois seres humanos que nada tinham em comum se ligavam. Creio que é isto que explica a cena ocorrida num dos meus primeiros anos na escola. Lembro que estávamos estudando substantivos masculinos e femininos pela gramática de Nesfield. O professor dava o masculino, o aluno respondia com o feminino. Abade, abadessa; elefante, aliá; bode, cabra.

— Esposo?

Era minha vez. Fiquei envergonhadíssimo.

— Esposo, menino.

Era necessário dar uma resposta, e eu o sabia. Levantei-me e fui até a mesa do sr. Shepherd. Ele parecia perplexo. Coloquei-me a sua frente. Com um olhar preocupado, ele abaixou-se, e cochichei em seu ouvido:

— Esposa.

Mais de trinta anos depois, o homem concorda com o menino: é mesmo uma terrível palavra.

Para Cecil, a infância foi a melhor época da vida; ele jamais deixaria de manifestar a saudade que sentia dela. Comigo era diferente. Eu mal podia esperar que minha infância acabasse logo de uma vez. Não que eu possa me queixar de ter passado necessidade ou sofrido alguma carência. Mas, para mim, a infância foi um período de incompetência, perplexidade, solidão e fantasias vergonhosas. Um período de segredos incômodos — como a palavra "esposa", uma descoberta a respeito do mundo que eu tinha vergonha de revelar ao mundo —, e o que eu mais queria na vida era andar na atmosfera limpa da maturidade e responsabilidade, em que tudo era compreensível e eu mesmo um livro aberto. Detestava meus segredos. Minha memória me fez o favor de apagar muitos deles, reduzindo minha infância a uma imagem rápida e fora de foco. Entretanto, o que resta já é bastante doloroso.

Minha mais antiga lembrança dos tempos de escola é uma cena em que eu levo uma maçã para o professor. Isto me intriga. Não havia maçãs em Isabella. Deve ter sido uma laranja; mas minha memória insiste na maçã. Claramente, trata-se de uma modificação feita por minha memória; esta versão revista, no entanto, é tudo o que tenho. Esta versão contém algumas lições. Uma diz respeito à coroação do rei da Inglaterra e o peso de sua coroa, que é tanto que ele só a agüenta na cabeça por alguns segundos. Gostaria de saber mais, mas a cena seguinte já mostra outra sala de aula e os terrores da aritmética. Então, nesta versão, como num sonho em que acordamos antes da queda (mas não sempre: recentemente, sem dúvida devido ao esforço de memória e ao próprio ato de escrever este livro, sonhei que, aqui nesta cidade, eu estava sendo arrastado por um rio que corria depressa, o Tâmisa; a torrente era íngreme, e o único jeito de amortecer o impacto da queda era abarcar um pilar de concreto da ponte que de repente surgiu, e no sonho senti o impacto e percebi que havia quebrado minhas pernas, que as havia inutilizado para sempre), porém, ia eu dizendo, como num sonho, os terrores da aritmética desaparecem. E agora estou numa outra escola. Cecil também está lá. É o primeiro dia de aula, o desfile no pátio. — Esquerda, direita. Meninos no pátio, direita, vou ver. Meninos na plataforma, esquerda, vou ver, direita, vou ver, esquerda, vou ver. Ordinário, marche! Direita, vou ver, esquerda, vou ver. Eu não sabia que diabo ele ia ver; escrevo exatamente o que ouvia. Para mim, aquilo parecia não ter sentido. Mas a escola não tinha sentido. — Hoje — diz o professor —, enquanto eu faço a chamada, quero que vocês fiquem quietinhos escrevendo uma carta a um empregador, pedindo-lhe um emprego para quando vocês terminarem a escola. — Ele explicita os detalhes do emprego e escreve no quadro-negro a frase inicial da carta, mais uma ou duas frases para copiarmos. Sei que sou pequeno demais para procurar emprego, e fico perplexo. Mas os outros meninos, não. Escrevo: "Prezado senhor: Venho por meio desta candidatar-me humildemente para o cargo de encarregado de expedição, anunciado na edição de hoje do *Isabella Inquirer*. Estou cursando a quarta série da Escola Isabelense para Meninos e estudo inglês, aritmética, leitura, ortografia e geografia. Espero que minhas qualificações sejam consideradas suficientes. As aulas terminam às três horas e tenho de estar em casa às quatro e meia. Creio que poderei chegar ao trabalho às três e meia, mas terei de sair às quatro. Tenho nove anos e sete meses de idade. Na certeza de que esta carta receberá sua atenção, e prometendo-lhe toda a minha dedicação, despeço-me, com meus protestos de respeito e admiração, este seu criado, R. R. K. Singh". A carta é lida para a turma pelo professor, que já acabou de fazer a chamada. Todos caem na gargalhada. A carta é absurda. Eu sei disso, mas foi o que me mandaram fazer. Em seguida, as cartas de outros meninos, como Browne e Deschampsneufs, são lidas, e é então que compreendo. Absolutamente perfeitas. Mas como é que eles sabiam? Quem ensina a eles como são as coisas do mundo e da escola?

Em relação a Deschampsneufs, na verdade, eu já sabia um pouco. Brevemente eu viria a saber mais. Sua distinção era um tanto nebulosa, mas reconhecida por todos. Os professores tratavam-no com todo o cuidado. Seu almoço era trazido por dois criados uniformizados, um homem e uma mulher, dentro de uma cesta, e era servido numa toalha de mesa branca que os dois estendiam sobre sua carteira. Uma vez ele me levou a sua casa para me mostrar a videira que havia lá, numa treliça. Disse-me que era a única videira da ilha, uma planta muito especial e histórica. Mostrou-me também um jogo de montar Meccano. Foi assim que as videiras e os jogos Meccano imediatamente passaram a ser coisas às quais eu não podia sequer ambicionar, do mesmo modo como, momentos antes, eu jamais ouvira falar nelas; eram coisas que só mesmo um menino como Deschampsneufs poderia ter. Também fazia parte de sua capacidade desenvolvida de lidar com o mundo o fato de que ele tinha opiniões a respeito do atual rei, preferindo o anterior, cujo retrato se via no corredor da escola; esta sua opinião influenciou meu modo de encarar os dois soberanos durante anos.

Browne, naturalmente, não tinha Meccano nem videira. Também sabia, porém, safar-se no mundo; as coisas que ele me dizia representavam a súmula da sabedoria de cem quintais de famílias negras. Browne sabia coisas sobre a polícia e, creio, tinha até certas ligações com estes negros. Sabia quem eram os valentões do momento, e passava adiante mexericos a respeito de desportistas. Até mesmo ele era famoso. Conhecia um monte de músicas engraçadas, e sempre que precisavam de uma canção na escola pediam-lhe que cantasse. Nos nossos espetáculos musicais, apresentava-se de chapéu de palha, terno e gravata-borboleta; a platéia o aplaudia assim que ele pisava no palco. Seu maior sucesso era uma canção chamada "Ah, sou um negrinho feliz"; as mímicas que fazia ao cantar essa música eram tão boas que as pessoas se contorciam de tanto rir, e muitas vezes nem dava para se ouvir a letra. Eu sentia uma inveja profunda da fama e da estima de que Browne gozava. Para ele, o mundo já estava todo mapeado.

O mesmo se dava com os jovens de minha família. Cecil não apenas já vivera um século como tinha também uma memória fantástica. Vivia falando sobre seu passado, e já possuía o dom de entender o sentido geral dos eventos. E havia também Sally, a irmã mais velha de Cecil. Era a pessoa mais bonita do mundo. Eu estava apaixonado por ela, mas sentia que não lhe causava nenhum impacto. Havia em torno de Sally uma pequena corte composta de meninas de outras famílias, que na presença dela ficavam sérias e adultas. Sally lia revistas americanas para ficar sabendo das modas, sobre as quais conversava com estas meninas. Falavam também sobre os filmes de um modo que era novo para mim. Estavam menos interessadas no enredo do que nos atores, em relação aos quais cada menina parecia ter uma série de conhecimentos exclusivos, que as enobreciam. Tais conhecimentos me desanimavam. Sally interessava-se particularmente pelos narizes dos atores. Eu nunca tivera tal interesse; jamais me ocorrera essa idéia. Seria o nariz de Peter Lawford que ela preferia na época? Não, isso foi só anos depois. Este interesse de Sally fazia com que nós, que a ouvíamos, pensássemos em nossos próprios narizes, que eram tipicamente indianos, com narinas que, segundo ela, tinham a forma exata de uma ervilha. Como poderia eu ter alguma chance com uma garota como Sally?

Minha reação à minha própria incompetência e inferioridade era no sentido não de simplificar, e sim complicar. Assim, por exemplo, inventei um novo nome para mim. Minha família era *singh*.* O nome de meu avô paterno era Kripal. Meu pai, para fins de identificação oficial, necessária naquele novo mundo que ele vinha enfeitar com seus trajes aborígenes, juntou os dois nomes, ficando com o sobrenome de Kripalsingh. Meu primeiro nome era Ranjit e, na minha

(*) *Singh* é, na religião *sikh*, o membro da seita *khalsa*. Propriamente falando, *singh* não é o nome da seita, e sim o sobrenome adotado por todos os seguidores. (N. T.)

certidão de nascimento, constava o nome completo Ranjit Kripalsingh. Assim, eu tinha ao todo dois nomes. Deschampsneufs, porém, tinha cinco, sem contar com o sobrenome, todos franceses, todos curtos, todos bem comuns; mas esta aglomeração de nomes comuns conotava algo de extraordinário. Resolvi competir com ele. Dividi Kripalsingh em dois, restabelecendo um antigo hiato, pensei eu; atribuí a mim mesmo o novo nome Ralph; e passei a me assinar R. R. K. Singh. Na escola chamavam-me Ralph Singh. Escolhi Ralph por ter a mesma inicial de meu nome verdadeiro. Desta forma eu julgava atenuar o que havia de falso ou fantasioso em minha atitude; e dava certo nos boletins escolares, onde eu era apenas *Singh R.* Dos oito aos doze anos de idade, este foi um dos meus terríveis segredos. Eu temia que ele fosse descoberto na escola ou em casa. A verdade veio à tona quando estávamos concluindo o primário e nossa documentação estava sendo organizada para o Colégio Imperial de Isabella. Era necessário apresentar a certidão de nascimento.

— Singh, esta aqui é a sua certidão?

— Não sei. Não dá para ver daqui.

— Engraçado. Aqui consta "Ranjit Kripalsingh". É você? Ou você entrou para esta escola incógnito?

O jeito foi dar uma explicação.

— Ranjit é meu nome secreto — disse eu. — É um costume de certas castas hindus. Este nome secreto é meu nome verdadeiro, mas ele não deve ser usado em público.

— Mas aí você fica anônimo.

— Justamente. É para isso que serve o nome de chamar, Ralph. O nome de chamar não é tão importante, e pode ser tomado em vão por qualquer um.

Foi essa a explicação que consegui dar, ainda que não exatamente nestas palavras e neste tom. Aliás, lembro-me que cheguei bem perto do professor e falei-lhe quase cochichando. Era um homem que se orgulhava de sua largueza de espírito. Assumiu uma atitude de humildade, ao aprender aqueles fatos estranhos. Continuamos falando sobre os *singhs*, e expliquei que eu havia apenas restabelecido um hiato tradicional. O interesse do professor foi substituído por perplexidade. Por fim ele disse, bem alto, para que todos ouvissem: — Menino, você vive sozinho no mundo? — Assim, com uma risada simpática, o assunto foi encerrado na escola. Porém havia ainda que enfrentar meu pai. Ele não gostou de ter que assinar uma declaração juramentada no sentido de que o filho que ele resolvera chamar Ranjit Kripalsingh havia se transformado em Ralph Singh. Achou aquilo uma afronta, mais uma prova da influência corruptora de Cecil e da família de minha mãe.

Escrevo sobre este episódio com irreverência. É fácil ser irreverente quando se escreve a respeito de sofrimentos passados; deste modo oculta-se a dor e zomba-se dela. Como já deixei claro, não tenho sofrimentos materiais a relatar. Observe-se, no entanto, o quanto eu estava onerado por segredos: o segredo de meu pai, que não passava de um mestre-escola inconformado; o segredo da palavra *esposa*; o segredo de meu nome. E a estes foi acrescentado um segredo que sobrepujava todos os outros. Era o segredo a respeito de eu ser "marcado". Com base em investigações que fiz posteriormente, imagino que isto será compreendido à primeira vista ou então jamais o será. Eu sentia — para explicitar os meus sintomas em particular — que eu era de algum modo protegido; uma câmara celestial registrava cada movimento que eu fazia, com imparcialidade, sem emitir juízos nem sentir piedade. Eu era marcado; era um ser de interesse; eu ia sobreviver. Esta consciência me dava forças em momentos difíceis, mas ao mesmo tempo constituía o mais vergonhoso de todos os meus segredos.

Tantos segredos! Eu ansiava por livrar-me deles todos. Era tão difícil, porém, em Isabella! Era difícil naquela escola e com aqueles meninos. Havíamos convertido nossa ilha num enorme segredo. Tudo o que dizia respeito a nossa vida cotidiana provocava risadas quando era mencionado em sala de aula: o nome de uma loja, de uma rua, das comidas vendidas na esquina. O riso era um modo de negar que conhecíamos estas coisas, às quais haveríamos de voltar depois das aulas. Negávamos a paisagem e as pessoas que víamos pelas portas e janelas abertas, nós que levávamos maçãs para nossos professores e escrevíamos redações sobre visitas a fazendas com climas temperados. Quer dissecássemos uma flor de hibisco, quer recitássemos os nomes de aves de Isabella, a escola permanecia um hemisfério fechado em si.

Havia na minha turma um menino chamado Hok. Eu gostava dele por sua beleza, sua inteligência, seu corpo ligeiramente desajeitado, seu jeito feminino de jogar bola. Tinha dedos longos e bem articulados, os quais costumava esfregar quando ficava nervoso. Eu lhe invejava os modos elegantes, e creio que ele invejava os meus também. Com Deschampsneufs, eu disputava quem arrotava mais alto. Com Hok, a disputa era outra. A turma rotulara ambos de ''nervosos''; um queria mostrar que era mais nervoso que o outro. Ficávamos olhando para o teto durante a aula e não ouvíamos o professor nos chamar. Comíamos papel enquanto falávamos. Nisto eu não conseguia competir com Hok, ele era um comedor de papel inveterado. Uma vez, durante uma aula, devorou uma página inteira do livro antes de dar por sua falta. Eu, sabendo que meu pai professor de vez em quando inspecionava minhas coisas em casa, era obrigado a contentar-me com um ou outro canto de página. Comecei a mastigar meu colarinho; Hok quase comeu o seu inteiro. Mastiguei minha gravata até reduzi-la a um trapo; a ponta da gravata de Hok nunca saía de sua boca, ele a mascava como se fosse chicle.

Tínhamos também outro ponto em comum. Nós dois líamos em segredo livros estranhos. Muitas vezes um via o outro, com o canto do olho, na Biblioteca Carnegie; ficávamos disfarçando ou tentávamos nos esconder, um não querendo que o outro visse que livros o interessavam. Descobri, afinal, o interesse de Hok. Ele estava lendo tudo que havia sobre a China. Seu nome indicava que tinha sangue chinês, mas ele não era chinês puro. Tinha também um pouco de sangue sírio ou europeu e, julgava eu, um pouquinho de africano. Era uma boa mistura; dela resultara um garoto sensível e atraente.

Às vezes nossa turma era levada ao Colégio de Treinamento, para que os professorandos pudessem praticar. Quando saíamos nessas excursões, em fileira dupla, atraíamos todo tipo de atenção, o que constrangia e, por vezes, enfurecia nosso professor. Porém, em grupo, sentíamos que estávamos em nosso hemisfério particular, e caminhávamos pelas ruas de nossa cidade como turistas desrespeitosos, para quem tudo aquilo que os habitantes achavam normal parecia exótico e engraçado: um trecho de conversa entreouvido, um pregão de vendedor, um carrinho puxado a burro. Estávamos apreciando nossa cidade dessa maneira certa manhã, quando alguns dos meninos começaram a rir baixinho e estalar os dedos, chamando a atenção do professor.

Um dos meninos disse: — Professor, Hok passou pela mãe agora mesmo e não disse nada a ela.

O professor, revelando profundezas insuspeitas, ficou horrorizado. — É verdade, Hok? A sua mãe, menino?

A turma estacionou. Hok olhou para o chão e ficou roxo, esfregando as mãos. Procuramos a mãe, a criatura oculta que Hok via diariamente, de quem havia se despedido aquela manhã e com quem estaria dentro de duas horas, mais ou menos, para almoçar. Ela decerto nos surpreendeu, uma negra, uma mulher do povo, baixinha e um tanto gorda, sem nada de interessante. Lá ia ela gingando, ela própria indiferente ao filho por quem acabara de passar, com um chapéu de feltro vermelho na cabeça, balançando o cesto, indo em direção ao mercado.

— Hok! — disse o professor. — Vá já falar com sua mãe.

Ele soou o apito, e todos paramos em posição de sentido, exagerando a postura marcial, para impressionar mais os espectadores da cena, os nativos, aquela gente prosaica. Hok continuava olhando para os sapatos e esfregando as mãos, coçando com os dedos a palma da mão direita, depois a da esquerda.

— Hok, vá já falar com a sua mãe!

A mulher se afastava, tranqüila.

Hok virou-se e começou a andar lentamente em direção à mãe. Ela já estava quase na esquina. Em breve desapareceria.

— Hok, *corra*! Está me ouvindo? *Corra!* — E o próprio professor saiu correndo atrás do menino, ameaçando-o com sua vara de tamarindo.

Hok saiu na disparada, correndo com seu jeito desajeitado de menina, e nós, sentindo-nos seguros, por não termos sido traídos, ficamos em posição de sentido, assistindo à cena. Vimos Hok alcançar a figurinha rechonchuda de chapéu e cesta de compras, vimos a figura, sem dúvida assustada pelo som de alguém correndo, virar-se antes que o menino chegasse até ela, vimos sua cabeça debruçando-se sobre Hok, o rosto negro caricatural frente à cara arroxeada de Hok, depois os vimos separarem-se, a mulher dobrou a curva, Hok virou-se e caminhou lentamente em direção a nós, o rosto arroxeado parecendo prestes a explodir, Hok, o nervoso, o leitor secreto, o comedor de papel e gravatas, agora totalmente traído, tão comum quanto a rua a seu redor. O pobre menino estava chorando.

Eu sabia que ele chorava por ter sido traído, porque sua condição ordinária fora revelada. Era desta traição que os mais corajosos dos outros estavam rindo. Não era apenas porque a mãe era uma negra e uma mulher do povo, muito embora isso também contasse; era porque Hok tinha sido expulso daquele hemisfério particular de fantasia onde residia sua vida verdadeira. O último livro que ele tinha lido chamava-se *Os Heróis*. Que diferença entre a mãe de Perseu e aquela mãe! Que diferença entre as paisagens brancas, azuis e verde-escuro que ainda há pouco ele conhecera e aquela rua! Entre a rua e a seção de livros sobre a China da Biblioteca Carnegie; entre aquela plácida mãe indo ao mercado e o apelido de Confúcio que seu filho ganhara entre nós, por sua inteligência viva e sua beleza. Eu tinha a impressão de ter visto indevidamente os segredos mais ocultos de outra pessoa. Naquela rua arborizada, cheia de jardins, realmente bem bonita, percebo agora, embora naquele instante me parecesse totalmente sem graça, senti que Hok tinha sonhos como os meus, provavelmente também era marcado e, em sua imaginação, morava longe de nós, longe daquela ilha em que ele, como meu pai, como eu, havia naufragado.

Aqui cabe uma explicação. Eu gostava da família de minha mãe e da fábrica Bella Bella. Mas na minha vida secreta eu era o filho de meu pai, um *singh*. As leituras secretas de Hok versavam sobre a China. As minhas eram sobre os rajaputros e os árias, histórias de cavaleiros e peregrinos. Eu chegara mesmo a ler os livros difíceis de Tod. Já lera a respeito da terra dos árias asiáticos e pérsicos, que, segundo alguns, seria o próprio Pólo Norte. Levava uma vida secreta num mundo de planícies sem fim, montanhas altas e áridas, de picos nevados, entre cavaleiros nômades, montando minha tenda todos os dias ao lado de frias torrentes esverdeadas, que desciam turbulentas as encostas de rocha parda, acordando nas manhãs enevoadas e chuvosas, cheias de perigo. Eu era um *singh*. E sonhava que por todas as planícies da Ásia Central os cavaleiros procuravam por seu líder. Então um homem sábio vinha a eles e dizia: "Estais a procurar no lugar errado. Vosso verdadeiro líder está muito distante, pois naufragou numa ilha tal que não podeis sequer concebê-la". Praias e coqueiros, montanhas e neve: eu colocava as imagens lado a lado.

Era nestes momentos que a ilha me parecia mais insuportável. Considere-se o paradoxo de minha fantasia. Eu olhava a meu redor com atenção; ficava constrangido. E descobria que ficava mais constrangido do que a maioria das pessoas. Um dia estava no carro do pai de Cecil, seguindo por uma estrada no interior. Estávamos na região dos pântanos. Cabanas de sapé úmidas, afundadas na lama, ladeavam a estrada. Era um dia chuvoso, nublado; o céu estava carregado e opressivo, a água nas valas espessa e escura; a gente ali vivia seminua, trabalhando descalça na lama que manchava seus rostos e corpos e os trapos que vestiam. O que eu sentia era mais que tristeza, mais que raiva. Eu me sentia ameaçado. Devo ter transmitido minha angústia ao pai de Cecil, pois neste momento ele disse: — Minha gente.

Não sei por que aquelas palavras tranqüilas tiveram tal efeito sobre mim. Odiei aquele homem. Pela primeira vez ele me decepcionara. Eu antes o julgava ascético, justo, piedoso. Achava que estas qualidades, que eu admirava, haviam decorrido do dinheiro e do sucesso que eu tanto venerava e, por muito tempo, mesmo depois deste incidente, continuei a atribuir estas qualidades às pessoas que ganharam dinheiro trabalhando muito. Eu admirava sua falta de ostentação, o modo como ele separava sua vida profissional de sua vida doméstica. Observava seu gosto discreto e sincero. Na varanda dos fundos de sua casa, onde outros colocariam coisas como termômetros dados como brindes por fábricas de pneus e calendários de diversas firmas, ele pusera quadros religiosos e fotografias de atores de cinema indianos. Não se interessava por cinema, e teria considerado extremamente vulgar colocar fotos de estrelas de Hollywood na parede de uma residência. Mas os atores indianos eram coerentes com os quadros religiosos: eram uma afirmação de lealdade para com seu passado, de reverência pela terra de seus ancestrais. Foram detalhes como esse que moldaram a imagem que eu tinha dele.

E agora eu estava decepcionado. Creio que esperava mais paixão, mais dor. Mas não externei meus sentimentos e me limitei a perguntar: — Por que não dão perneiras a eles? — Aquela propriedade era dos Stockwell, e as casas de seus administradores, altos pilares de concreto, paredes de concreto cor de creme, telhados vermelhos de ferro corrugado, logo se tornaram visíveis, um tanto amontoadas, praticamente sem jardins, tão despidas de árvores quanto os canaviais a seu redor. Malditos canaviais! A dor que eu sentia, porém, era minha. O pai de Cecil disse: — As perneiras custam dinheiro.

Deixamos para trás os canaviais. A estrada agora era ladeada por lojas e casas de dois andares. O tráfego era mais lento, ali na estrada principal da cidadezinha e, à nossa frente, havia um caminhão cheio de sacas de farinha, cobertas por um encerado úmido. Sobre o encerado estavam deitados dois carregadores indianos, encharcados. Eles nos examinaram. A idade dera ao pai de Cecil a capacidade de ignorar olhares como aqueles. Eu os retribuí; era ainda um olhar de compaixão. Nos olhos inquietos de nosso chofer não havia nenhum sinal de compaixão; estava apenas impaciente para ultrapassar. Por fim julgou ter uma oportunidade. Mas calculou mal a velocidade do carro que vinha em sentido contrário, e foi obrigado a fechar o caminhão, que freou ruidosamente. O chofer era novo no serviço; estava satisfeito por ter conseguido arranjar aquele emprego e ansioso para não perdê-lo; o silêncio que se instaurou no carro terminou virando tensão. Na vez seguinte em que o trânsito ficou lento, o chofer foi excessivamente cauteloso. O caminhão ultrapassou-nos e imediatamente nos fechou. Os carregadores não estavam mais deitados, e sim sentados. Começaram a nos xingar. Sempre detestei palavrões e era duplamente desagradável ter de ouvi-los ao lado do pai de Cecil. Fechamos as janelas. Os carregadores recorreram a gestos obscenos e ameaçadores. Deram a entender que tinham anotado nossa placa, iriam atrás de nós, iriam nos matar a tiros e facadas. Isto continuou por alguns minutos.

Por fim saímos da cidade, e o caminhão distanciou-se de nosso carro. Nosso chofer não tentou acompanhá-lo. Quando o caminhão desapareceu na distância, o pai de Cecil explodiu. Quanto mais falava, mais se descontrolava. Cerrava os punhos, abria as mãos, batia no encosto do banco do motorista. O chofer, solidário, e talvez com medo de ser agredido, parou no acostamento e, com as mãos no volante, ficou a olhar pelo pára-brisa, varrido ritmicamente pelos limpadores.

— Por que você me faz sofrer assim? — perguntou o pai de Cecil ao chofer. — Por que me faz sofrer?

— Eu anotei a placa, patrão.

— Anotou a placa, anotou a placa... E daí? Você me fez ouvir aquelas coisas todas.

— Ligue para o sr. Mitchell, patrão. Eles vão descobrir quem são os carregadores, e aí dão um jeito neles.

— Ligue para o sr. Mitchell, ligue para o sr. Mitchell. Alô, sr. Mitchell, uns analfabetos desgraçados ficaram dez minutos me xingando hoje na estrada, e o meu chofer é que tinha feito a barbeiragem. — Ele estava possesso. Era o pai de Cecil, e estava sujeito aos mesmos acessos de raiva quase irracionais.

— Eles eram só carregadores, Nana — disse, tentando acalmá-lo. Isto teve o efeito de fazê-lo ficar mais nervoso ainda. Ele urrava e batia na testa.

— Eles me envergonham. Me envergonham. Ah, meu Deus! — E dentro do carro parado, com as janelas fechadas, ele agia como se tivesse acabado de saber que havia perdido uma fortuna. O distribuidor de Coca-Cola, o milionário de Isabella, o membro do Conselho.

No início daquele passeio, eu me sentira ameaçado. Agora eu via como era fácil destruir. Um homem era apenas aquilo que via de si nos outros; percebi o que significava ser um líder naquela ilha. Foi o meu despertar para a política. De certo modo, foi minha primeira lição de política. Um líder de meu povo? Um homem que cuspia no prato em que comera? Ou apenas um *singh* vingando-se de um naufrágio pessoal? Fosse o que fosse o impulso, aquela lição, tão fácil de aprender, tão fácil de pôr em prática quando chegou a hora, era extraordinariamente simples e boba.

2

Às vezes Cecil vinha comigo para minha casa depois das aulas. Eu sempre gostava quando isso acontecia. Gostava de Cecil. Ele era o contrário de Hok, mas a seu modo era igualmente atraente. Agradavam-me sua autoconfiança e seu gênio descontrolado. Agradavam-me seus gestos de canhoto, seu jeito de levantar o ombro quando andava. Era de uma generosidade impulsiva; seu pai costumava dizer — e na época ainda não sabíamos o quanto isto era verdadeiro — que Cecil nascera para dar coisas de graça. Eu gostava de dar-lhe coisas também. Pouco tinha, porém, para dar. De interessante em nossa casa só havia as folhas de papel, timbrado ou liso, do Departamento de Educação. Meu pai trazia papel para casa em quantidade; dizia que roubar papel não era roubo de verdade. Eu costumava dar a Cecil parte desse papel. Ele ficava satisfeitíssimo; eu não entendia por que; jamais descobri para que Cecil usava aquele papel.

Um dia estávamos mexendo na escrivaninha de meu pai, procurando algo que eu pudesse dar a Cecil, quando encontramos um livrinho já bem amarrotado, com fotos de mulheres nuas, com trechos desfocados ou depilados. Corpinhos gorduchos em posições ridículas: os fracos excitando os fracos. Fiquei tão atônito e tão envergonhado quanto no dia em que ouvi os palavrões dos carregadores no carro do pai de Cecil. Disse a Cecil que as fotos eram minhas, em parte para diminuir a vergonha, em parte para que ele ficasse pensando que eu tinha profundezas de vício que ele jamais suspeitara. Disse-lhe que, se quisesse, podia ficar com as fotos. Eu já as havia "usado" — não sei por que a palavra me ocorreu — e não precisava mais delas. Ele ficou muito excitado, tanto que esqueceu de pregar uma chapinha de Coca-Cola à mesa de meu pai, como havia ameaçado fazer.

Cecil levou o livrinho para a escola no dia seguinte. As fotos causaram sensação. Atraíram, inclusive, a atenção dos professores, e correram de mão em mão entre eles, até irem parar na mesa do diretor. Cecil disse que o livro era meu, e, quando me perguntaram se era mesmo, confirmei. Não me bateram. Em vez disso, passaram a me encarar com um temor respeitoso, principalmente depois que repeti aquela frase, dizendo que não precisava mais das fotos porque já as havia "usado". Foi escrita uma carta a meu pai, que eu entreguei. Ele veio à escola, e nos confrontamos na sala do diretor, sob a tabela de horário que jamais era respeitada e o quadro de honra, com os nomes de ex-alunos brilhantes. O livro estava solitário; jogado na mesa do diretor, como algo que não pudesse interessar a nenhum de nós três. O diretor olhava ora para meu pai, ora para mim. Meu pai não me olhava, nem eu olhava para ele. O tempo todo eu tinha vontade de transmitir-lhe uma mensagem: a de que ele não caíra no meu conceito por se interessar por fotos como aquelas; afinal, ele tinha uma "esposa" e estava apenas cedendo a uma fraqueza comum. Meu pai sofria. Era um homem honesto. O diretor pressionou-o, mas ele não conseguiu me condenar. — Deixe que eu falo com ele, deixe que eu falo com ele — meu pai repetia sem parar.

Jamais tocou no assunto. Só na sexta-feira seguinte, meu dia de ir à biblioteca, foi que aconteceu algo relacionado com o incidente das fotos. Eu estava em casa, na varanda dos fundos, lendo *Os Povos Arianos e suas Migrações*. Era um livro velho, que cheirava a coisa velha; toda vez que eu o abria a lombada estalava; creio que fui a primeira pessoa a retirar aquele livro da biblioteca. Não era de leitura fácil.

Meu pai entrou, ainda com o grampo na bainha da calça que usava para andar de bicicleta, a jaqueta tropical frouxa e suja nos bolsos, o rosto cansado, os olhos úmidos por trás das lentes dos óculos.

— O que é que você está lendo hoje?

Mostrei-lhe o livro.

— Pode ir impressionar a família da sua mãe com isso. Eles não sabem ler sem mexer os lábios, nem virar a página sem lamber o dedo. Mas não vá tentar me tapear, ouviu? Você entende o que está lendo?

— Mas é claro.

— Você é um grandississímo mentiroso. Que ariano, que nada! Que diabo você entende dessas coisas?

Lembrei-me de um incidente ocorrido na escola: quando o professor viu Browne lendo um livro de Tarzan, o menino explicou, com seu jeito trocista: "Só leio livros de senso comum, professor". Assim, resolvi dizer: — Só leio livros de senso comum.

Cheguei a acreditar que ele ia me bater. E quando arrancou-me o livro da mão, com tanta brutalidade que a capa frágil descolou da encadernação, achei que ia me bater com ele. Limitou-se, porém, a abri-lo numa página qualquer e perguntar: — O que quer dizer ''homogêneo''?

Tendemos a subestimar nossa própria força e entregar os pontos quando estamos levando vantagem. Até então, era eu quem estava ganhando; mas aquela pergunta fez com que eu me sentisse em pleno *Teste da Coca-Cola*; entrei em pânico e disse: — Eu não peguei o livro para mim. Eu trouxe para você.

— Grandissíssimo mentiroso.

— Não gosto de ouvir desaforo. Sabe aquela pá de críquete que você me deu no Natal? Pois vou dar para o Cecil. Agora não quero mais saber dela.

— Então dê logo para o Cecil. Os pobres sempre dão mesmo tudo para os ricos.

Na segunda-feira, trouxe Cecil para minha casa e mostrei-lhe a pá. Eu a havia deixado na varanda da frente, com uma nota formal explicando que não queria mais usar este presente de meu pai. De certo modo, isto era verdade, já que eu havia deixado de lado, por ser vulgar, a fantasia na qual, indo assistir a uma partida internacional de críquete, eu era descoberto com aquela pá, imediatamente escolhido — uma das pás do batedor havia quebrado, e o batedor fora dispensado junto com a pá — e salvava o time. Perguntei a Cecil se ele queria a pá. Ele leu a nota, e fiquei aborrecido por ele não tentar, como minha mãe, me convencer a ficar com o presente. Cecil simplesmente arrancou a nota, amassou-a e jogou-a no jardim. Disse-me que legalmente agora a pá pertencia a ele, e eu não poderia pegar nela sem sua permissão. Menino estranho, este Cecil. Fiquei arrasado depois.

Meu pai quebrou algumas coisas quando chegou em casa e descobriu que eu havia dado a pá. Foi para seu quarto e eu o ouvi falando sozinho. No final da tarde, saiu. Parou no bar da esquina para tomar um refrigerante. Alguma coisa deve ter acontecido lá que o irritou porque, sem qualquer provocação, ele começou a quebrar tudo. De início, agiu de modo indiscriminado; depois, no entanto, começou a concentrar-se na Coca-Cola. Quebrou uma garrafa depois da outra e, como tinha sempre na mão um gargalo quebrado de Coca-Cola, aterrorizou o pobre dono do bar. Quebrou ao todo noventa e seis garrafas, quatro engradados inteiros, quebrando uma garrafa de cada vez, metodicamente, como se tivesse sido pago para fazer aquilo; não levantou, como seria mais simples, um engradado inteiro e o jogou no chão. Minha mãe acudiu correndo quando um vizinho veio avisá-la. A polícia também foi chamada, e quem apareceu foi um jovem policial que meu pai já chamara muitas vezes para resolver pequenos problemas ocorridos na rua: gente abatendo animais sem licença no quintal, gente jogando na calçada, coisas assim. Felizmente, a coisa não chegou até a justiça nem aos jornais. Todos os prejudicados foram indenizados generosamente.

O incidente tornou meu pai uma figura bastante conhecida e respeitada entre os desocupados do bairro. Foi como o incidente dos carregadores xingando o pai de Cecil. Ninguém tinha nada contra o dono do bar, que sempre vendia fiado e não cobrava juros, e servia um copo d'água a quem o pedia, mesmo sem consumir nada. A questão é que o dono do estabelecimento era rico, enquanto os desocupados eram pobres e gostavam de ver como era fácil cobrir de ridículo os ricos. Mas o mais desconcertante deste episódio infeliz foi o efeito que ele teve sobre meu pai. Ele agia como se tivesse sofrido um acesso de loucura e não pudesse ser responsabilizado pelo que havia feito naquela tarde de segunda-feira. Era evidente, porém, que ele gostava de sua fama recém-conquistada. Exibia seus curativos e emplastros com um orgulho discreto — tinha levado cortes profundos nas mãos, e cortara também o rosto e o peito — durante as duas semanas de licença por motivos de saúde que recebeu do Departamento de Educação. Começou a contar com o afeto das pessoas da rua. Ele, que antes fora tão reservado, agora não hesitava em chamar algum desocupado da rua para ajudá-lo a consertar um pneu de bicicleta furado ou trabalhar no jardim. Surpreendentemente, as pessoas se dispunham imediatamente a ajudá-lo. Loucura, mas com um certo método, ainda que o método viesse depois da loucura.

Eu e minhas irmãs passávamos a maior parte do tempo com a família de minha mãe. Íamos lá todos os fins de semana, e depois de algum tempo nossos pertences estavam distribuídos entre as duas casas. Minhas irmãs entraram para a corte de Sally, e dessa maneira ficaram ainda mais afastadas de mim. O que para mim não representava uma perda. Eram bonitas, mas sua aparência era para mim uma fonte constante de vergonha. Segundo a tradição dos meninos em Isabella — uma tradição que talvez exista também em outros lugares —, os irmãos de meninas bonitas eram de algum modo afeminados, e mereciam ser ridicularizados. Assim, eu renegava minhas irmãs tanto quanto renegava meu pai. O resultado foi que elas se afastaram de mim: nunca mais voltaram a se aproximar. Achei excessivo o modo como reagiram a meu pai. Disseram a Sally e a outros que não eram responsáveis por ele; foram mais severas que o próprio Cecil, que viu o lado engraçado do incidente do bar.

O pai de Cecil construiu uma casa de praia e decretou férias prolongadas lá. Foi um dos primeiros a construir uma casa de praia em Isabella. Hoje, naturalmente, as praias das ilhas tropicais foram transformadas em subúrbios, com a mesma mediocridade padronizada de população e aspecto. Não tenho dúvidas de que terminarão tão desprezadas quanto os subúrbios, mas até então o trabalho de destruição terá chegado ao fim. Porém, no tempo de minha narrativa, ainda se acreditava que as praias deviam ser lugares desabitados, sem nenhuma urbanização, nem mesmo uma cabana para trocar de roupa. Tinha-se o cuidado de manter uma distância de duzentos ou trezentos metros do grupo de banhistas mais próximo; se isto não fosse possível, as pessoas diziam que a praia estava cheia e voltavam para casa, esperando que na próxima vez tivessem mais sorte. Naquela época, uma casa de praia era uma novidade e, durante todo o ano letivo, ouvimos Cecil e Sally falar da famosa casa.

Mas havia um detalhe constrangedor. Eu e minhas irmãs não tínhamos sido convidados. Uma ida à praia, lugar distante e desabitado, ainda era considerada uma aventura, uma espécie de viagem; e ninguém estava disposto a assumir a responsabilidade por nós durante algumas semanas na praia. Nem os pais de Cecil nem minha mãe queriam pedir permissão a meu pai, com medo de ressaltar a separação que havia entre ele e nós; e nós não queríamos pedi-la, com medo de ouvirmos um não. Assim, exercendo nossos direitos de dupla residência, não fizemos nada. A casa dos pais de Cecil ia ser fechada; não acreditávamos que nos iriam trancar lá dentro, nem mandar que voltássemos para nossa casa. O silêncio de minha mãe nos incentivava. No dia da partida, estávamos de malas feitas como os outros e, ainda sem sermos convidados, esperando a hora de ir. É claro que acabamos indo.

O mar surgiu-nos quase sem aviso. Apenas a altura do céu e um certo vazio por trás do alto das árvores indicavam que, mais adiante, a terra acabava. E então, depois de uma alameda de coqueiros, lá estava o elemento vivo e destruidor, quase sem cor, visto daquela distância. As árvores oscilavam, farfalhavam, estalavam. As ondas brancas trovejavam e sibilavam na amplidão da praia. No meio das árvores, uma casa de madeira de dois andares. Nem jardim, nem quintal, nem cerca: só areia e aquelas plantas e trepadeiras antinaturais, de um verde luzidio, que dão na areia quente e salgada. Não era o meu elemento. Eu preferia a terra, preferia as montanhas e a neve.

Vinha a noite, de lua ou negra, espectral ou vazia, e não se ouvia nada além do vento e das árvores. Eu não gostava de casas de praia. Não gostava daquela sensação de abandono, de estar no fim de um mundo vazio. Até Cecil parecia ressabiado. As meninas reuniam-se em torno de uma lamparina e, apesar do barulho das ondas, falavam em cochichos. No final da noite, quando ainda não era tão tarde assim, jogávamos damas. Eu jogava bem e a cada jogo ficava melhor. Joguei com Cecil. Ele gritou ''Aah!'' e desmanchou o jogo quando viu que estava perdendo. Joguei com minhas irmãs e as derrotei. Ganhei de Sally também. Ela me desafiou a jogar outra partida. Ganhei de novo e ela chorou. Foi para a cama batendo os pés, gritando que eu era presunçoso.

Foi um alívio constatar, pela manhã, que o mundo ainda estava no lugar. Assim que pude, saí. Havia orvalho nas trepadeiras e nas cascas dos cocos. A maré estava baixando; havia ao longo da praia uma nova leva de detritos úmidos; o vento estava forte. Bem ao longe, na praia, vi os restos de uma grande árvore que, segundo me disseram, havia sido trazida pelo mar meses antes, vinda sabe-se lá de que ilha ou continente, flutuando no oceano noite e dia durante semanas, meses, um ano, até vir ter à nossa ilha, a essa praia desolada. Eu tinha certas idéias, assustadoras demais para serem desenvolvidas, segundo as quais as coisas só existiam quando alguém as via. Voltei para a casa; todos estavam se aprontando para o café da manhã. O vento salgado misturava-se ao cheiro forte do chocolate quente e das bananas fritas.

Então Sally desceu a escada batendo os pés, com seu roupão de linho amarelo. Aquele traje e aquela fazenda haviam chegado a Isabella ao mesmo tempo, e tinham se tornado a última palavra em moda; até minhas irmãs andavam pela casa, depois de chegar da escola, com robes de linho de lapelas largas, exibindo a barra das anáguas quando andavam. Assim, com seu roupão de linho amarelo, Sally desceu a escada batendo os pés. Estava tão aflita quanto estivera na véspera, à hora de se deitar. — Alguém usou minha escova de dentes! — gritou entre soluços, brandindo o utensílio poluto.

As mulheres mais velhas ficaram imediatamente preocupadas — Sally, a bela, a delicada — e foram correndo consolar a filha melodramaticamente indignada daquela família melodramática. Eu não estava menos preocupado. Assim que Sally falou, percebi que fora eu quem usara sua escova de dentes. Voltei a sentir de novo o gosto da pasta de dentes. Senti-me terrivelmente impuro. Subi a escada correndo, passando por Sally, e fui bochechar com água. — Foi ele! Foi ele! — gritava Sally. Enquanto batia os pés, parou de chorar. Deu um risinho, caiu na gargalhada. Durante o café da manhã, fez questão de voltar àquele assunto.

Depois fui andar sozinho na praia ensolarada e deserta. Observei as trepadeiras, as conchas, as algas e os caranguejos, os peixinhos quase transparentes que vinham com cada onda e por um triz não ficavam largados na areia. Pensei na possibilidade de pegar um ônibus e voltar para a cidade. Andei em direção à aldeia. Era cinzenta, enferrujada, apodrecida: ferrugem de latas velhas, cinzento de madeira podre. Num bar instalado numa cabana, tomei uma Pepsi-Cola e comi uma tortinha recheada com coco quente e açucarado. Caminhei pela estrada de asfalto, cheia de calombos, que saía da aldeia, afastando-me da praia. Detrás das sebes de hibiscos, deitavam-me olhares estranhos as pessoas para quem o mundo era esse trecho da ilha, pessoas que, segundo me disseram, durante todas as suas vidas jamais se afastavam mais de dez quilômetros do lugar onde nasceram. Foram aqueles olhares que me fizeram, após mais ou menos uma hora, voltar em direção à aldeia. Estava quente. As folhas estavam imóveis; pareciam prestes a murchar. O asfalto, que havia sido colocado na estrada em pequenas porções ásperas, já estava ficando mole. Aqui, longe do mar, o frescor da manhã já havia desaparecido.

Na aldeia, as sombras estavam reduzidas a contornos escuros ao redor das cabanas e vagas manchas estriadas de sol sob as árvores. Na praia, que antes estava vazia, agora havia gente aqui e ali e um pouco de atividade. A areia não estava mais lisa. Tudo que antes parecia intacto e reluzente, agora parecia sujo, riscado, escarvado, cheio de manchas irregulares, coberto de entranhas vermelhas e de um azul pálido,. já mortas e foscas. Cachorros vira-latas, escaveirados, pardacentos ou amarelados, zanzavam pela areia, com suas longas caudas caídas entre as patas. O calor da areia atravessava as solas de meus sapatos de lona. Mais gente chegou na praia. Porém, agora que eu fazia parte da atividade que havia observado de fora, ocorreu-me que ela era curiosamente vazia, descentrada. Algumas pessoas olhavam para o mar. Outras, em número bem maior, estavam paradas sem fazer nada. Algumas ficavam vendo os pescadores consertarem suas redes à não-sombra dos coqueiros, ao lado de seus barcos toscos, mas de cores vivas. A mistura de sangue caraíba com africano se revelava nos rostos inexpressivos dos pescadores, queimados pelo sol, o sal e o vento, até ficarem de um negro tão puro que deixava de ser uma cor perceptível. A meu redor, a atividade das pessoas era contínua, porém sem pressa e indefinida. Do bar onde antes eu havia tomado a Pepsi-Cola e comido a tortinha vinha agora o som de uma vitrola. Lembro a música que estava tocando. Era ‘‘Bésame mucho''. As palavras e a música sobressaíam-se apesar do vento e das ondas, e se espalhavam, esgarçadas, sobre aquela praia cheia e esgarçada. Foi então que percebi que havia pessoas se afogando. Lá, naquele infernal elemento destruidor, havia pessoas se afogando. Os banhistas imploravam aos pescadores que fossem salvá-los. Os pescadores estavam sentados nas raízes dos coqueiros, consertando as redes e cortando pedaços de bambu para fazer puçás. Seus rostos magros, afro-caraíbas eram como máscaras. Imaginei-me afogando. E, nesta fantasia, senti-me distanciado; não tinha nenhuma raiva dos pescadores, que estavam agora conversando entre si, em seu patoá; sentia apenas a inutilidade, o absurdo de toda e qualquer tentativa de salvar aquelas pessoas, já reduzidas à condição de corpos, escondidas naquela água turquesa além da arrebentação. Os turistas, as pessoas que estavam ali de férias, estavam assustadas; a população local estava tão tranqüila quanto os pescadores. A mim, em meu distanciamento, meu avassalador medo de morrer, a história chegou aos pedaços. Um irmão havia nadado além da arrebentação na tentativa de salvar suas irmãs, que se afogavam, e ele próprio desaparecera. A maré estava baixando rapidamente: eles seriam todos arrastados para longe. Num curto intervalo de tempo, ouvi inúmeras versões diferentes. O irmão estava afobado, em pânico, e imprudentemente ficou exausto rápido demais. O irmão tentou atravessar as ondas em vez de mergulhar debaixo delas e seu corpo foi destroçado e jazia no fundo do mar. Ele era da cidade, não sabia nadar. Tantas histórias!

Com medo, voltei em direção à casa de praia. Era um medo tão íntimo, uma sensação tão interior de fragilidade da carne — esses pobres braços, esses pobres pés, essa cabeça vulnerável — que, por vergonha, para não trair a fraqueza da carne, não contei o ocorrido para as mulheres. Acharam que meu silêncio era conseqüência do incidente da escova de dentes e mimaram-me. Aceitei os mimos, como se houvesse assumido por toda a humanidade o ônus da tragédia da carne e do corpo que eu acabava de testemunhar; esse conforto, essa solicitude das mulheres era adequada.

Assim, foi Cecil quem trouxe a notícia, e fingi não saber de nada. Então todos corremos para a praia, as meninas de maiô saltitando pela areia que a maré baixa transformara numa faixa bem larga, Cecil correndo longe de nós, pela água rasa, pulando alto, espirrando água para os lados, dando a curiosa impressão de estar comemorando alguma coisa. A areia era como uma arena suja. Os pescadores haviam sumido. Seus barcos estavam no mar. As bóias de cortiça do arrastão descreviam um amplo arco além da linha de arrebentação. Dois barcos a atravessavam agora, numa confusão de água branca; de repente surgiram das ondas, oscilando, ora afundando, ora quase saindo completamente da água; estavam vindo para a praia. A multidão correu até os dois barcos para agarrar a corda e puxar o arrastão. A história dos afogamentos veio à baila outra vez. Eram quase duas horas, o período de calma entre a manhã e a tarde. Os pescadores puxavam com seu modo ritmado; os turistas e as pessoas da cidade, cujos trajes os distinguiam, puxavam freneticamente, como se brincassem de cabo-de-guerra. E o mesmo disco continuava tocando no bar. Ainda as mesmas palavras se espalhavam pelo vento, entre os galhos dos coqueiros. *Bésame mucho, como si fuera la última vez.* As letras absurdas das canções populares! Então vi Deschampsneufs e talvez outros membros de sua família entre os que puxavam a rede freneticamente. Eu não queria ser visto. Afastei-me. Até então, todo aquele incidente fora para mim um momento íntimo; agora tornara-me um observador.

O arco de bóias de cortiça estreitava-se progressivamente. Cada vez estava mais perto. Atravessou a arrebentação. A rede apareceu. Então ouviram-se gritos. Varrer o fundo do mar! Tamanho empreendimento, tão fútil, como aquelas histórias de *Os Heróis*. Mas havia produzido resultados concretos. Apareceu o primeiro corpo, depois o segundo, depois o terceiro. Haviam morrido todos juntos, aqueles corpos amontoados, confundindo-se agora, na rede trazida à praia, com os peixes, vivos e prateados. Eram cações, que, segundo se dizia, eram atraídos pela morte. E havia milhares de peixinhos. E logo tudo estava esparramado e seco na praia suja. Os peixes estrebuchavam na areia, em espasmos curtos e breves. Os cações, tão ameaçadores um minuto antes, agora agonizavam, e as pessoas caminhavam entre eles, como se movidas pelo espírito de vingança pessoal, amassando-lhes as cabeças.

Os corpos foram estendidos lado a lado na areia, no sol; as roupas de banho ainda pareciam partes vivas de seus corpos, molhadas, como estaria molhado meu calção se eu estivesse saindo da água. Fora do grupo que circundava os corpos, pequenas discussões pipocavam entre os pescadores e algumas das pessoas que haviam ajudado a puxar a rede. As pessoas queriam os peixes; os pescadores queriam dinheiro em troca do peixe; os outros retrucavam que os pescadores já tinham sido pagos, e apenas para jogar a rede. Um pescador desdentado não parava de cuspir palavrões. Por fim a querela foi resolvida. Creio que os pescadores acabaram sendo pagos. Os corpos foram removidos e, na praia larga, que brilhava, ficaram marcas foscas nos locais onde eles haviam estado, trechos de areia revolta e escarvada, que mostrariam, por apenas mais algumas horas, o que havia acontecido. A praia estava coberta de peixinhos que ainda há pouco pareciam vivos, agora estavam de uma cor mortiça, semelhante a lixo; o prateado virava cinza-escuro. Os vira-latas andavam de um lado para o outro, nervosos. Os urubus assistiam à cena do alto dos coqueiros. A arraia, como o ventre azulado para cima, o dorso marrom para baixo, exibia um coto sangrento no lugar onde sua cauda fora arrancada.

Nesse trecho da ilha, a praia se estendia por mais de trinta quilômetros, interrompida aqui e ali por leitos bem delineados de riachos de água salobra, que saíam dos coqueirais e desaguavam no mar. Os coqueiros, a praia e as ondas brancas pareciam encontrar-se num ponto longínquo. Não era possível enxergar o trecho onde os coqueirais viravam mangues e pântanos. Aqui e ali, interrompendo a linha reta da praia, viam-se troncos de árvores trazidos pelo mar. Resolvi andar até a primeira árvore, depois até a próxima. Em pouco tempo me vi longe da aldeia e das pessoas, sozinho na praia, lisa e reluzente, prateada, à luz que já esmorecia. Agora não havia mais coqueiros, só mangues, altos, que se elevavam das gaiolas negras de suas raízes. Dos manguezais corriam riachos até o mar, por entre bancos de areia que eram diariamente construídos e destruídos, com corte preciso, como se feitos à máquina, riachos rasos de água clara, com um toque de âmbar das folhas secas, água fresca, diferente da água morna do mar. Na praia em si, as margens desses riachos, agora que a maré estava subindo, a toda hora desabavam em seções verticais, minadas por baixo; e novamente começava o processo de formação das margens arredondadas e sua destruição subseqüente: uma aula de geografia em miniatura, com o tempo acelerado. Lá estava a árvore, já bem enterrada na areia que a cercava, lisa; agora não se mexia mais aquele tronco que antes flutuava tão ágil nas águas; chegara ao fim de sua viagem num momento específico; agora servia de lar para dezenas de criaturas estranhas, que se dispersaram quando me aproximei. Aqui a ilha era como um lugar que ainda aguardasse a chegada de Colombo.

E o que estaria fazendo aqui um menino não marcado, chefe naufragado numa costa desconhecida, aguardando que o salvassem, que chegassem navios de formas curiosas para levá-lo de volta a suas montanhas? Pobre menino, pobre líder. Mas não, eu era marcado. Havia uma câmara no céu. Ela acompanhava o menino, que lá do alto parecia mínimo, caminhando à beira-mar, à borda de um mangüezal, numa ilha distante, uma ilha tão perdida e deserta quanto aquelas que, em filmes do tipo de *O Cisne Negro*, ao som de uma melodia suave, vistas de navios antigos com suas velas infladas, surgiam à luz clara da manhã ao homem ansioso que espreitava do tombadilho. Eu era marcado. Portanto, não havia por que ter medo. Voltando para a casa no cair da tarde, já quase noite, pela praia vazia cheia de ruídos imemoriais, eu caminhava sem medo.

Pontinhos de luz, que piscavam, jamais parando, surgiam na distância, como coisas imaginadas na escuridão. Era noite de lua cheia, quando as fêmeas de caranguejos saíam das tocas e iam até a água lavar os ovos que levavam no ventre, onde eram surpreendidas por homens com lanternas e capturadas. Aproximei-me das luzes piscantes. Cruzei com os apanhadores de caranguejos. Estavam de chapéu e de camisa abotoada, por causa da brisa noturna. Já me sentia entediado quando vi ao longe a casa da praia, suas luzes fracas ainda mais difusas vistas por entre os coqueiros.

Havia um pequeno vulto na praia, batendo com os pés na areia. Era Cecil. Estava escrevendo seu nome com letras enormes, realmente imensas. Era o tipo de atividade ociosa a que ele se dedicava com toda sua energia. Parei e fiquei a olhá-lo; a lua estava nascendo. Não dissemos nada. Eu sabia que ele aguardava que eu ou o ajudasse a escrever seu nome ou começasse a escrever o meu. Entretanto não fiz menção de fazer nem uma coisa nem outra. Deixei-o lá e caminhei em direção a casa. Não me espantei ao ver que ele abandonara sua atividade e vinha atrás de mim. A vitrola estava tocando "When I grow too old to dream". Pela janela aberta, vi que as meninas estavam dançando. Fui até a janela e debrucei-me. O parapeito estava áspero e grudento de areia e sal.

— Sally, sabe o que eu acho de você? — disse eu. Ela caiu na armadilha e perguntou:

— Não, o quê?

— Acho você uma boba.

Tive o prazer de vê-la bater os pés.

Na escola, não falei na minha ida à praia. Deixei Deschampsneufs falar dos afogamentos e do esforço que ele fizera puxando o arrastão; fiquei a ouvi-lo, como se para mim tudo aquilo fosse novidade.

Assim, finalmente, ao menos quanto a essa questão de relacionamentos, comecei a eliminar e simplificar. Concentrei-me na escola e nos relacionamentos a ela ligados. Não me apeguei aos livros, nem passei a "dar viradas" nas vésperas das provas; ainda tinha meu orgulho. Cecil era capaz de admirar alunos brilhantes, e seu pai com freqüência fazia discretas doações de dinheiro e ajudava de outras formas alunos pobres e promissores das mais variadas raças. Ainda subsistia, porém, entre nós, a idéia de que a instrução era destinada mais para as classes baixas. Eu não ia assim tão longe. Meu ideal era ser brilhante sem parecer fazer força. Mas, embora eu achasse que era justamente isso que Hok conseguia fazer, desisti de tentar ser mais "nervoso" que ele.

Dediquei-me ao esporte. Entrei para o time de críquete. Achei que ia ser arremessador, e, naturalmente, queria ser muito rápido. Eu corria muito, e muitas vezes terminava perdendo controle tanto da corrida quanto da bola. Não durei muito em nenhum dos dois times. No entanto, meus esforços não foram em vão. Perdi parte de minha timidez. Afinal de contas, é preciso um pouco de audácia para vestir o ridículo uniforme de jogador de críquete e andar, com rosto sério, até o meio do campo! Hok e seus seguidores zombavam de meu novo personagem. Não me importava. Em compensação, eu contava com um número enorme de meninos que, apesar de minhas deficiências óbvias, me aceitavam como desportista. No tempo em que era "nervoso", na verdade eu era inseguro. Quando me considerava fraco, variável e dependente, eu procurava fraquezas semelhantes nos outros. Mas agora pus fim a esse tipo de atitude pessimista. Ao descobrir que havia tanta gente disposta a aceitar que eu era o que dizia ser, fiquei exultante. Foi como a descoberta de minha integridade.

Não quero dar uma visão exagerada do campo de críquete do Colégio Imperial de Isabella — a própria expressão "campo de críquete" já conota uma grandeza inadequada; na verdade, era um campo bastante improvisado. Mas foi lá que adquiri uma certa serenidade, uma certa postura. Na época, eu não teria sido capaz de explicitar qual era essa postura. Agora, contudo, entendo que se tratava de uma atitude em relação a uma platéia. Era assim: a platéia nunca é importante. A platéia é composta de indivíduos que, em sua maioria, são inferiores a mim. Uma confissão desagradável, mas o fato é que jamais acreditei no ator que diz que "ama" sua platéia. Ele ama sua platéia do mesmo modo como ama seu cachorro. Todo aquele que se apresenta com sucesso ao público, qualquer que seja seu *métier*, parte não necessariamente de uma atitude de desprezo, mas de profunda falta de consideração para com sua platéia. O ator está separado daqueles que o aplaudem; o líder, particularmente o líder popular, está separado dos liderados. Minha carreira de orador público e condutor de homens surpreendeu muitos, e foi encarada por alguns como violentamente contrária a minha índole. Não era assim que eu a encarava. O orador público era apenas mais uma versão do ridículo menino jogador de críquete, que reprimia a timidez, ignorando a platéia, no campo do Colégio Imperial.

Ah, teorias! Ah, temores que perduram! Vejamos a seqüela. Em breve surgiu o que me pareceu ser uma oportunidade de me destacar como desportista. A ocasião foi a realização dos jogos anuais do colégio. Para mim, parecia claro que eu tinha muita possibilidade de ganhar as provas de cem metros, de dois por vinte e de quatro por quarenta em meu grupo. As razões eram muito especiais, e já não entendo bem quais eram. Tinha a ver com o dia em que eu entrara para o colégio ou com o dia de meu nascimento ou com as duas datas — um dia a mais ou a menos teria estragado tudo. A isto acrescia-se o fato de que o jardim de infância do Colégio Imperial, abolido alguns anos antes, depois reaberto por pouco tempo, terminara sendo abolido novamente, e as crianças pequenas foram incorporadas ao colégio em si. Para elas havia dois grupos, um para menores de onze ou dez anos, outro para menores de treze ou doze. Era neste grupo que um feliz acaso me colocara. E nele eu era uma espécie de gigante. Por causa da reabertura e refechamento do jardim de infância, eu estava competindo com crianças quinze, dezoito meses mais moças que eu. As assinaturas irregulares e borradas dos competidores no quadro de avisos confirmavam minha hipótese.

Abracei o atletismo. Fiz com que minha mãe me comprasse um traje de corredor, e passei a praticar com afinco na pista do colégio todas as tardes. Eu imitava os atletas mais velhos. Ao terminar uma sessão de treinamento, não parava de repente, mas ia perdendo velocidade lentamente, contendo-me aos poucos, até que por fim eu parecia um bailarino, os cotovelos levantados, os braços um pouco encolhidos, movendo-se no mesmo ritmo que as pernas bem levantadas. Achava graça em ver meus pequenos rivais, aquele monte de bracinhos e perninhas frágeis na outra extremidade do campo, praticando da mesma maneira. Eles também se untavam de Bálsamo Curativo do Canadá ou Ungüento de Sloan, como eu, como os atletas mais velhos de pernas desenvolvidas e cabeludas.

Meu novo personagem não passou despercebido em casa. Foi atribuído à influência de Cecil e provocou a repulsa de meu pai, proporcionou um prazer discreto à minha mãe e motivou orgulho e alívio em minhas irmãs, as quais, tendo desistido de contar com meu pai, não tinham nenhum homem em quem pudessem se apoiar e sobre o qual pudessem falar. As mulheres gostavam do meu calção de corredor, dos braços e pernas expostos e massageados, da promessa de uma virilidade que, com meu "nervosismo", deve ter lhes parecido um tanto tardia. Interpretei a repulsa de meu pai como ciúme; dava-me uma sensação desagradável. Também era desagradável o interesse das mulheres. Algum tempo antes, o Colégio Imperial fora dividido de modo totalmente arbitrário, por um diretor recém-chegado da Inglaterra, em casas, sem dúvida por achar que esta divisão estimularia o espírito de competição entre times. A idéia não dera em nada. Mas as casas e seus emblemas, desenhados pelo mesmo diretor, ficaram. Ressuscitavam uma vez por ano, no dia dos esportes. Minha mãe começou a bordar o emblema vermelho de minha casa em minha camisa de corredor. Trabalhava com amor, adicionando detalhes caprichosos a um desenho que já era caprichoso em si. Trabalhava naquilo noite após noite, como se preparasse o enxoval de um bebê. Ao mesmo tempo que estas preparações tinham lugar em casa, na escola durante a semana o campo foi sendo preparado: pistas eram assinaladas, bandeirinhas içadas, tendas montadas. Comecei a achar que meu empreendimento era não apenas desprovido de importância, como também era algo que estava fugindo a meu controle. Terminei perdendo as estribeiras quando descobri que minhas irmãs estavam começando a pensar que iam assistir à competição. Protestei. Elas insistiram, alegaram que já estavam até fazendo preparativos. Comecei a insultá-las. Elas me responderam com outros insultos. Para me punir, resolveram me deixar em paz e não ter mais qualquer contato comigo. Senti-me aliviado: havia escapado por um triz.

Chegou o dia. O café da manhã me surpreendeu. Geralmente era uma refeição simples, apenas chocolate ou chá, pão com manteiga, às vezes abacates ou bananas fritas. Mas naquele dia me serviram suco de laranja, flocos de milho, ovos, torradas e geléia. Para mim, um café da manhã como aquele estava associado a dias santos e, por este motivo, parecia-me ligeiramente repugnante. Os rituais sempre me constrangiam, e era duplamente embaraçoso que aquele dia fosse encarado assim. Estava sobressaltado, e foi só quando já atacava os flocos de milho que me lembrei, envergonhado, do sonho que havia tido. Era um sonho duplo, desses em que há um sonho dentro de outro sonho, em que a pessoa sente uma felicidade tão intensa que começa a temer que esteja sonhando, porém conclui que não. Eu havia sonhado que voltara a ser bebê e estava mamando nos seios de minha mãe. Que felicidade! O seio sobre meu queixo e minha boca: aquele peso confortador, a presença de carne macia e lisa. A cena se passava na penumbra, num cenário vago, sem luzes, uma varanda de fundos, cercada por mato escuro e azulado. Minha mãe estava numa cadeira de balanço, e seu seio era todo meu. Um sonho? Não, eu não estava sonhando. Assim, qual não foi minha dor, minha vergonha, ao despertar!

Ao vê-la agora, bordando o emblema de minha casa, sem suspeitar de nada, senti que aumentava meu segredo, meu fardo. Mas com a lucidez e a luz prosaica da manhã, a vergonha passou. Logo antes do almoço, vesti a camiseta com o emblema vermelho e coloquei por cima dela uma camisa. Fui surpreendido por uma sensação de intenso prazer quando, após beijar minha mãe na varanda coberta de samambaias de nossa antiquada casa de madeira, saí para a rua e me vi sozinho, sem mãe nem irmãs, sem pai: sozinho. A câmara me focalizava do alto. Eu era um homem que se distinguia da multidão que o camuflava. A rua, normalmente tão desenxabida para mim, era agora o caminho do país das maravilhas.

Mas quando cheguei ao bairro residencial onde ficava o Colégio Imperial, senti o impacto da lassitude de tarde de sábado daquelas casas silenciosas e escancaradas. Voltou-me o sòbressalto; não consegui reprimi-lo. E tão logo vi, ao entrar no terreno do colégio pelo portão lateral, as tendas armadas, os homens e mulheres, rapazes e moças, todos cuidadosamente bem vestidos — centenas de preparativos como os que eu fizera — senti mais uma vez a insignificância de meu empreendimento. Minha coragem esmoreceu, sendo substituída por um novo tipo de enfado.

Começou a competição, e logo o campo fervilhava com atividades desconexas, aparentemente individuais. Os pacientes corredores de longo percurso seguiam adiante, despercebidos, como quem cumpre uma promessa; havia gente esquentando e gente já concorrendo simultaneamente; virava-se para um lado e via-se o salto em distância; virava-se para o outro e via-se o salto em altura. Espalhados entre os atletas seminus havia pessoas tranqüilas, vestidas, bebendo ou conversando em grupos. Vi meus adversários. Muitos deles vinham acompanhados dos pais. Muitos já haviam tirado as roupas comuns, exibindo emblemas bordados tão elaborados como o meu, ainda oculto sob a camisa. Tantos preparativos individuais! Quando foi dado o aviso e os meninos foram se aproximando, com uma tranqüilidade estudada, da linha de partida, onde um ou dois praticavam a saída com estilo, compreendi que eu não ia me juntar a eles, nem para aquela corrida nem para as outras. Eles perfilaram-se: um professor os examinava com um revólver na mão. Minha decisão estava tomada; meu enfado, minha sensação de insignificância desapareceram. Foi dado o tiro e a corrida teve início. Era a corrida de cem metros; acabou rapidamente sem atrair muitas atenções. O professor já estava correndo para outro evento, o apito prateado na boca, a gravata esvoaçando, um bloco numa das mãos e o revólver na outra. Misturei-me com os outros na tradicional confusão para pegar sorvete gratuito. Depois zanzei de uma tenda a outra. Após algum tempo, a sensação de alívio transformou-se em indiferença; por fim, mais por falta do que fazer do que por qualquer outra razão, participei da corrida de quatro por quarenta com *handicap*, para todo o colégio — um evento aberto a todos, sem taxa de inscrição, em que os menorezinhos tinham cem, até duzentos metros de vantagem — e assim, com todo o colégio, um manguezal ambulante de pernas multicoloridas, corri, apenas mais um par de pernas entre tantos outros, o emblema de minha casa ainda coberto pela camisa. Depois misturei-me à multidão no centro. Alguns dos homens cuidadosamente bem vestidos já estavam um pouco tocados, falavam e riam alto, já em clima de despedida; as meninas estavam cansadas; os rostos das mulheres estavam lustrosos. Mas, apesar das palhaçadas tradicionais da corrida final, ainda havia na multidão um bolsão de seriedade formal, com muita troca de papéis e comparação de notas: iam ser entregues os prêmios. As pessoas iam se aproximando da tenda onde estavam as taças e troféus.

Fui embora. Minha mãe estava a minha espera quando cheguei. Perguntou-me: — E então?

— Não ganhei.

E na manhã seguinte o professor me disse, perante a turma: — Você teve muito espírito esportivo no sábado. Se bem que eu não tinha dúvida de que você ia saber agir corretamente.

Assim, minha reputação de desportista não apenas perdurou como foi realçada, e aquele dia passou a ser mais um dos meus segredos, que eu temia vir a revelar durante o sono ou sob o efeito do clorofórmio, se eu fosse operado.

Eu não queria mais segredos como esse, mais tardes de sábado envenenadas pela sensação de ser um náufrago ou de não fazer parte da multidão ao meu redor. Eu achava que já começara a simplificar meus relacionamentos. Começara, porém, tarde demais. Já havia afundado demais no erro da fantasia. Queria começar do zero, do início. Foi então que resolvi abandonar a ilha do naufrágio com todos os seus náufragos, e tentar tornar-me um chefe naquele mundo real do qual eu, como meu pai, tinha sido isolado. Esta decisão me deu algum conforto. Tudo que via a meu redor tornou-se temporário e insignificante; eu estava conscientemente guardando-me para a realidade que existia em algum lugar que não era aquele.

Li uma vez que, segundo os gregos da antigüidade, o primeiro requisito da felicidade era nascer numa cidade famosa. É um desses ditos que, por dizerem respeito a coisas específicas e concretas, tal qual uma bula de remédio, podem parecer frívolos para todos aqueles que jamais constataram na prática sua veracidade. Nascer numa ilha como Isabella, numa obscura colônia do Novo Mundo, bárbara e de segunda mão, era nascer na desordem. Desde bem pequeno, quase que desde a primeira aula a que assisti na escola, a respeito do peso da coroa do rei, eu tinha esta impressão. Agora eu descobriria que a desordem tem sua própria lógica e permanência: os gregos eram sábios. No exato momento em que eu estava formulando meu projeto de fuga, teve início a seqüência de eventos que, ao mesmo tempo que atiçava meu desejo de escapar, me arraigava ainda mais ao lugar onde o acaso me havia colocado.

3

Meu pai adquiriu um automóvel de segunda mão. Era um daqueles Austins compactos dos anos 30, que já na época pareciam antiquados, e que nós, isabelenses, mais acostumados a ver carros americanos, apelidávamos ''caixas de fósforos''. Creio que meu pai comprou seu carro através de um empréstimo sem juros concedido pelo governo: suas obrigações no Departamento de Educação exigiam que ele viajasse. Na rua, meu pai já tinha fama de quebrador de garrafas e bares; a chegada do Austin, símbolo de respeitabilidade e equilíbrio, transformou-o numa espécie de milionário excêntrico. Chamavam-no de ''radical''. Em Isabella, o termo era um elogio, que denotava uma pessoa anticonvencional ou um ''personagem''. Com o carro e todas as suas dignidades e ansiedades conseqüentes — a necessidade de comprar gasolina, ir a postos, relacionar-se constantemente com mecânicos incompetentes, embora com macacões impecavelmente sujos de graxa — ocorreu uma mudança em meu pai. Seu interesse pelo mundo ressurgiu. Passou a falar mais alto em casa e em público, e começou a manifestar uma curiosa paixão por ditos espirituosos. Repetia o que os outros diziam fora de contexto e ria; respondia às perguntas que lhe faziam com outras perguntas, absurdas; transformava as expressões que seus interlocutores empregavam em perguntas ridículas e ria. Era desconcertante. Sempre que dirigia, ostentava um sorriso mau e fixo, a cabeça levemente erguida, as mãos na posição recomendada pelos instrutores, os lábios entreabertos. Cantarolava baixinho ao volante; estava decidido a achar graça e interesse em tudo. Era cansativo.

Ao mesmo tempo, esforçava-se no sentido de fazer a família voltar a se unir, para recuperar seu prestígio de chefe de família. Para que ficássemos em casa nos fins de semana, inventou um ''almoço de família'' aos domingos. Em geral tínhamos um sistema individualista, mas satisfatório, de almoçar: cada um ia na cozinha e se servia, como num serviço de bufê num hotel. Foi num desses constrangedores almoços coletivos — que acabou sendo o último — que meu pai nos envergonhou a todos com um pequeno discurso formal.

— É bom que todos os membros da família se reúnam de vez em quando, na hora da refeição — disse ele. — Acho que isto fortalece os vínculos familiares. A família é a unidade que constitui a base de toda a civilização e cultura. Isso foi uma coisa que aprendi quando menino com o maior dos missionários que vieram a esta ilha, em cuja casa, como vocês sabem, eu era recebido mais como amigo do que como aluno.

Era bizarro, e não apenas por ser a primeira vez que eu o ouvia falar sobre seu passado. Minhas irmãs estavam a ponto de começar a dar risadinhas e eu temia por meu pai. Aquele seu ânimo era elevado demais e bom demais para durar. Minha mãe, no entanto, estava gostando; gostava do som das palavras. Comia devagar, olhando fixamente para o prato; vieram-lhe lágrimas aos olhos e ameaçaram cair. Também os olhos de meu pai se encheram de lágrimas. Minhas irmãs perceberam e ficaram sérias.

— Não é necessário dizer a vocês, que são todos instruídos, que a vida é curta e imprevisível. Hoje, por exemplo, estamos todos aqui, uma família completa, todos próximos a todos os outros, cada um conhecendo bem o outro. Vocês sabem que esta talvez seja a última vez que nos reunimos? Sabem que no futuro vocês talvez lembrem deste exato momento como um dos mais importantes de suas vidas? Um crescimento atinge a perfeição e produz outro. Nada permanece imutável. Nossa refeição de hoje é uma forma de perfeição. Gostaria que todos nós ficássemos calados por alguns instantes, pensando sobre este momento.

Estava emocionado com suas próprias palavras. Baixou a cabeça sobre o prato; vi as lágrimas escorrendo por seu rosto. Terminamos o almoço num silêncio terrível.

Depois, meu pai assumiu uma alegria tristonha. Era uma continuação daquele mesmo estado de espírito incomum. Disse que deveríamos todos nos vestir; ele ia levar-nos a um passeio. — Um passeio em família, um passeio em família — repetia, tentando fazer graça, aplicando àquele novo ânimo seu novo estilo de humor. Minhas irmãs e eu não estávamos entusiasmados. Já estávamos acostumados com carros — carros de verdade: o de nosso avô materno — e não gostávamos de passeios dominicais em família. Era uma coisa que associávamos às outras pessoas: carros de segunda mão contendo toda uma família espremida, reluzente como um tesouro, andando devagarinho sem nenhum rumo específico, com meninas cheias de pó-de-arroz e fitas no cabelo olhando para os transeuntes e reprimindo sorrisos. Mas não havia como não atender ao pedido de meu pai. Vestimo-nos e nos apertamos dentro do carro, rezando para não sermos reconhecidos. O carro não queria pegar. Isto nos alimentou as esperanças, mas não por muito tempo. Meu pai fez com que todos nós — eu, minhas irmãs e minha mãe — saíssemos do carro para "balançá-lo" um pouco. O motor deu um salto e pegou, confiante. Ficamos aliviados, contudo, ao ver que ao menos meu pai não nos levou pelo caminho típico das famílias endomingadas. Saímos da cidade e, em seguida, nossa sensação de alívio foi substituída por ansiedade: não sabíamos se o motorzinho do Austin seria capaz de agüentar a serra, já que fora da estreita faixa litorânea as ladeiras eram numerosas e íngremes. Ficamos prestando atenção para o ritmo do motor e os comentários que meu pai fazia sobre as regiões pelas quais passávamos.

Seguíamos por estradas estreitas e acidentadas, penetrando os vales da serra do leste. Passamos por aldeias só de mulatos, onde as pessoas tinham a pele de um cobre escuro, muito desfiguradas pelas doenças. Tinham olhos grandes e claros, cabelos encarapinhados e ruivos. Meu pai os chamava de espanhóis. Formavam uma comunidade pequena e extremamente pobre, já nos dias da escravidão viviam isolados e com a endogamia excessiva haviam degenerado, assim mesmo, porém, caracterizavam-se pelo medo e o ódio quase supersticiosos que sentiam em relação aos negros retintos, aliás a todos que fossem diferentes deles. Não permitiam que negros fossem viver entre eles e, por vezes, chegavam a apedrejar os negros que vinham visitar a aldeia. Passamos pelas regiões caribes, onde as pessoas tinham mais sangue negro do que caraíba. Aqui haviam se instalado escravos fujões, egressos das plantações, e se misturado com aqueles que no tempo da escravidão haviam sido seus maiores inimigos, peritos na captura de escravos foragidos, os quais, com esta miscigenação, tornaram-se servos seus. Agora os caraíbas já tinham sido absorvidos e simplesmente não existiam mais. Não estávamos longe da cidade — nas lojinhas vendiam-se produtos e exibiam-se anúncios que nos eram bem conhecidos —, mas era como se estivéssemos numa terra lendária. A escala era pequena em tempo, números e área; e aqui, por apenas um momento, a ascensão, queda e extinção dos povos, um conceito tão amplo e assustador, era algo concreto e palpável. Escravos e foragidos, caçadores e caçados, dominadores e dominados: para mim, nada disso tinha nenhum romantismo. A mensagem daquilo tudo era apenas esta: nada é certo. Passamos por velhas plantações de cacau abandonadas, pestilentas, e meu pai mostrou-nos a beleza dos cacaueiros. Chegamos à região dos indianos, as terras planas onde se plantavam arroz e cana-de-açúcar. Meu pai falou da viagem — tão recente, mas, em nosso estranho hemisfério, já tão remota — que os pais das pessoas que víamos, e até mesmo algumas delas, haviam empreendido, vindo de outro continente, para completar nosso pequeno mundo bastardo.

— Ah, papai! — exclamou uma de minhas irmãs. — Você derrubou o balde que a moça estava carregando.

Era verdade. A mulher estava parada ao lado da caixa d'água, sem o balde, com uma expressão de choque e espanto. Meu pai olhou para trás para ver. E neste momento vi um ciclista que, apoiado em sua bicicleta, conversava com alguém no acostamento, subitamente, com um movimento brusco de personagem de desenho animado, tirar o guidom da frente do Austin.

— Ah, papai! Olhe para a frente.

Foi a irritação que havia na voz de minha irmã que incomodou meu pai, aquela irritação que se intrometeu em seu ânimo elevado e o ridicularizou. Ele emudeceu e seguimos em silêncio por algum tempo. Meu pai começou a falar sozinho em voz baixa, mordendo o lábio inferior. Suas reações eram sempre teatrais, mesmo quando motivadas por emoções genuínas.

A estrada sinuosa, após cada trecho íngreme, tinha um trecho de reta, ladeado por pés de *poui*. Ao ver a estrada reta e vazia, meu pai tomou a decisão.

— Megeras! — gritou, soltando o volante e pisando no acelerador.

O carro atravessou a estrada como uma bala e desceu a encosta rapidamente. Decorreu apenas uma fração de segundo entre esta súbita mudança de direção e os gritos de minhas irmãs. Descemos a encosta depressa — mas para mim parecíamos estar em câmara lenta — em direção aos troncos de *poui*. O pequeno Austin, no entanto, tinha lá suas vantagens. Passamos direto por entre as árvores sem roçar nelas. Após uma série de calombos macios e gramados, o carro parou, ligeiramente inclinado para o lado. O motor morreu e houve um breve silêncio, até que minhas irmãs lembraram-se de gritar novamente. Deixando de lado o decoro, saíram de quatro do carro, agarrando-se à grama e às plantas para não cair. Afirmaram não ter nenhuma intenção de voltar à cidade de carro com meu pai; pretendiam ir a pé até encontrarem um ônibus ou táxi. Minha mãe chamou-as de volta, não para convencê-las a ficar, mas para lhes dar algum dinheiro para a viagem. Dava a entender que, quanto a ela própria, tinha a obrigação de ficar no carro, custasse o que custasse.

Não foi difícil endireitar o Austin. E pouco depois fomos rebocados por um caminhão que passava; com o motorista e seus familiares — todos endomingados, espremidos na cabine: também eles estavam fazendo um passeio em família — meu pai trocou algumas pilhérias suaves. Pegamos minhas irmãs. Já estavam esmorecendo um pouco, e não foi necessário insistir para persuadi-las; além disso, era uma boa oportunidade para se indignarem com meu pai. Ele as ignorou: ficou a cantar até chegarmos em casa. Tão logo chegamos, no entanto, tornou-se mal-humorado. Fechou a carranca, as olheiras ficaram escuras, deixando claro que aquela disposição de espírito estranha, manifestada por ele durante o dia, fora na verdade uma espécie de histeria. Trancou-se no quarto, não atendeu aos apelos de minha mãe e não saiu de lá nem mesmo para tomar chá.

Assim terminou nosso primeiro e último passeio em família dominical; assim terminaram também os almoços de domingo. Meu pai ensimesmou-se novamente. O Austin deixou de ser uma coisa cômica para tornar-se símbolo de um terror indefinível. Ficávamos mais tranqüilos quando o carro estava parado na garagem, com algum defeito. Desde então, devo acrescentar, passei a encarar o estereótipo do homenzinho em seu carrinho compacto com sentimentos no mínimo ambivalentes. Como antes, eu e minhas irmãs voltamos a passar os fins de semana com a família de minha mãe. Comecei a desconfiar que havia entre Cecil e uma de minhas irmãs uma relação incestuosa. Eu não tinha nenhum dado concreto, mas, quando se trata desse tipo de coisa, a gente simplesmente se dá conta de repente do fato.

Numa tarde chuvosa, eu vinha da escola para casa a pé. As ruas estavam sendo esburacadas para a colocação de cabos subterrâneos. O barro, de um vermelho vivo, escorria nas sarjetas como se fosse tinta. Aqui e ali, viam-se na calçada enormes carretéis. Os cabos vinham recobertos de um pó branco, pareciam doces folhados industrializados, uma espécie de *strudel*, produzidos em tamanhos imensos e entregues assim — enrolados em carretéis, empurrados pela rua por homens suados, sem camisa — aos donos de confeitarias, que os cortariam em pedacinhos. Ouvi a chuva apertar e comecei a correr. Numa esquina, como se estivesse ali há muito tempo, me esperando, estava meu pai, sentado em sua bicicleta, com um pé na calçada. O Austin estava na época em alguma oficina.

— Suba aqui — disse ele. — Acho que a gente pode arriscar.

Para mim, andar no quadro da bicicleta era uma contravenção grave e tentadora. Era algo comparável a andar de bicicleta à noite sem farol, ou andar numa bicicleta sem placa; era comparável — em termos de ilegalidade, se bem que ainda não como tentação — a andar num carro sem seguro ou dirigir sem carteira de motorista. Surpreendia-me que meu pai, funcionário público, resolvesse violar a lei de modo tão flagrante numa rua movimentada. Mas seu braço estava estendido a convidar-me, e estava chovendo.

Sentei-me no quadro. Senti meus braços e pernas pendendo desajeitados, meu corpo pesando sobre a bicicleta. Os braços de meu pai me aprisionavam. Partimos. A bicicleta balançava. A respiração de meu pai era irregular; percebi como era difícil cada manobra naquele asfalto enlameado e escorregadio. Fixei minha atenção na pista. A chuva era forte e logo ficamos ensopados. As pessoas sob as marquises das lojas — com aquela imobilidade pensativa típica das pessoas que se protegem de um temporal nos trópicos — olhavam para nós. Nós não nos protegíamos da chuva. Não trocávamos palavra. Seguíamos em frente, atentos para a pista e suas dificuldades. As sarjetas estavam cheias de água rápida. Afundamos alguns centímetros na água, num trecho mais baixo da pista que nos pegou desprevenidos. De vez em quando derrapávamos um pouco. Não sofremos, porém, nenhum acidente. Quando chegamos em casa, meus cabelos escorriam água, meu nariz pingava, meus livros estavam encharcados, minha camisa grudava no peito e nas costas. Ainda assim não dissemos nada e, em silêncio, nos separamos, para nos enxugarmos.

Pergunto-me se eu teria dito alguma coisa, se teria demonstrado alguma gratidão ou afeto, se soubesse que aquele seria nosso último contato, que depois daquele dia cada um seguiria seu destino individual, e que o meu, ainda que contra minha vontade, estaria ligado ao dele.

Minha mãe tinha uma teoria sobre as classes pobres. Precisava de uma teoria, pois em nossa rua vivíamos cercados de pobres. Exceção feita a um ou dois bairros muito ricos e três ou quatro bairros muito pobres, toda a nossa cidade era assim: o barraco de favelados ficava no terreno sem cerca ao lado da mansão de dois andares. Este sistema — ou falta de sistema — tinha suas vantagens. Como para a maioria da população não havia bairros bons e bairros ruins, todos eram submetidos a avaliações individuais, sempre justas. Cada um recebia o que merecia, do que resultava a harmonia social. Era a seguinte a teoria de minha mãe: as classes pobres só respeitam aqueles que respeitam a si próprios. Ela costumava contar a história de uma mulher branca de meia-idade que havia morado na nossa rua por muitos anos, respeitada por todos; foi tamanha a indignação dos pobres, porém, quando ela, por pouco tempo, tornou-se amante de um deles, que foi obrigada a mudar-se. Sua casa foi apedrejada e invadida; quando caminhava pela rua, era insultada pelas mesmas pessoas que, antes, teriam tido prazer em trabalhar em seu jardim ou ajudá-la a carregar uma caixa ou mala pesada. E agora, de repente, nos vimos em posição idêntica à daquela mulher. Não fomos apedrejados nem xingados, mas sem dúvida passamos para a categoria daqueles que não mais respeitavam a si próprios.

Certa tarde, pouco depois daquele passeio de bicicleta na chuva, meu pai não voltou para casa. Não dissemos nada a ninguém. No dia seguinte, ele não compareceu ao trabalho no Departamento de Educação. Também não dissemos nada a ninguém. Só no final da semana foi que descobrimos que boa parte da ilha já sabia algo que desconhecíamos e era, ao mesmo tempo, um segredo nosso. Aguardávamos ansiosamente em casa; quando saímos, constatamos que havíamos conquistado uma fama indesejável. Foi tudo muito rápido. Saímos de casa e descobrimos que meu pai, ao invés de sumir discretamente, havia se tornado uma espécie de personalidade. Estava nas montanhas; tornara-se pregador, um líder, com um grupo cada vez maior de seguidores fanáticos.

Lemos histórias de pessoas que abandonam seus lares "um dia". É este o fato e, na maioria das vezes, não podemos ir além da simples constatação. O lado formal de minha mente já tentou mais de cem vezes compreender o que aconteceu naquele dia e naquela semana, mais de cem vezes arrolei os fatos, minuciosamente explicitados, mas o mistério permanece. Não há dúvida de que meu pai pretendia voltar para casa quando saiu para o trabalho aquele dia. Alguns dos documentos do Departamento de Educação que ele havia trazido para casa foram encontrados em sua mesa, suas roupas estavam no armário, sua caderneta de banco estava em sua gaveta. O que aconteceu? Um acesso de raiva no escritório que o teria feito sair do prédio bufando? Ou teria sido uma coisa mais sutil? Teria meu pai abandonado o Austin por se lembrar dos engarrafamentos do centro da cidade? Estava transtornado, furioso; foi a pé. Andou até o centro, até Waterloo Square. Viu-se entre os ociosos e desempregados. Viu-se entre os estivadores em greve. Eles conversavam entre si. Meu pai intrometeu-se na conversa e contou sua história. Falou de sua juventude, do missionário e sua mulher, do jovem aborígene numa clareira da floresta. Falou nos anos de trevas que transcorreram depois que foi abandonado. Falou de seu casamento e seu trabalho no governo. Jamais havia falado nessas coisas antes. Cativou sua platéia. Falou a esses homens, tão desesperados quanto ele, de sua decisão — talvez tomada no exato momento em que falava — de dar as costas a estas trevas. Sabia quem eram seus ouvintes: filhos de escravos. Uma vez — disse-lhes —, após a abolição da escravatura, os ex-escravos abandonaram a cidade estrangeira e recolheram-se às florestas, para redescobrir a sua glória e sua visão de mundo. Não tinham medo — havia que se temer não as florestas, e sim a cidade e as plantações, com suas leis — e conseguiram sobreviver. Não seria possível repetir este feito? À medida que falava, ia se tornando mais convincente. Ele via, e suas palavras eram vigorosas. Então começaram a andar em cortejo. Passaram pelo cais, onde há uma semana havia brigas diárias entre os grevistas e os "voluntários" igualmente miseráveis que os haviam substituído. E a procissão, levando tanto estivadores quanto voluntários, deixou o cais vazio — salvo pela presença dos policiais — e em paz. Sucesso é sucesso; uma vez ocorrido, ele se explica por si. A caminho das montanhas, o grupo deve ter recebido comida e abrigo dos pobres. A cada manhã havia mais gente. Imagine-se, pois, no final da semana, meu pai acampando com seus seguidores em terrenos pertencentes à Coroa, ''as florestas da glória'', proclamando a secessão de seu rebanho e pedindo apenas que não os incomodassem.

Era mais um movimento excêntrico das classes pobres, entre muitos outros. Em nossa cidade, em qualquer domingo se contavam vinte procissões esdrúxulas, todas dedicadas a Deus e à glória. Na primeira semana, os jornais só falaram do silêncio que se instaurara no cais do porto. Ignoraram a eclosão de um movimento a respeito do qual seriam posteriormente publicadas monografias nas universidades de Porto Rico e Jamaica. As monografias contam com exatidão a história da ascensão e decadência do movimento; descrevem seus rituais por vezes assustadores. Porém, como ocorre diversas vezes com estudos sociológicos, o mistério permanece; nada é explicado. Vinte pessoas dizem a mesma coisa e são vinte loucos. Vem a vigésima primeira pessoa, porém, e esta se torna um herói, um chefe, um santo. Seria uma qualidade do homem ou do momento histórico? A mensagem ou a capacidade de captar as nuanças de um desespero? Uma greve de estivadores estava sendo brutalmente derrotada. Quem jamais acredita na totalidade de sua derrota? Quem, ao ver a derrota surgindo, sem conseguir compreender seu horror, não crê que será de algum modo protegido ou vingado? Hoje podemos encarar este êxodo da cidade para as montanhas como um pequeno episódio da inquietação que fermentou nas colônias e territórios mais pobres do Novo Mundo logo antes da guerra. Cada território produziu seus próprios sintomas mórbidos, suas próprias formações exóticas. Nós convivíamos com a doença; não a percebíamos mais. Todos os dias, um observador atento podia encontrar algum pregador alucinado embaixo de um toldo de loja, cercado de um pequeno grupo de seguidores, falando da destruição por vir. Encaro estes excessos religiosos, que ainda hoje constituem uma atração turística das ilhas, como uma tentativa de negar o naufrágio geral. Movimentos como o de meu pai — sem aquela determinação que poderia tê-los transformado em revoluções verdadeiras — expressavam desespero, mas eram ao mesmo tempo positivos. Despertavam raiva em pessoas que se achavam desanimadas demais até para sentir raiva; despertavam sentimentos de camaradagem. Acima de tudo, geravam desordem onde antes todos faziam de conta que havia ordem. A desordem gerava dramaticidade, o que — constatou-se — era um nutrimento necessário à dieta humana.

Agora já é possível explicar as tendências históricas gerais. Mas minha mente rigorosa volta àquele primeiro dia, o dia em que meu pai abandonou o Departamento de Educação e decidiu andar a pé em vez de ir de carro. Volta àquele momento na praça, em que meu pai intrometeu-se na conversa dos estivadores em greve; àquele momento em que achou que havia chegado a hora de sair da praça e foi seguido por outras pessoas. Volta ao mistério da viúva do dono da frota de caminhões, que viu em meu pai uma angústia e uma sinceridade profundas e que, desde aquele primeiro dia, ofereceu-lhe sua dedicação. Para ela, meu pai estava tentando viver de acordo com os padrões estabelecidos por seus ancestrais arianos. Não era mais um chefe de família e um funcionário; para ela, ele estava passando para uma etapa de meditação, a que se seguiria a renúncia final. Meu pai se apropriou dessa idéia da viúva, passando a explorá-la e, essencialmente, a pôs em prática com sua seguidora. Eu sempre via um certo método na loucura de meu pai.

A meu ver, quando ele saiu do Departamento de Educação — talvez por causa de uma discussão a respeito de um memorando ou de uma nomeação de inspetor de escolas, ou mesmo após ser repreendido por um "inimigo" por ter ido ao barbeiro durante o expediente —, a meu ver, o que meu pai tinha em mente era algo assim como uma repetição do incidente das garrafas no bar, um triunfo do qual ele ainda gozava. Mas ele foi até a praça e misturou-se aos grevistas; uma viúva, descansando os pés depois de fazer as compras, divisou virtude nele. Deram-lhe idéias e ele começou a falar. Perdeu o controle de si e dos acontecimentos; tenho a impressão de que desde o início o movimento adiantou-se ao líder. O que a mulher do missionário vira naquele jovem aborígene de colarinho alto, lutando para sair da pobreza e da ignorância, ia finalmente se concretizar. Sua oportunidade surgira e ele podia jurar que não havia procurado por ela. Era agora ou nunca, como ele deve ter percebido. Meu pai certamente recorreu a todos os seus talentos inatos. Mas havia também a viúva, com sua profunda devoção. E a ironia do sucesso de meu pai, profetizado há tanto tempo, foi que este lhe veio quando assumiu uma postura hinduísta. Nas montanhas, meu pai usava um traje de religioso mendicante hindu e, apesar de todas as expressões e símbolos cristãos por ele empregados, o que ele pregava era uma forma de hinduísmo, uma mistura de aceitação e revolta, desespero e ação, um misto de loucura e lógica. Ele oferecia algo a muitas pessoas; mas era o seu exemplo, sua presença, que realmente pesava, e não seus ensinamentos. O movimento espalhou-se como fogo. Fogo era a palavra exata. Os canaviais ardiam após sua passagem. Tranqüilo, nas montanhas, meu pai trazia desordem e drama. E por fim os jornais tomaram conhecimento.

Não seria correto dizer que a ilha ficou alarmada. Nós — se é que posso por um momento me distanciar de um fenômeno tão íntimo — ficamos mais propriamente excitados. Em Isabella, tínhamos uma sede imensa de acontecimentos emocionantes, e queríamos no fundo que os tumultos e incêndios continuassem. Sentíamos que finalmente havíamos nos equiparado aos outros territórios convulsionados da região; sentíamo-nos lisonjeados ao ouvir insinuações, que agora começavam a surgir, de que também nós estávamos precisando de uma Comissão Real. Mas em casa, para nós que éramos da família de Gurudeva — fora este o nome adotado por meu pai — a questão era um tanto diferente, como se pode imaginar. Minhas irmãs ficaram particularmente aflitas; não é fácil fazer parte da sociedade elegante quando se tem um pai tido como um lunático do tipo mais vulgar. No início, o movimento obteve mais sucesso nas três ou quatro áreas muito pobres a que me referi acima. Por enquanto, havia pouca publicidade, e nada nos levava a crer que o lunático estava começando a ser visto por alguns como um grande líder proletário, um sucessor do venerado Deschampsneufs.

De início, a reação dos moradores de nossa rua indicava apenas que uma família que fora por muitos anos tratada com respeito havia de repente gerado uma espécie de pregador de esquina. Os pregadores de esquina tinham seu lugar na sociedade e gozavam de certa estima. Mas os pobres estavam acostumados a ver tais pregadores surgirem em seu próprio meio, e do mesmo modo como, com base naquela imoralidade que aceitavam como condição de sua própria existência, insultavam as pessoas respeitáveis que cometiam deslizes, assim também começaram a zombar de nós. Tornaram-se grotescamente confiados. Minhas irmãs foram morar com a família de minha mãe. A rua ficou satisfeita, pois havia conseguido "expulsar" alguém e a tradição fora mantida. Eu e minha mãe continuamos morando na casa. Deixaram-nos mais ou menos em paz, até que surgiu a nova reputação de meu pai, de líder dos pobres. Então começamos a ser tratados com uma atitude que era mais do que respeitosa: uma mistura de pasmo, reverência e familiaridade, que era um tanto mais perturbadora do que a hostilidade pura e simples.

Eu sofria mesmo, no entanto, era na escola. Antes eu tentava esconder meu pai e minha vida familiar. Agora, tal como sucedera a Hok alguns anos antes, eu me traíra; a escola não podia mais ser para mim um hemisfério isolado. As tradições do Colégio Imperial eram brutais. Ninguém, nem professores nem alunos, naquela época, tinha quaisquer escrúpulos em relação a ferir as suscetibilidades raciais ou políticas dos outros. O curioso resultado dessa atitude era que quase ninguém se sentia ofendido. Assim, por exemplo, um menino negro com uma cabeça exageradamente pontuda era chamado por todos de ''Manga''. Quanto a mim, passei a ser conhecido como ''Guru''. Foi o major Grant quem me deu o apelido e o popularizou. Ele nos ensinava latim e usava monóculo, em parte, creio eu, para fazer graça; era um grande criador de apelidos. Eu já havia aprendido que a única maneira de lidar com o major era ser tão bruto quanto ele. Assim, me vi na situação de ser obrigado a me dissociar de meu pai e, ao mesmo tempo, defendê-lo.

Uma das velhas pilhérias do major Grant era a seguinte: o menino que se saía mal nos estudos podia ou trabalhar na redação de um dos jornais locais — mas só se fosse reprovado em inglês — ou então tornar-se funcionário municipal, e passar a se deslocar em glória pelas ruas da cidade na carrocinha azul dos lixeiros. Para Browne, o cantor, o major Grant previa um futuro não na redação do *Isabella Inquirer* — ele era bom aluno de inglês, o que o desqualificava automaticamente para o cargo — e sim na carrocinha azul dos lixeiros. Por isso chamava Browne de ''Browne da carrocinha azul'' e, com o passar dos anos, o apelido fora encurtado para ''Azul''.

Certa manhã, Browne chegou atrasado à aula.

— Se atrasou hoje, hem, Azul? Fazendo a velha ronda de sempre?

— Como sempre — respondeu Browne. — Hoje tinha muito lixo em Rupert Street.

Um ponto para Browne: Rupert Street era a rua onde morava o major. Ele tentou contra-atacar: — Bem, pelo menos não estamos em *greve*. — Ninguém reagiu. O major não esperou; seguiu em frente, agora assumindo a postura de professor. — Uma coisa que muita gente não sabe é que foram nossos amigos, os *ro-manos*, que inventaram a *greve*. — Ele falava dando ênfase às palavras que considerava importantes ou engraçadas, pronunciando-as de um jeito que ele achava engraçado ou estrangeiro, com um toque espanholado nos *tês* e *erres*. — A primeira *greve* ocorreu no ano 494 a.C. — O major levantou-se e escreveu a data no quadro-negro. — 494 a.C., 259 AUC. *E o quê, haverão de me perguntar, quer dizer AUC?* Pois vou lhes *dizer*, senhores. *Ab urbe condita*. — Cuspiu a expressão latina quase como se fosse uma palavra só. — E chamavam a greve deles de *secessio*. — Escreveu a palavra, sublinhou as datas que havia escrito, acrescentou em inglês "primeira greve" e voltou a sua mesa. — A greve não foi inventada, ao contrário do que alguns estão começando a pensar, por *Gu-ru*-de-va.

Ouviram-se risadas, e o major dirigiu um olhar maroto a mim. A tampa de uma carteira bateu ruidosamente, duas vezes. Era como um aviso. Era a carteira de Browne. Tenho que admitir que não contava com aquele aliado. O próprio major Grant ficou desconcertado. Era um velhinho inofensivo, cujas graçolas, por serem tão repetidas e tão sem graça, haviam se tornado engraçadas, conhecidas por gerações de alunos do Colégio Imperial. Durante o resto da aula, o major tentou apaziguar Browne. Dirigia-se a ele de modo afetuoso, muitas vezes pelo apelido, e às vezes parecia estar se dirigindo exclusivamente a ele.

— *Caeruleus.* Quando virem essa palavra, não vão logo pegando suas canetinhas *grudentas* e *rabiscando* a expressão "azul-marinho". — Pronunciou o termo em falsete, e prosseguiu falando do mesmo modo. — *Cheruleuch.* É ajul-marinho, mamãe. Que "inho", que nada! Senhores, *caeruleus* quer dizer simplesmente "da cor do mar". Pode ser azul, pode ser marrom, pode ser verde. Pode até mesmo, Azul, ser *preto*. — O major parou subitamente, horrorizado com o que ele próprio dissera sem querer.

No meio de uma gargalhada geral, a tampa da carteira de Browne ressoou novamente. O menino levantou-se e saiu da sala. O major Grant ficou vermelho. Cuidadosamente encaixou o monóculo no lugar e abriu seu Virgílio.

Foi então que compreendi que eu havia me enganado ao julgar que me traíra. O colégio não era mais um hemisfério particular, só nosso. O mundo exterior, que havíamos negado por tanto tempo, havia começado a invadi-lo; e após o gesto de Browne, que teve ampla repercussão, eu não precisava mais temer o ridículo. Para muitos, passei a ser o que já era em minha rua: o filho do líder subitamente revelado. Continuei, no entanto, a jogar nos dois times, por assim dizer. Com alguns meninos, eu continuava tão indiferente quanto antes em relação ao movimento liderado por meu pai, embora os comentários críticos que eles faziam ainda me doessem. Por outro lado, eu não podia rejeitar a devoção de conspiradores que me ofereciam os outros meninos. Com eles, eu próprio me comportava como um conspirador, e dava a entender que sabia de coisas ainda mais extraordinárias que estavam por vir. E por algum tempo, realmente parecia que muita coisa ia acontecer. Os jornais diziam que a polícia estava enviando reforços para as montanhas, e havia uma foto do comissário de polícia, pistola na mão, à frente de um grupo de policiais apreensivos, dando uma busca em um prédio. Era curioso ver como coisas que antes eram absolutamente prosaicas, que não pareciam conter qualquer potencial de aventura, agora adquiriam um certo encanto, e inclusive seus nomes ganhavam um novo sabor. Havia policiais vigiando nossa casa; este fato foi divulgado pelos jornais; eu mesmo virei um figurante naquele drama.

Na verdade, aquilo me aborrecia, me nauseava: aquele drama ridículo, aquela devoção ridícula que tantos me ofereciam. Se eu tentar exprimir em termos concretos minha reação ao que sucedera a nossa família — e às vezes, em momentos confusos de choque e recolhimento, como após um acidente, era possível ver todo o horror da coisa de novo, comparar o passado com o presente —, direi que o episódio me proporcionava uma sensação de crueza e violação. Era como se eu estivesse mastigando uma carne crua com consistência de borracha, e me obrigassem a beber um óleo impuro. Eu já havia resolvido abandonar Isabella, fugir de minha condição de náufrago na ilha deserta dos trópicos. Mas antes era a ilha de *O Cisne Negro*, a ilha verde e nova vista ao amanhecer, ao som de uma música melodiosa. Agora era uma terra corrupta e corruptora. Era desta corrupção que eu queria escapar. Queria começar do zero em meu próprio ambiente, livrar-me daqueles relacionamentos que eu antes encarava como provisórios e insignificantes para me consolar, e que agora me pareciam estigmatizantes.

Mas o tempo — a nossa vida — passa. Não podemos ficar nos guardando para a vida que haveremos de viver no futuro. Somos um produto de tudo, dos atos e das abstenções, e aqueles relacionamentos, corruptos pela própria origem, que eu julgava poder pôr de lado quando chegasse a hora, terminaram por revelar-se capazes de me aprisionar. Eles se impuseram a mim; não fui eu que os procurei. Meu fracasso, porém, foi meu silêncio. Para dar apenas um exemplo, calei-me na aula de geografia. Era uma aula sonolenta, na parte da tarde. O professor estava lendo um trecho de um livro maçante sobre a produção do açúcar. No início do ano — lia ele — as canas maduras eram cortadas. Ele havia chegado ao final de uma frase; suspirou e acrescentou, ainda lendo, mas no tom de quem faz uma exclamação, que os cortadores de cana eram pagos por raiz. — Pagos? Menos de um centavo por raiz! — Fora Browne quem falara. Sua voz era alta e incisiva: silenciou o murmúrio monótono do professor, que continuava olhando para o livro. Em meio ao silêncio, muitos dos meninos olharam para mim, como se eu estivesse fazendo uma campanha a favor do aumento do salário dos cortadores de cana. O mais constrangedor, compreendi, era a minha presença na turma. Fiquei com o olhar perdido no espaço, sem trair nenhuma emoção. Era horrível, era aviltante, aquela devoção, aquela convicção de que eu era *um deles*. Sentia-me ameaçado. Em algum outro lugar, eu seria um chefe. Mas permaneci em silêncio.

Um movimento como o de meu pai não poderia durar muito. Como já expliquei, não passava de um gesto de protesto coletivo, uma manifestação de desespero, sem filosofia nem causa. E o governo permanecia calmo. Um governador imprudente talvez tivesse tentado expulsar meu pai e seus seguidores das terras da Coroa, o que poderia gerar ódio e derramamento de sangue. As autoridades, porém, limitaram-se a tomar certas precauções necessárias no sentido de impedir que ocorressem saques e incêndios criminosos nas áreas vizinhas ao acampamento dos revoltosos; o próprio acampamento era vigiado, sem ser molestado; e deixou-se que o entusiasmo fosse amainando. Foram queimados alguns hectares de reserva florestal, e algumas plantações foram iniciadas, sem muito empenho. As matas da glória, contudo, não produziram alimentos, nem em quatro semanas, nem em seis. As pessoas cansaram-se de levar contribuições ao acampamento e obter tão pouco em troca; cansaram-se do ócio e da falta de eventos dramáticos. Alguns rebeldes começaram a voltar para a cidade. O êxodo aumentou muito quando foi resolvida a questão da greve dos estivadores e os "voluntários" foram dispensados. O sindicato então formado tornou-se uma eterna fonte de aborrecimentos.

O acampamento nas montanhas tornou-se apenas mais um aspecto da vida isabelense. Os jornais passavam dois ou três dias sem mencioná-lo. No colégio, nós — se me permitem mais uma vez que me distancie da situação — desistimos de ver nele algo dramático. Ficaram frustrados tanto os que antes tinham esperanças de que eclodisse uma convulsão social qualquer, quanto os que, como Deschampsneufs, queriam apenas apreciar a confusão. Mas não ficamos surpresos. Reconhecíamos que nós, isabelenses, éramos um povo com interesses basicamente domésticos e incapaz de gerar eventos grandiosos. Rapidamente nossa atenção se desviou para outras coisas. No caso, para um concurso de *slogans* — o que estava bem mais de acordo com nossa índole.

Tratava-se de um *slogan* para uma marca de rum. O primeiro prêmio seria a quantia inaudita de cinco mil dólares, e o vencedor seria anunciado em breve. Cecil fora de uma inventividade incessante. Milhares e milhares de formulários do concurso haviam sido espalhados pela cidade e pelas vilas do interior — as papeletas rosadas, azuis ou verdes se viam até nas sarjetas —, mas Cecil estava convicto de que ia ganhar o prêmio. Disse que "precisava" daquele dinheiro, o que causou grande impressão. O rum chamava-se Rum Isabella, e o *slogan* definitivo e imbatível de Cecil, que ele divulgou assim que entregou seu formulário, sem dúvida com a intenção de levar-nos todos ao desespero, era: *Nas minhas festas, eu vôo alto com Isabella.* Todos nós achávamos que havia a exigência oculta de que a palavra "festa" aparecesse, porque nos formulários vinha uma cena de festa em algum país setentrional. Agora inclino-me a achar que aquele desenho servia para alguma outra coisa: anunciar uma bailarina, uma escola de dança, uma noite de gala num hotel ou restaurante, uma loja de modas. Mas, em nossos *slogans*, todos assumíamos a postura de pessoas cosmopolitas que davam grandes festas. Isso era fácil para nós, pois, em Isabella, éramos todos imitadores natos.

Infelizmente, toda a empolgação pelos *slogans* acabou de modo tão anticlimático quanto tantas outras de nossas empolgações. O resultado do concurso causou consternação no colégio. Muitos que haviam enviado seus *slogans* em segredo, agora abriram o jogo, e faziam tanto escarcéu quanto Cecil. Achamos que o julgamento fora injusto. Para começar, o resultado foi divulgado imediatamente após o prazo final, o que despertava suspeitas. Além disso, não gostamos do *slogan* vencedor: *Não agradeça a mim, e sim a Isabella.* O desenho que o ilustrava era de um homem de *black-tie* levando até a porta seus convidados, numa noite que, a julgar pelas estolas de pele das mulheres altas, era de inverno. O homem dizia aquelas palavras a seus convidados e, num outro balão, ligado a sua cabeça por uma sucessão de círculos de tamanho decrescente, o que indicava que se tratava de um pensamento seu, liam-se as palavras: "É um rum, Isabella!". Durante cerca de uma semana, os jornais publicaram a foto do felicíssimo criador do *slogan*. Era um velho trabalhador negro, do tipo que tinha sua própria roça onde plantava cebolinhas, ou que trabalhava numa grande plantação de frutas cítricas. Estava sentado diante de seu barraco decrépito e, à sua frente, via-se uma mesa com garrafas de Rum Isabella e copos, sobre uma toalha de mesa bordada.

— De agora em diante, nunca mais vou beber esse Rum Isabella — disse Cecil. — Eles que bebam o rum deles. — "É um rum, Isabella." Isso não é *slogan* que se apresente.

Disse Deschampsneufs: — Não sei por que vocês levaram essa coisa tão a sério. É claro que eles tinham que dar o prêmio para um negro. Para um trabalhador negro. — Ele também havia enviado *slogans*, como todo mundo, e estava um pouco melindrado.

— Eh — disse Eden —, não sei por causa que vocês inveja um nego pobre. Afinal é eles que bebe a porcaria do rum.

— *Eu* invejo? *Você* é que tinha mais que ter inveja dele. Pois esperem. Vocês vão ver onde vai dar essa história de *negro* e *pobre*. Isso lá é *slogan*? Isso lá é concurso? Mas veja só quem são os vencedores. Esse é daqui, aquele é de lá, e aí misturam as raças direitinho para todo mundo ficar satisfeito. E enquanto isso vocês aí, tudo puxando pela cabeça e se valendo da instrução que vocês têm. É isso que está acontecendo nesta ilha. Pois esperem. Daqui a pouquinho vai ser tudo negro ignorante que nem aquele que vai mandar aqui. Não por ser mais inteligente, não, mas só porque é ignorante e preto. Vocês esperem só por essa Comissão Real.

— E já vem tarde — disse Eden.

— Sabe, Eden — disse Deschampsneufs, pensativo —, eu só não entendo é por que não foi *você* que ganhou esse concurso. Não precisava nem mandar *slogan* nenhum. Era só mandar uma foto. Em tecnicolor.

Eden era metido a palhaço. Era o menino mais negro da escola, e durante algum tempo teve o apelido de Pirraça, porque alguns meninos diziam que ele era negro só de pirraça. Sua reputação de palhaço e seu relacionamento especial com Deschampsneufs haviam ambos se definido desde o início, no Colégio Imperial. Numa aula de ciências da terceira série, certa vez, o professor exibiu um aparelho simples e perguntou se sabíamos para que servia. Parecia um garfo com dois dentes e um cabo reluzente; os dois dentes estavam presos por dobradiças a uma base de madeira ou metal. Talvez fosse um interruptor, desses que os cientistas acionam nos filmes. Deschampsneufs, sentado ao lado de Eden, cochichou: — É para gerar eletricidade. — Eden estalou os dedos para o professor, indicando que sabia a resposta.

— Silêncio! — disse o professor. — Alguém se manifesta no Jardim do Éden. Diga lá, Adão.

— É para gerar eletricidade, professor — disse Eden.

O professor ficou possesso. Jogou o aparelho no chão. Depois pegou tudo que havia sobre a mesa de laboratório e jogou no chão. — Esqueça. Vamos deixar isso para lá. Vamos deixar tudo lá. — Jogou no chão duas ou três lâmpadas; parecia que de repente não se preocupava mais com sua segurança pessoal. — É para gerar eletricidade, professor. Você faz com que isso aqui gere eletricidade, Eden, que eu lhe dou o meu salário até o fim do mês. Até o fim do mês? Eu lhe dou o meu salário até o fim do ano. Até eu morrer. Eu lhe dou minha pensão. Eu trabalho pra você de noite. Eu mando meus filhos pro orfanato e me divorcio da minha mulher. — E foi por aí afora, aquele homem vermelho e agitado esbravejando para o menino negro tranqüilo, até que mais um objeto de vidro se espatifou no chão — um tubo de ensaio ou lâmpada — e neste momento o professor gritou: — Eu trabalho pra você no *seu* jardim. — Ele guardara aquela frase para o final, não apenas o velho trocadilho com o nome de Eden, mas também aquilo que ele, o homem branco, achava que o menino negro deveria ser na vida: um jardineiro. Era cruel; era muito próximo à verdade; Eden era de origem das mais humildes. Nossas tradições eram bastante desumanas, mas aquilo fez com que todos nos calássemos. Deschampsneufs fechou a cara, de braços cruzados, e olhou para o chão, como se ele também se considerasse ofendido.

Mais tarde, quando o incidente já tinha virado brincadeira, Deschampsneufs afirmou que sabia o que era o tal aparelho e que dissera aquilo a Eden de propósito. Mas acho que ele estava mentindo. Creio que ele havia empregado, ainda que erradamente, uma palavra que aprendera recentemente, e que ficou tão chocado ao constatar seu erro e ao ver a reação agressiva do professor quanto todos nós. Contudo, o relacionamento entre os dois passou a ser assim: Deschampsneufs, o cômico, fazia graça às custas de Eden.

Um dia estávamos conversando sobre casamento, aquela absurda instituição que transformaria todos os garotos bobos que conhecíamos em maridos, que mandariam nas pobres meninas que mal sabiam o que o destino lhes reservava. Começamos a falar sobre eugenia. Deschampsneufs explicitou as restrições que ele imporia. Em relação a este assunto, reconhecíamos que ele tinha uma certa autoridade. Todos sabiam que, nos tempos da escravidão, sua família praticara a eugenia com escravos numa das ilhotas próximas a Isabella; dizia-se que os negros de lá ainda constituíam uma superraça. Eden, para fazer graça, e também talvez para gabar-se de seu físico esplêndido, perguntou:

— Champ, você deixava eu procriar?

Deschampsneufs olhou-o de alto a baixo. — Seria uma pena desperdiçar as suas características — disse ele. — É, Pirraça, acho que a gente vai deixar você procriar. Mas vamos ter que cruzar você com uma mulher muito inteligente.

A Deschampsneufs perdoava-se muita coisa, porque, com a segurança que lhe davam suas origens aristocráticas, ele convivia bem com os meninos mais pobres e mais broncos. Sob este aspecto, era bem diferente do filho do clérigo inglês que, sem ter nada além da devoção religiosa, não cumprimentava os meninos negros da rua, tornando-se ridículo. Além disso, Deschampsneufs era espirituoso e criativo. Ele adorava, por exemplo, atribuir preços a meninos; mas só ele poderia fazer uma brincadeira dessa impunemente. Só ele podia dizer a respeito de um garoto de quem não gostava:

— Esse aí não vale cinco dólares. — Era o tipo de coisa que se esperava dele.

— Era só mandar uma foto — dizia ele agora a Eden. — Em tecnicolor.

Mas desta vez ninguém riu. O momento não era adequado. O tom de Deschampsneufs também não era adequado; havia nele um toque de agressividade pura e simples. Browne não gostou. Eden, deixando-se ir nas águas de Browne, também não gostou. Se fossem menores, talvez tivessem recorrido às vias de fato. Eden, sem raciocinar, teria feito o que o novo clima exigia dele. Mas não trocaram nem mesmo palavras ásperas. O professor entrou e cada um foi para seu lugar. A declaração de guerra não chegou a ser feita. Nesta nova etapa da luta entre senhores e escravos, cabia a mim lutar contra Deschampsneufs, uma luta que eu jamais desejara. Eu tinha minhas próprias fantasias. Já havia decidido ir embora. Para mim, era horrível ser identificado como um daqueles que lutavam para ser admitidos ao Cercle Sportif.

O movimento de meu pai caía no esquecimento, até mesmo em nossa casa. Ele havia se tornado uma personalidade pública remota, de propriedade pública: de vez em quando seu nome aparecia nos jornais. Constatei que eu não fazia mais nenhuma tentativa de visualizar seu dia-a-dia concretamente. Aquilo me parecia irreal. No colégio, não se falava mais de Gurudeva, de tumultos nem incêndios, ao invés disso, todos preferíamos, por diversos motivos, esquecer aquela frustração. As injustiças do concurso de *slogans* também já haviam sido esquecidas. Agora a nova empolgação era a corrida de Natal do Clube de Turfe de Isabella. O *Inquirer* afirmava diariamente que o hipismo era o esporte dos reis e, do mesmo modo como havia garotos paupérrimos que ficavam horas a fio conversando com Cecil a respeito de modelos de carros que jamais iriam dirigir, agora havia meninos que, embora em Isabella jamais pudessem passar de cavalariços, falavam sem parar sobre o esporte dos reis. Eles sabiam os nomes dos cavalos, dos jóqueis e dos treinadores; sabiam tudo sobre *pedigrees*, desempenhos em corridas passadas e *handicaps*. Quanto a mim, eu não conseguia acreditar naquele interesse. Eu detestava o hipismo e detestava o hábito de apostar. Mas até eu fui obrigado a aprender alguma coisa.

A corrida principal do Natal era a Copa da Malaia. Todos os anos, o *Inquirer* relatava a história deste troféu. A copa fora dada ao Clube de Turfe na virada do século pelo governador da colônia, Sir Hugh Clifford. Embora ele tivesse sido governador pela primeira vez em Isabella, Sir Hugh considerava todo o tempo que ele passara nas Antilhas, incluindo Isabella, como uma espécie de exílio: sua paixão era a Malaia. Passou boa parte de seu tempo no Palácio do Governo escrevendo um livro de memórias sobre seus tempos na Malaia, intitulado *Costa e Kampong*. Após uma crítica desfavorável assinada por Joseph Conrad, Sir Hugh dedicou seus pendores literários a uma prolongada correspondência, que acabou virando amizade, com o romancista, na época ainda pouco conhecido. A Copa da Malaia fora o presente de despedida que Sir Hugh dera àquela ilha que lhe inspirava menos amor do que a literatura.

O favorito na Copa da Malaia aquele ano era um cavalo chamado Tamango. Era dos estábulos dos Deschampsneufs. Tamango era popular no colégio também, por motivos muito especiais. Muitos dos meninos consideravam-se amigos de Deschampsneufs, e portanto afirmavam ter um interesse especial pelo cavalo. Além disso, o nome era africano e, muito embora todos soubessem que havia algo de ambíguo na escolha daquele nome, os meninos negros gostavam dele. No Colégio Imperial, não havia quem não conhecesse a origem do nome. Fora do colégio, porém, nem todos sabiam — era o que concluíamos com base na leitura da seção de esportes, que já gozava de má reputação entre nós devido às pérolas que o major Grant nela colhia regularmente. O fato de que o conhecimento da origem do nome era quase um segredo nosso fazia com que nós sentíssemos um pouco donos do cavalo. *Tamango*, numa edição simplificada e condensada, era um dos textos franceses que estudávamos nas primeiras séries; todos conhecíamos a história, de autoria de Mérimée, do chefe africano que vendia escravos, e que foi ele próprio traiçoeiramente reduzido à condição de escravo, tornando-se líder de uma revolta. Era bem característico da ousadia e da ambigüidade dos Deschampsneufs dar este nome a um cavalo: eles pareciam sentir-se constantemente compelidos a chamar a atenção para um passado que eles próprios consideravam desonroso.

O interesse pelo cavalo de sua família tornou Deschampsneufs insuportável na escola. Chegava de manhã cheirando a cavalo, os sapatos e as bainhas das calças úmidos, sujos e cheios de pedaços de grama. Parecia tenso, como se tivesse passado a noite em claro, um homem cheio de preocupações que o frívolo mundo do turfe, de meros espectadores e apostadores que só pensavam em seu próprio prazer, jamais poderia conceber nem compreender. Passava o dia inteiro na mais absoluta seriedade e, assim que terminava a última aula, ia embora. Seu comportamento provocava perguntas ansiosas. Qualquer manifestação de curiosidade ou interesse, no entanto, tornava-o impaciente e grosseiro. Agia de modo particularmente cruel com aqueles meninos que, em parte para agradá-lo, fingiam entender mais a respeito de cavalos do que de fato entendiam.

Foi então que o cavalo chamado Tamango desapareceu.

No colégio, a reação foi estranha. O mais apropriado seria, naturalmente, dizer que era uma pena, ou, para quem queria usar uma expressão jornalística, um escândalo. Porém a coisa era mais complexa. Imediatamente, todos ficaram convictos de que o cavalo não seria encontrado. Além disso, tinha-se por certo que, de algum modo, Deschampsneufs se tornara vulnerável, e estava ameaçado de sofrer outras perdas. O ocorrido era uma tragédia, mas também tinha o efeito de tornar Deschampsneufs ridículo; e dois dias depois a própria perda se tornara justificável. Meninos que antes haviam suportado a crueldade de Deschampsneufs indignaram-se por efeito retroativo; os méritos do cavalo foram questionados; e o próprio nome Tamango, que antes fora motivo de orgulho para tantos, agora era visto como uma provocação, um insulto.

Cerca de uma semana depois, soube-se que o cavalo fora encontrado. Estava morto. Foi tudo que soubemos de início, e a notícia não surpreendeu ninguém. As informações que recebi posteriormente, no entanto, me gelaram, me nausearam, proporcionaram-me, com uma intensidade inédita, aquela sensação de crueza e violação: carne crua, da consistência da borracha, óleo sagrado impuro. Não fora uma morte qualquer. Um carvoeiro encontrara o animal, coroado de cravos-de-defunto e hibiscos fenecidos, numa plataforma de terra batida, recém-erguida. O coração e as entranhas haviam sido retiradas, mas havia flores na crina do animal, flores entremeadas em sua cauda, e seus pêlos pareciam ter sido escovados por cavalariços conscienciosos. No centro da plataforma via-se uma outra plataforma menor, rasa, onde se percebiam os vestígios de uma fogueira, que ainda recendiam a açúcar, pinha, manteiga e coco. Brotos de bananeira haviam sido plantados nos cantos desta plataforma menor e, em cada canto, fora desenhada com farinha uma cruz suástica. *Asvamedha*: pronunciei a palavra para mim mesmo. Ela me inspirou uma sensação inesperada de reverência e horror. Um antiqüíssimo sacrifício, na minha imaginação algo belo, algo que lembrava a juventude do mundo, florestas virgens e riachos de águas puras, cavalos e jovens guerreiros ao amanhecer: agora aquilo me parecia obsceno. Minha mente, ao mesmo tempo lúcida e fantástica, criou a imagem de um túnel sem fim, que afundava mais e mais: parecia-me que eu estava mergulhando nesse túnel, quando tudo que eu queria era voltar à luz do dia.

Inevitavelmente, a morte de Tamango foi associada a meu pai e seus seguidores. Os jornais acharam aquilo um escândalo, e exigiram que medidas fossem tomadas. Entretanto, não se podia provar nada. Os jornais clamavam pela destruição do acampamento de meu pai e sua expulsão das terras da Coroa. O governo ignorou esta idéia imprudente e inoportuna; o governador continuou de cabeça fria. Minha situação no colégio, porém, tornou-se difícil. Eu concordava com aqueles que me insultavam. Naquela violência havia um toque de fascínio, mas eles não estavam menos chocados com o sacrilégio do que eu. Eu não podia ridicularizar; não podia defender. Tinha pena de Deschampsneufs: ainda havia um clima de hostilidade vingativa dirigida contra ele. Eu compartilhava de sua raiva, sua indignação, sua repulsa. No entanto, quando ele me desafiou para uma briga, aceitei o desafio.

Eu nunca havia brigado antes, e estava certo de que ia perder. Éramos mais ou menos da mesma altura, mas Deschampsneufs era mais pesado do que eu. Achei que o que tinha de acontecer devia acontecer logo de uma vez; e fiquei tão surpreso quanto qualquer um ao ver, no final da primeira escaramuça, que Deschampsneufs estava caído no chão e eu estava por cima dele. Eu sabia que meu sucesso não iria além disso; em meio ao embaralhamento nada científico de nossos braços e pernas, percebi que ele estava rapidamente se recuperando. Por um momento, entrei em pânico, por um motivo adicional. No fundo de minha consciência estava a idéia de que havia gente torcendo por mim. Agora eu via que a batalha era só minha. E os derrotados nunca tinham razão. O professor, no entanto, já estava esperando uma briga como essa, e aquele silêncio inusitado na hora do recreio despertou sua atenção. Ele veio e nos separou. Fiquei aliviado. Os meninos que antes haviam me oferecido sua devoção tornaram-se ainda mais devotados, aqueles que gostariam que eu estivesse sozinho.

Como já disse antes, nos livros de história o movimento de meu pai atualmente é apresentado como apenas um componente de toda uma tendência ocorrida numa determinada região do mundo. Considera-se que a tendência criou tanto o líder quanto o evento específico a ele associado. O evento não foi o êxodo da cidade para as montanhas, a procissão de grevistas e voluntários abandonando o cais do porto. Foi a morte de Tamango. Foi o feito mais famoso do movimento, que em sua história ocupa uma posição tão central quanto a do suicídio do hipódromo na história do movimento sufragista na Inglaterra.* Ambos são eventos que, ao se tornarem históricos, perdem o que têm de horrível e obsceno e acabam por parecer a manifestação natural, quase lógica, de uma tendência; são eventos que agora parecem estranhamente *previsíveis* e tragicamente justificáveis. Na Jamaica, dizem os livros de história que cobrem o perturbado período anterior à guerra, ocorreram greves e tumultos; em Trinidad houve uma greve na indústria do petróleo em que três pessoas foram mortas a tiros e um policial foi queimado vivo; em Isabella mataram um cavalo de corrida que pertencia a uma tradicional família francesa.

Assim, o evento torna-se a cristalização de uma tendência generalizada. Minhas lembranças dessa época, no en-

(*) No derby de 1913, uma sufragista jogou-se na frente do cavalo favorito da corrida. (N. T.)

tanto, me dizem que o evento, em tais circunstâncias, é necessário; sem ele, o clima dominante de nada vale, e esmorece. Após este evento, nossa ilha mudou, se bem que a mudança só se manifestou quinze anos depois. Foi como o incidente dos carregadores insultando o pai de Cecil, o gesto que subitamente revela a sociedade como uma associação de consentimento mútuo, e ensina uma lição perigosa para o futuro dos outros: este consentimento pode ser retirado. Assim, retorno ao líder e ao evento. O líder intui o que é necessário fazer. A morte de um cavalo de corrida, o favorito na Copa da Malaia, era escandaloso e obsceno para todos naquela ilha de fanáticos por esporte. Mas serviu de bandeira a toda uma corrente subterrânea de indignação moral. O bom líder age com base na intuição; é este o grau de autoviolação que ele impõe a seus seguidores, a quem ele deve surpreender constantemente.

Para mim, porém, havia algo mais. Primitivo, bestial, degradado: eram estas algumas das palavras usadas por certos setores da ilha. Eu sentia o mesmo horror que eles, mas tinha meus próprios motivos. *Asvamedha.* Eu já lera os textos, eu conhecia o termo. O sacrifício do cavalo, o ritual ariano de vitória e soberania, uma afirmação de poder tão ousada que só era arriscada por aqueles que eram verdadeiramente bravos; que fora purificada pelo doce Asoka; retomada por seus sucessores; e realizada, num episódio memorável, pelo neto do general do último imperador mauria, para comemorar a expulsão dos gregos da *Aryavarta*, a terra dos árias. Como teria meu pai chegado a essa idéia? Pura intuição de líder? Seria o ato apenas o que parecia ser, acompanhado de um ritual hinduísta que qualquer um poderia observar e copiar? Ou seria mesmo uma tentativa de realizar o temível sacrifício, um desafio à Nêmese, obra de um náufrago em uma ilha deserta? *Asvamedha.* Óleo impuro, carne crua. Ser o chefe nas montanhas cobertas de neve sempre fora minha fantasia mais recôndita. Agora, no íntimo, sentia-me traído e ridicularizado. Rejeitei a devoção que me era oferecida. Eu queria voar, começar de novo, na lucidez.

4

Senti-me aliviado quando a guerra estourou e meu pai foi detido com base em alguma medida excepcional. Foi a sua sorte. Desse modo ele desapareceu pouco depois de ter se tornado famoso. Deixou uma reputação que a memória posteriormente poderia enaltecer; foi-lhe poupado o esquecimento gradual, terminando no ridículo, que fatalmente ocorreria. Com a guerra, com a chegada dos americanos em Isabella, com a construção das bases militares, com o dinheiro, a prosperidade e o clima de urgência decorrente, com aquela sensação de se estar vivendo um grande momento, o movimento de meu pai teria morrido por sua própria futilidade. Quando foi solto após a guerra, meu pai já não era necessário. Era como se já estivesse morto há seis anos. Era o que ele queria, mesmo; queria que o deixassem em paz; e depois de mais ou menos uma semana de agitação, quase toda jornalística, deixaram-no levar uma vida tranqüila de aposentado. Ele me legou, porém, alguns relacionamentos.

Em primeiro lugar, com Deschampsneufs. Nunca tínhamos sido muito amigos. Lembrava-me dele na praia, ajudando a puxar a rede que continha os três cadáveres; naquela época eu tentara, por um motivo que jamais poderia confessar, esconder-me dele. No Colégio Imperial não havia nada que se comparasse aos concursos de arrotos que fazíamos na escola primária; o convite para ver sua vinha e seu jogo de Meccano jamais se repetira, e talvez agora só sobrevivesse na minha memória. Nossa luta não passara de uma embolada confusa num espaço aberto entre as carteiras; dela, só me ficara na memória um emaranhado de braços e pernas, a expressão de espanto no rosto de Deschampsneufs quando se viu caído no chão, a sujeira do assoalho oleado. Ocorreu, no entanto, aquele velho lugar-comum: ficamos mais amigos depois da briga. Ele tornou-se menos desrespeitoso comigo. Revelou-me alguns de seus segredos. Também ele queria sair de Isabella. Pretendia ir para Quebec tornar-se pintor. Eu não sabia que ele pintava. Disse-me que era uma atividade que seria considerada afeminada em Isabella; em Quebec, uma terra francesa e maravilhosa, todos compreenderiam. Queria também se casar, quanto mais cedo, melhor; queria ter dez filhos, para que pudesse "ficar sentado vendo as pestinhas comendo". Desconfiei dessa ambição: ouvi aquelas palavras pronunciadas por alguma pessoa mais velha e mais tola, algum parente pobre infeliz num almoço de domingo. Entrei no mundo de Deschampsneufs com reservas. Não estava interessado nele, e não queria ofender ninguém. Achava que eu tinha pouco para oferecer-lhe em troca. Depois de tudo que havia acontecido, aquela amizade me constrangia, ou talvez eu estivesse constrangido por aquilo que, em Isabella, representava Deschampsneufs oferecer-me sua amizade.

Browne me oferecia uma amizade de tipo diverso. Ele também tinha seus segredos. Seu passado de palhaço e cantador de canções de negros o atormentava, e eu fazia-lhe as vezes de confessor. Mas eu não podia lhe conceder nenhuma absolvição. Lembrava-me do prazer que ele sentia — o prazer daquele menino que dançava com um terno em miniatura, gravata-borboleta, chapéu de palha, bengala e lábios pintados —, lembrava-me do prazer que seus pais sentiam, e a inveja que sua fama me inspirava.

> Eu gosto de bolo, e mel eu adoro,
> Me oferecem dinheiro, eu aceito na hora.

Eu durmo num monte de feno
E na árvore também.
Porque esteja onde eu esteja
Eu sempre estou bem.

Ele punha a culpa nos pais — eu lembrava o pai, com seu terno marrom pesado, sentado na ponta da cadeira dobrável, soltando uma gargalhada aguda, feminina, quase um cacarejo, um riso de negro, que dava a impressão de que ele ia cuspir — mas deveria pôr a culpa em nossa inocência. Eu não entendia bem o que Browne queria de mim. Minha solidariedade e indignação? Falava insistentemente sobre seu passado, sua humilhação, mas parecia curiosamente indiferente à minha reação. E eu não sabia o que dizer. Não era solidariedade o que eu sentia. Era mais a náusea que me advinha quando eu pensava no que sucedera a nossa família. E, do mesmo modo como entrei na intimidade de Deschampsneufs contra a vontade, eu temia conhecer mais a respeito da vida interior de Browne. Aquele passado não era meu. Aquela personalidade não era minha. Faltava-me o instrumento de que Browne dispunha, aquela inocência que, com o lado que agora me apresentava, ele tentava ocultar.

Eu olhava para a serra ao leste, uma vista inevitável quando se está na cidade, e imaginava-a sendo contemplada por aqueles milhares de camponeses que só podiam esperar por uma vida de servidão ao sol. Mas era preciso parar com aquilo! Não era assim que eu queria encarar a ilha durante os anos que eu ainda passaria nela. Comecei a temer a amizade de Browne. Cheguei a detestar aquela serra. Talvez fosse minha sensibilidade exacerbada de adolescente. Com que facilidade nos esquecemos do que há de desagradável nesse decurso! Havia dias em que, ao ver um acidente de trânsito, eu tinha vontade de jejuar em prol daqueles que haviam sofrido. E agora, através de Browne, eu via angústia para todos os lados. Veja-se como sou paradoxal. Veja-se como, embora rejeitando o movimento de meu pai, comecei a ser contaminado pelas atitudes que ele despertou em seus seguidores.

Recolhimento: isso agora era para mim uma necessidade urgente. Antes fazia parte da fantasia, da vontade de fugir daquela condição de náufrago e voltar às terras que eu havia criado em minha imaginação, terras de cavaleiros, planaltos, montanhas e neve. O tempo era tão irreal quanto o lugar. Agora eu só sentia vontade de ir embora dali, para um lugar desconhecido, ir viver entre pessoas estranhas, sem precisar entrar em suas vidas, nem mesmo aprender seu idioma. Transferi aos outros minha impaciência. Havia um professor que eu surpreendera em meu primeiro ano no Colégio Imperial quando fui até ele, no início de uma aula, e lhe perguntei: — O senhor é mesmo bacharel? — Este fato tremendo fora devidamente registrado na revista da escola. Ele viu ironia onde havia apenas reverência; foi me acuando até eu voltar a minha carteira. Na verdade, eu tocara num ponto sensível, pois ele se formara numa obscura universidade canadense. Agora surpreendi-o mais uma vez, perguntando-lhe, num intervalo entre aulas:

— Como o senhor se sente, vivendo aqui em Isabella?

Ele achou que se tratava de uma pergunta política; tive de explicar-me:

— O que eu quero dizer é que o senhor já viveu em países famosos e conheceu cidades famosas. O senhor não preferiria morar lá?

— Nunca pensei nisso — disse ele. — Antes da guerra, quando eu estava de licença, eu costumava ir à Inglaterra, à Europa. Eu gostava. Fazia o que todo mundo faz. Mas sempre achei que meu trabalho era aqui. Na verdade, nunca pensei nisso.

Não acreditei no que ele havia dito. Lembrei-me de uma vez em que ele começara a falar nas variedades de maçã que havia no Canadá. Lembrei que ele dissera, em outra oportunidade: — Nas Montanhas Laurêntidas, pode-se esquiar. — E então, como se falasse consigo próprio, como se visse à sua frente aquela paisagem branca e azulada, acrescentara: — Mas cuidado para não quebrar a perna. — Aquele momento e aquela paisagem imaginada fixaram-se em minha mente para sempre. As Laurêntidas! Que belo nome para encostas cobertas de neve branca e desabitadas! Eu ansiava por esquiar naquelas montanhas ermas, apesar do risco de quebrar a perna. Era meu elemento, eu temia jamais ter acesso a ele. E havia também um belga, que falava tanto o francês quanto o inglês com um sotaque execrável e que quase não tinha lembranças: um homem bem vestido, tedioso e entediado, que usava óculos de aro de ouro. Até mesmo ele uma vez mergulhou em suas reminiscências, de olhos vidrados, rindo baixinho: pensava na *circulation*, que nada tinha a ver com circulação — era o *trânsito* — e de repente estávamos com ele dentro de um táxi em pleno engarrafamento, ouvindo o tique-taque do taxímetro, enquanto o chofer enterrava o boné até os olhos, lavando as mãos de qualquer responsabilidade pelo implacável taxímetro. Ali, num engarrafamento em Liège, nas encostas nevadas das Laurêntidas, ficava o mundo puro, verdadeiro. Nós, em nossa ilha, manuseando livros publicados no mundo exterior e usando seus produtos, tínhamos sido abandonados e esquecidos. Fazíamos de conta que existíamos de verdade, que aprendíamos, que nos preparávamos para a vida, nós, os mímicos do Novo Mundo, de um cantinho desconhecido deste mundo, com todos os sinais da corrupção que tão depressa se instaurava no novo.

Minha obsessão assumiu uma curiosa forma. Comecei a preocupar-me com a possibilidade de que nossa velha casa de madeira estivesse ameaçada de desabar. Não raro acontecia em nossa cidade de casas desmoronarem; na estação das chuvas os jornais vinham cheios de tragédias desse tipo. Comecei a procurar estas notícias e, a cada uma que lia, meu medo aumentava. Assim que me deitava na cama, meu coração batia mais forte, e seu pulsar me fazia pensar que era a casa que estava tremendo. Às vezes minha cabeça rodava; as paredes e o teto pareciam prestes a desabar sobre mim; dava-me a impressão de que a cama estava torta, e eu me agarrava a ela, suando frio, até que a perturbação passasse. Só me sentia seguro e lúcido quando estava fora da casa. Assim, cada vez mais eu explorava aquela ilha cujos segredos Browne estava decidido a me ensinar.

Antes eu conseguia imaginar, por alguns momentos, que Isabella era uma ilha deserta, que ainda aguardava o descobrimento. Browne mostrou-me que aquela aparência tropical era artificial; aquela vegetação que nos parecia tão natural e característica tinha sua história. Todos já sabíamos a respeito do capitão Bligh e a fruta-pão.* Browne falou-me sobre os coqueiros que margeavam nossas praias, as canas-de-açúcar, os bambus, as mangueiras. Falou-me sobre nossas flores, cujas cores víamos agora também nos cartões-postais que já começavam a aparecer em nossas lojas. A guerra estava trazendo visitantes à ilha, os quais viam com mais clareza que nós; aprendemos a ver com eles, e agora só tínhamos a perspectiva dos visitantes. No coração da cidade, Browne mostrou-me um arvoredo de velhas árvores frutíferas: ali houvera uma plantação para abastecer a população

(*) William Bligh (1754-1817), navegador inglês que introduziu a fruta-pão, nativa do Taiti, nas Antilhas, onde foi usada como alimento para escravos. (N. T.)

escrava. Dali olhávamos por sobre os telhados da cidade, e vejam só! Nossa paisagem era tão fabricada quanto a de qualquer parque francês ou inglês. Mas caminhávamos num jardim infernal, entre árvores — algumas ainda sem nomes populares — cujas sementes, em certos casos, foram trazidas à nossa ilha nos intestinos dos escravos.

Era isto que Browne ensinava. Era este o tema de suas leituras secretas. Imaginei que sua paixão desaguasse na definição de um objetivo, ao menos uma postura. Esperei pacientemente. Mas nada se definiu. Browne parecia encarar aquela questão como um fim em si. Sua amizade tornou-se um ônus para mim.

Numa manhã de sábado, Browne parou à frente de nossa casa e tocou a campainha de sua bicicleta. Fora Cecil, nem ele nem nenhum outro colega meu do colégio jamais viera a minha casa antes. Esta visita revelava até que ponto havíamos abolido o hemisfério particular do colégio, e estou certo de que a intenção dele era exatamente essa. Eu não estava. Minha mãe nunca vira Browne antes. Para ela, tratava-se apenas de um moleque numa bicicleta, tocando a campainha e sorrindo. Ele possuía a infeliz particularidade — que só perdeu quando, já na faixa dos trinta, deixou crescer a barba — de sempre dar a impressão de estar sorrindo nervosamente. Entre o lábio inferior e o queixo, sua pele ficava curiosamente tensa e enrugada, como se ele estivesse reprimindo uma gargalhada. Bem na ponta do queixo, acentuando o sorriso que não era um sorriso, havia uma verruga. De longe, parecia uma gota d'água, o que fazia pensar que Browne havia lavado o rosto e não tinha se dado ao trabalho de enxugá-lo. Tudo isso contribuía para lhe dar aquela aparência cômica que seus pais haviam explorado. Minha mãe colocou-se entre as samambaias da varanda e perguntou o que ele queria. Browne respondeu que queria falar comigo, mas se referiu a mim pelo sobrenome. Mamãe achou que era mais um que vinha zombar dela e do marido, e o enxotou como se fosse um moleque de rua.

Fiquei horrorizado quando soube do ocorrido. Sabia onde ele morava, e fui imediatamente lá. Sua casa era tão velha quanto a nossa, de estilo semelhante. Mas ficava numa das ruas mais movimentadas da cidade; não tinha varanda e erguia-se quase diretamente da calçada, com venezianas na parte superior das janelas. Havia um autêntico negro como os de antigamente, grisalho, fumando cachimbo, debruçado na janela e olhando com um olhar perdido para a rua movimentada. Trajava uma camiseta de flanela encardida. A camiseta de flanela era um típico traje proletário — a flanela era a fazenda preferida pelos negros enfraquecidos pela doença ou pela idade. Não gostei de ver o pai de Browne vestido daquele modo. Ao lado da casa ficava uma barbearia de negros chamada Kremlin — as barbearias negras gostavam de nomes românticos e longínquos — com um papagaio em uma gaiola na entrada.

Cumprimentei o negro da camiseta de flanela e, lembrando-me do ocorrido com Browne em minha casa, apressei-me a me identificar como colega de Browne no Colégio Imperial. Também tive o cuidado de perguntar por "Ethelbert". Constrangia-me pronunciar aquele nome. Era a primeira vez que o fazia e, ao pronunciá-lo, lembrei-me de algo que o próprio Browne me dissera uma vez: os escravos com freqüência recebiam nomes de reis anglo-saxônicos ou generais romanos. O pai de Browne — que, anos antes, vestira o filho com terno e gravata e o ensinara a cantar canções de negros — foi muito atencioso. Murmurou algo sem tirar o cachimbo da boca, apressou-se a abrir a porta e fez questão de que eu me sentasse. A homenagem não era para mim, e sim para o Colégio Imperial, o famoso colégio em que um menino pobre, que fosse bem comportado e estudioso, poderia ganhar uma bolsa de estudos — o que implicava a possibilidade de estudar no estrangeiro, tornar-se profissional liberal, conquistar a independência financeira, apagar o passado.

Havia duas cadeiras de balanço na parte da frente da sala. O pai de Browne me fez sentar numa delas, gritou "Bertie!" e sentou-se na outra, chupando o cachimbo no velho estilo próprio dos negros, e olhando fixamente para mim enquanto se balançava. Bertie! O apelido familiar! Era como ler a correspondência alheia. Percebi que Browne não ia gostar daquela visita, de saber que eu vira seu pai com a camiseta de flanela, cheia de bolinhas de sujeira. Era uma sala estreita, que terminava numa cortina marrom cujos reflexos escureciam o chão manchado e encerado. Mais adiante havia quatro cadeiras de bambu dispostas em torno de uma mesa de centro, de mármore, com três pernas. Havia uma toalha branca, de renda ou coisa parecida, cobrindo a mesa. Sobre ela, via-se uma bandeja de bronze com um coqueiro anão, porém bem pesado, plantado numa lata embrulhada em papel crepom. Na parte de cima, o papel crepom fora cortado em tiras finíssimas e afofado. Numa das paredes, pintada de ocre com revestimentos brancos, havia retratos emoldurados de Joe Louis, Jesse Owens, Haile Selassié e Jesus. Encostada à parede em frente a esta ficava uma cristaleira com copos coloridos, querubins e damas de louça em branco e rosa, três bêbados de cartola e *smoking*, amarrotados, ao lado de um lampião de rua, e um buquê de flores de papel. Acima da cristaleira havia uma fotografia grande de um casal de negros, acompanhados de uma menina e um menino muito enfeitado, este último, queixo tenso com uma verruga em forma de gota d'água, eu o identificava como Browne, o cantor comediante; todos em pé na frente de um pano de fundo pintado que representava as ruínas de um templo grego. O pai de Browne acompanhou meu olhar. Já não se orgulhava mais; no entanto havia em sua expressão aquele ar de satisfação característico das pessoas velhas e tolas que acham que viver muito é uma grande realização.

Mais uma vez gritou, com sua voz estrangulada: — Bertie! — Por fim Browne apareceu, detrás da cortina marrom. Trajava um *short* cáqui desbotado e esfarrapado, estava descalço e seus olhos estavam vermelhos. Eu havia interrompido sua sesta. Ele não parecia satisfeito por me ver. Seu pai balançava-se na cadeira, preparando-se para deleitar-se com o diálogo entre os dois alunos do Colégio Imperial. Browne mal me cumprimentou, e imediatamente voltou para trás da cortina. Vi de relance uma pequena mesa de jantar oval e algumas cadeiras polidas, pesadonas. Ouvi vozes. Uma, alta, era a de Browne e estava cheia de irritação: ouvi-o dizer "aquele negro idiota". Então ouviu-se uma voz de mulher gritando — mas tentando dar a impressão de que não chegava a ser um grito — o nome "Caesar". O grito se ouviu novamente, e Caesar Browne levantou-se e foi andando cuidadosamente, com seus chinelos feitos de sapatos de lona cortados, pelo chão encerado, até a cortina marrom, detrás da qual uma mão invisível deu-lhe um puxão, o que teve o efeito de fazer com que ele parecesse perder de repente o controle sobre seus membros. Assim, ele desapareceu num átimo.

Quando Browne voltou, havia colocado uma camisa por cima de sua camiseta de flanela. Os trópicos submetem seus habitantes a esta cotidiana indignidade indumentária, que só se torna glamurosa acima de um certo nível. Browne sentou-se na cadeira de balanço onde antes estivera seu pai, bocejou e correu as mãos pelas pernas. Tentava parecer à vontade, mas estava aborrecido e pouco hospitaleiro. Expliquei-lhe que viera para pedir-lhe emprestado seu exemplar de *Peñas Arriba*. Ele, porém, não se deixou enganar. De qualquer modo, aquela desculpa lhe dava algo para fazer. Ele foi e me trouxe o livro. Era um livro de aluno cuidadoso. Estava encapado com papel pardo, escurecido e quase rasgado no lugar onde a mão suada o segurara naquelas caminhadas escaldantes até a escola. Achei que o livro tinha um cheiro estranho. Eu não tinha mais nada a dizer. Então chegou a irmã de Browne, com seu namorado, que era da polícia. A saleta de repente ficou cheia de vida. Por um minuto, mais ou menos, com um constrangimento indefinível, fiquei assistindo à cena, ouvindo as conversas. Então fui embora.

Eu não deveria ter ido. Deveria ter ignorado o incidente com minha mãe, de modo a jamais dar a entender a Browne que eu sabia do que acontecera. Nunca perdoamos aqueles que testemunharam nossa humilhação. Aquele sábado, com suas duas atitudes, suas duas visitas, seus dois fracassos, marcou o fim de um período de intensidade em nosso relacionamento. Não posso negar que me senti aliviado. Naquela sala, eu me sentira sufocado, e não apenas por ela ser pequena. Os retratos de Joe Louis e Haile Selassié, a camiseta de flanela, a fotografia da família, "aquele negro idiota": eu não havia apenas entrado numa sala. Senti que havia devassado a prisão em que estava encerrado o espírito de Browne, na qual ele despertava todas as manhãs. Era naquela casa que ele recolhia todos aqueles fatos dos quais não conseguia extrair nenhum sentido. Eu duvidava que ele soubesse por que me expunha todos aqueles fatos. Ele queria que eu compartilhasse de sua angústia. Porém — e isto me irritava — ele não ia além da angústia. E, ao sair de sua casa, senti que aquela angústia era parte de sua realidade, nada mais, e não levava a nada. Eu não queria ser atraído outra vez para dentro da intimidade daquele horror. Se fosse Eden que morasse naquela casa, a coisa pareceria adequada, seria engraçada. Mas o nervosismo de Browne excluía o humor. Dentro daquela casa, todos os atributos de sua raça e sua classe eram como segredos que amigo nenhum jamais deveria conhecer.

Nosso relacionamento terminou. Fora improdutivo; não deixou rancor. Deixou, no entanto, um veneno que em mim permanece. Eu o sentia no colégio. Eden dizia ter vontade de alistar-se no exército japonês: as notícias sobre os estupros cometidos pelos soldados japoneses eram muito excitantes. Ele desenvolvia essa idéia com detalhes grosseiros, insistentemente; a coisa deixou de ser uma pilhéria. Ele próprio se deu conta do fato; quando conversava com alguém, sublimava este desejo de estuprar mulheres estrangeiras numa vontade de viajar. Deschampsneufs perguntou: — Para ver ou para ser visto? — Fez um desenho grotesco de Eden, com boné de pano, óculos escuros, câmara fotográfica e terno branco, debruçado sobre a amurada de um navio, enquanto mulheres asiáticas e polinésias de *sarong* paravam de dançar e corriam até o cais para ver o estranho turista. Pois Eden havia escolhido a Ásia como o continente que ele gostaria de conhecer; havia ficado empolgado com a leitura de *Lord Jim*. Seu maior desejo era que a raça negra fosse abolida; o sonho intermediário era uma terra longínqua onde ele, o único negro em meio a uma gente estranha e bela, reinasse como uma espécie de monarca sexual. Lord Jim, Lord Eden. Pobre Eden. Mas também: pobre Browne. Como é que alguém que só queria abolir a si próprio poderia fazer mais do que expressar sua angústia?

Cada vez que eu pensava no mundo maior à nossa volta, vinha-me à mente aquela sala, a segurança que ele odiava, onde sua irmã balconista trazia seu namorado policial e, por cerca de um minuto — até que o constrangimento se definisse —, eram como caricaturas, exagerando seus papéis: Browne, o irmão mais moço, que era necessário subornar e lisonjear; o namorado, modesto, agressivo, ligeiramente ridículo; a irmã, cheia de vida, decidida, não admitindo insolências em sua casa. Talvez eu exagerasse. Era o que eu costumava fazer na época; fazia parte de meu desejo ansioso de me colocar no lugar daqueles que me pareciam aflitos; e talvez, como aqueles reformadores desavisados para quem a única realidade existente para os ricos e para os pobres é o dinheiro, eu estivesse enxergando pouco. Eu minimizava o fator personalidade. Mas é o que acontece quando se tenta esquecer de si e assumir o fardo de outrem. Estaria eu preocupado apenas com Browne?

Agora eu ia muito ao cinema. Era meu refúgio. Nos dias de semana, ia no final da tarde ou à noite. Aos sábados, freqüentava a sessão de uma e meia que havia em alguns dos cinemas mais baratos. Era a hora mais quente do dia, mas estas sessões atraíam multidões de jovens como eu, devido à atmosfera de feriado e vale-tudo. A luminosidade nos aturdia quando saíamos do cinema por volta das quatro; era uma sensação tão forte e agradável quanto a de enfrentar calor de verdade após passar algumas horas num ambiente com ar condicionado.

Num desses sábados, eu estava na sessão de uma e meia. O calor era intenso. Alguns rapazes mais desordeiros, brancos e mulatos em sua maioria, tiraram a camisa. Começou a chover. Um ou dois grupos continuaram sem camisa, mas ficaram mais comportados. A chuva tamborilava no telhado de ferro corrugado: aquele som tão agradável nos trópicos, que as pessoas de outros climas detestam. Obliterando o som da chuva e a trilha sonora do filme, ouviu-se o trovão. As cortinas pesadas que cobriam as saídas sem portas balançavam-se no vento, e a chuva entrava. Cada vez chovia mais forte, em grandes lambadas d'água que sacudiam o telhado de uma ponta a outra. Em pouco tempo começou a escorrer água pelo chão do cinema. De bom grado desistimos de ver o filme. Nossos dias tropicais eram sempre iguais; gostávamos de toda e qualquer quebra de rotina. Todavia pensei em nossa casa, no perigo que a chuva representava. Na tela, o filme prosseguia, mas as cortinas das saídas haviam sido abertas por aqueles que preferiam olhar para a chuva, e a imagem sobre a tela estava esmaecida. Não se ouvia nada. Os gestos diminuídos e insensatos dos atores eram motivo de riso para um grupo de desordeiros.

Saí da sala de projeção e fiquei na ante-sala, entre cartazes úmidos e grudentos que anunciavam os filmes das sessões da tarde e da noite. Trovejou; um raio fluorescente riscou o céu; as árvores do parque à nossa frente balançavam-se no vento, que ora aumentava, ora amainava. Os ralos da sarjeta já estavam cheios, e, no momento em que eu olhava, as calçadas ficaram inundadas. Passou um ciclista. Não ia a lugar nenhum; apenas andava de bicicleta na água, por prazer. Mais e mais rapazes e moças vinham até a ante-sala para ver. Adorávamos o mau tempo. Pensei em nossa casa novamente, agora com maior preocupação; o medo era maior do que o prazer de ver a chuva. No parque, uma árvore gemeu e foi estalando, cada vez mais depressa, e lentamente desabou, pousando sobre os galhos. Era uma árvore enorme, daquelas que tinham história. As folhas verdes estavam reluzentes de água; as raízes laterais, superficiais, cheias de terra.

Saí no meio da chuva. Era impossível distinguir a calçada da pista. A chuva escondia a serra ao leste e tornava indefinidos os contornos de todos os objetos mais próximos. Sob as marquises das lojas havia pequenos grupos de pessoas úmidas e meditativas. Eu imaginava cenas catastróficas. Pensava numa casa reduzida a escombros, desmanchada na lama revolta, como aqueles troncos de árvores que o mar trazia até nossa costa. Via tábuas soltas, molhadas, cobertas de tinta velha de um lado e nuas do outro, pedaços contorcidos de ferro corrugado, morte; mais tarde, a descoberta de pequenos objetos íntimos entre os destroços. Caminhando na chuva, experimentei o pânico que por vezes sentia antes de adormecer.

A chuva diminuiu. Senti as roupas encharcadas grudando na pele, o contato gelado das moedas nos bolsos. E, ao chegar à nossa rua, tudo estava tranqüilo. Graças à perícia de algum engenheiro, nosso bairro, embora situado abaixo do nível do mar, tinha drenagem perfeita. Aqui, não havia enchentes. Pelas sarjetas corriam torrentes, mas nada havia sido derrubado, e tudo brilhava com aquela aparência de coisa nova e lavada que ostentavam os telhados, as estradas e as plantas depois da chuva. Minha mãe estava costurando. Para ela, a chuva fora apenas um espetáculo naquela tarde de sábado, que lhe causara alguns arrepios agradáveis de friagem. Senti-me aliviado. Ao menos o desconforto e o ridículo de uma catástrofe nos haviam poupado. Era impossível, no entanto, reprimir o sentimento de decepção: a decepção de quem perdeu a oportunidade de começar de novo, sozinho.

5

A casa da família de minha mãe era bem sólida. Eu a testava sempre que passava lá o fim de semana. Pulava sobre o assoalho quando achava que ninguém estava olhando e, às vezes, deitava-me nele para ver se era bem plano. Encostava-me nas paredes para verificar se estavam aprumadas. Tais precauções me proporcionavam uma sensação de segurança, e me permitiam dormir tranqüilo. Desagradava-me voltar depois aos perigos físicos de minha casa, sobre os quais não podia falar com ninguém; eu ansiava pelo dia em que não seria mais necessário voltar para ela. Parecia-me que aquela desordem absurda, aquela sensação de estar perdido no espaço, era conseqüência de minha juventude e minha inquietação generalizada e achava que ia passar assim que eu partisse de Isabella. Mas certas sensações saltam por cima dos anos. Foi justamente esse tipo de inquietação que senti quando comecei a escrever este livro. Naquele momento, eu não tinha medo algum de que desabasse o hotel ou o bar, os os dois únicos lugares que eu freqüentava — e ainda freqüento —, pude identificar, no entanto, com repulsa, aquela sensação de estar preso, ameaçado por perigos externos, aquela dor de sentir que todo um mundo foi destruído e anulado. Talvez fosse conseqüência do esforço de escrever. As casas ao meu redor — como as que vi numa fotografia num sótão em Kensington High Street durante uma nevada e tentei penetrar em minha imaginação, para recriar aquela ordem que, segundo eu imaginava, manifestava sua doçura nas moças, especialmente numa moça de blusão num ensolarado jardim de fundos — aquelas casas de tijolos vermelhos agora eram iguais às que havia em nossas ruas tropicais, de ferro corrugado e cumeeiras brancas, as quais eu também, certa vez, desejara nunca mais voltar a ver. Certas emoções saltam por cima dos anos e estabelecem ligações inesperadas entre lugares diversos. Às vezes estas ligações chegam a fazer-nos perder a noção de onde estamos, e nos vemos sozinhos: o rapaz, o menino, a criança pequena. O mundo físico, que ainda continuamos a provar, parece-nos então uma falsificação criada por nós mesmos, que sempre conhecemos.

Uma casa sólida, não obstante. Além disso, permitia que eu escapasse da ilha de Browne e Deschampsneufs. Minha primeira tentativa de simplificação fracassara; terminara assim — eu zanzando de um mundo para o outro, de um círculo de relações para o outro. A casa de meus avós estava mudada. Tornara-se uma casa de jovens, a maioria deles amigos de Cecil, filhos de famílias de negociantes como a sua. A comunidade que eles formavam era pequena e nova, e me surpreendeu. Já declarei que não me interessava pelas credenciais da família de Deschampsneufs. Mas o fato é que eu não me interessava pelas credenciais de família nenhuma que não a minha. Fora do colégio, aquele sempre fora meu mundo, com a Bella Bella e a Coca-Cola como pontos culminantes. Jamais me ocorrera que houvesse outras famílias como a minha, que se orgulhassem pelas mesmas coisas, gente que fabricava camisas ou construía estradas e que estava muito satisfeita com sua própria situação social. E confesso que me decepcionei um pouco ao ver a glória da Bella Bella diminuir um pouco. Aqueles jovens eram como Cecil. Não eram tão extravagantes quanto ele, mas tinham a mesma capacidade de falar sobre situações que eles próprios haviam acabado de criar, ou que estavam prestes a criar. Por eles eu não podia sentir o mesmo afeto que me inspirava Cecil, que era sangue de meu sangue, e não podia sentir que fazia parte daquele grupo. Minhas irmãs, porém, se integraram a ele com facilidade. Mas ainda que eu não me sentisse totalmente à vontade naquela casa, lá pelo menos não se falava de humilhações do passado, não se falava jamais sobre o passado. Aqueles jovens provinham de um mundo novo. Faziam com que as fotos de artistas indianos na varanda dos fundos parecessem velharias; as gravuras, com deuses e donzelas e balanços em gramados cheios de flores à frente de amplos palácios brancos, faziam parte de uma devoção antiquada.

Havia outra atração para mim naquela casa. Sally havia se tornado minha companheira, Sally, aquela que batera o pé, com o roupão de linho. Inimigos quando crianças, e unidos por aquele relacionamento especial, inevitavelmente nos aproximamos um do outro naquela casa modificada. Jamais tocamos no assunto. Apenas fomos nos aproximando, e eu nunca mais viria a conhecer nada comparável àquele súbito entendimento, aquele sentimento compartilhado de autoviolação, que para mim representava segurança e pureza. Eu não conseguia me conceber com uma garota ou mulher de outra comunidade, nem mesmo de famílias como a minha. Para mim, ali estava a segurança, a compreensão, o relacionamento baseado no conhecimento completo, em que um corpo de uma carne juntava-se a outro corpo da mesma carne e todas as ameaças do mundo exterior diminuíam. Mais tarde eu viria a adquirir a reputação de libertino e mulherengo. Mas em cada relação eu perceberia a impureza, reconheceria o triunfo ou a humilhação. Jamais haveria nada igual àquela aceitação mútua, sem palavras nem declarações, sem poses nem fingimentos, e jamais conheceria outra carne doce como aquela, que era quase a minha própria carne. Comecei a conceber o mundo, que antes eu tanto ansiava por penetrar, como a violação que nos aguardava a ambos, inevitável, mas nem por isso menos dolorosa. Era como envelhecer ou morrer. Senti que estava perdendo a coragem de entrar naquele mundo. Minha ânsia de fugir perdera o encanto e a ilha havia se tornado meu passado. Meu mundo se estreitara. Ao mesmo tempo eu me sentia semelhante às pessoas mais velhas naquela casa que agora era dos jovens. Eu era como minha mãe e seus pais, que se viam esperando pelo fim numa casa que agora lhes era estranha.

Eu já concluíra o colégio. A guerra prosseguia, e era impossível viajar. Arranjei um emprego, como todos os outros. Eden, cumprindo a profecia do major Grant a respeito dos meninos que eram reprovados em inglês, foi trabalhar num dos jornais. Hok — "a exceção que prova a regra", como, segundo se dizia, comentara o major Grant ao saber do ocorrido — entrou para o *Inquirer* como redator. Logo seu nome começou a aparecer nos cabeçalhos de artigos, bem escritos, inteligentes, que ainda podiam despertar em mim um lampejo de inveja, aquela inveja — tão fácil de se transformar em admiração explícita — que é o tributo que pagamos às pessoas brilhantes por natureza. Browne trabalhava como funcionário administrativo na base militar americana. Ouvi dizer que estava escrevendo um romance sobre um escravo. Muitas pessoas sabiam do enredo: o escravo lidera uma revolta, que é traída e brutalmente sufocada; ele foge para a floresta, pensa em sua situação, termina com nojo de si mesmo e se entrega espontaneamente, para voltar à condição de escravo e ser morto. Vi uma cópia carbono de um dos capítulos iniciais, creio que o segundo. Os escravos chegam da África; estão satisfeitos por se verem em terra firme novamente; dançam e cantam; desejavam ser comprados o mais depressa possível. Toda cena era realizada em mímica, por assim dizer, e como se vista a distância. Era cruel e desagradável; não quis continuar a ler. Creio que Browne não chegou a escrever mais.

Deschampsneufs se empregou num dos bancos. Ah, aqueles empregos nos bancos! O ressentimento que geravam! Eram reservados — o que, aliás, era muito sensato — àqueles cujas famílias tinham alguma segurança financeira, e não cobiçavam o dinheiro a distância. Como conseqüência, tais empregos exerciam um certo fascínio, por só serem ocupados por indivíduos brancos e membros da elite local. Um dia encontrei com Eden na rua, e ele me falou, cheio de inveja, sobre o trabalho de Deschampsneufs. Dizia ele que Deschampsneufs *já* estava encarregado de pesar moedas. Para Eden, esta atitude de encarar a moeda como se fosse apenas um produto entre outros, como farinha ou ervilhas, era um luxo insuportável. Tal era o nível de nossa inocência insular. E percebi também que Deschampsneufs continuava, como antes, a provocar conscientemente a inveja dos outros, revelando fatos por ele considerados segredos a pessoas que, como ele calculava corretamente, ansiavam por conhecê-los. Ele acertara em cheio no caso de Eden, que ficou encantado de saber que as moedas eram pesadas e furioso por ele próprio não poder participar desta atividade.

Não pude dar a Eden a solidariedade de que ele precisava. Eu não pesava moedas. Meu trabalho era, porém, igualmente enfadonho. Estava trabalhando como funcionário de segunda classe, interinamente, escrevendo a mão todo o tipo de certificados. Os primeiros meses de qualquer emprego são sempre os mais longos, e comecei a achar que jamais sairia daquele departamento, que algum desastre ocorreria e me obrigaria a ficar lá o resto da minha vida. O dia do pagamento era particularmente doloroso. Todo mundo entrava de cara feia, fingindo estar irritado, e ninguém falava. Durante toda a manhã subordinados e superiores dedicavam-se a suas tarefas, que naquele dia pareciam particularmente árduas, com caras de vítimas. Por volta das dez, o funcionário de primeira classe, como se mal conseguisse reprimir a raiva, saía em direção à Tesouraria com um saco de dinheiro, voltava uma hora depois e, com o mesmo ar soturno de carrasco, sentava-se à sua mesa e distribuía o dinheiro que trouxera em envelopes. Ninguém olhava para ele; todos trabalhavam furiosamente. Então ia de mesa em mesa, entregando envelopes e uma folha para ser assinada. Todos assinavam; ninguém abria o envelope para contar o dinheiro. Os homens mais velhos eram os que tratavam os envelopes com mais indiferença; jogavam-nos para o canto da mesa abarrotada ou dentro de uma gaveta, sem sequer olhar para eles. Meia hora depois começavam as idas ao banheiro; um por um os envelopes desapareciam, o dinheiro já tendo sido contado. Depois do almoço era como um feriado. Os homens chegavam de olhos vermelhos, altos, soltando pequenos arrotos de satisfação; as moças ficavam dando risadinhas na caixa-forte, uma mostrando à outra os artigos — normalmente *lingerie* — que haviam comprado na hora do almoço.

Todo mundo ali era gente: eu não via por que as coisas haveriam de ser diferentes para mim. Comecei a invejar os funcionários mais velhos apenas por já terem vivido a maior parte de suas vidas. Invejava-lhes a tranqüilidade, os prazeres profundos do dia do pagamento, a ausência de conflito. Invejava-lhes as marcas da idade nos rostos, a lentidão cultivada dos gestos e movimentos. Cultivada, é a impressão que tenho agora: aqueles homens não eram tão velhos quanto me pareciam. Eu ansiava por envelhecer. Tinha medo de sair, ficar sozinho. Não conseguia me concentrar em qualquer tipo de leitura. Só desejava a escuridão que Sally me oferecia. Parte de minha doença, e eu temia minha doença. Mas tinha esperanças de que este medo no final fosse, ele próprio, a proteção contra o medo. Todos os fins de semana eu ia para a casa sólida e lá encontrava Sally. A violação que temíamos, a violação que eu temia por ela e que, ao mesmo tempo, reconhecia como inevitável: disto eu a salvava, sabendo que a cada fim de semana ia se esgotando o tempo para a salvação e a pureza.

Para manter as aparências, eu era obrigado a andar com Cecil e seus amigos e bancar o estróina com eles. A estroinice daquele grupo às vezes passava dos limites. Cecil adorava gastar dinheiro e assustar os pobres com sua riqueza. Numa estrada no interior, freava o carro ruidosamente, parando a centímetros de uma pobre velha que vendesse bananas ou laranjas. Então gritava: — Saia daí! Vá embora, sua bruxa! Largue essa porcaria desse tabuleiro agora mesmo senão eu o arrebento na sua cabeça! — A mulher apavorada fazia menção de obedecer; ele a chamava de volta, zangado, e lhe dava dez ou vinte dólares, o que era muito mais do que valiam o tabuleiro e as laranjas, que ele não queria mas levava assim mesmo. Cecil continuava a agir como se o fumo e a bebida fossem vícios que ele havia descoberto e patenteado. Freqüentava as prostitutas negras mais degeneradas. O prazer para ele parecia residir numa autoviolação cada vez maior; era como se testasse os limites de sua tolerância pelo desagradável. Cada vez mais, sua jovialidade me parecia fingida. Ele a transmitia, porém, a alguns de seus amigos e, mais do que ninguém, a um negro de cerca de quarenta anos que era para ele ao mesmo tempo guarda-costas, companheiro e criado pessoal. Ele chamava este negro de Cecil. Talvez fosse este de fato seu nome; talvez fosse apenas um capricho de meu primo. O negro era analfabeto e paupérrimo; parecia não ter família. Era totalmente dependente de Cecil. Os dois me davam a impressão de que encenavam, quando estavam em público, uma elaborada dramatização, representando um o senhor, outro o servo; um o gângster, outro o capanga. Creio que ambos se imaginavam num filme e a mesquinhez de suas atividades certamente constituía um motivo constante de frustração para eles. Eu achava os dois desequilibrados.

Após estas extravagâncias, era bom voltar para Sally. A casa era grande, mas nos fins de semana ficava cheia de gente. Era inevitável que terminássemos sendo descobertos. Foi uma visitante que nos descobriu. Eu já a conhecia de vista; era mãe ou tia de alguém, muito velha, muito frágil, e usava uns óculos que aumentavam seus olhos de um modo grotesco. Fiquei totalmente indiferente: nenhuma vergonha, nenhuma culpa, nenhuma ansiedade. O interrogatório que se seguiu pareceu-me uma intrusão mais odiosa do que a própria descoberta. Foi repleto de detalhes e me pareceu sem sentido, reduzindo tudo ao absurdo. Mas, apesar de todas as ameaças, não houve seqüelas no momento. A memória da velha parecia ser tão fraca quanto sua visão e seu corpo. Na vez seguinte que a vi naquela casa, ela já havia esquecido quem era eu.

Naquele domingo, estava lá um rapaz que eu não conhecia. Chamava-se Dalip. Estava bem vestido, e não demonstrava qualquer constrangimento por se ver numa casa cheia de gente desconhecida. Cecil propôs que nós três fôssemos até a praia antes do almoço. O deslocamento era por si só uma distração para Cecil; muitas vezes, quando chegávamos a nosso destino, nada havia que fazer lá. Eu estava cansado desses passeios. Mas Cecil insistiu, e Dalip também estava inclinado a ir. Paramos numa transversal não muito longe dali. Cecil buzinou, e seu criado veio correndo. Parecia estar à espera; sempre dava a impressão de estar à espera de Cecil. Trazia uma garrafa de uísque e outra de rum. Sentou-se no banco de trás, ao lado de Dalip.

Logo nos afastamos da cidade. Andávamos a alta velocidade por estradas estreitas e cheias de curvas. — Eles me conhecem, eles me conhecem — disse Cecil, como se esta frase tivesse o poder de impedir que ocorresse um acidente. Agradava-lhe constatar que eu estava com medo. O criado sorria, agarrado à alça. Dalip estava tranqüilo. Estávamos num trecho de ladeira, com curvas. O carro ocupava as duas pistas, com total imparcialidade; tivemos que frear de repente quando apareceu um ônibus após uma curva. A freada foi comemorada abrindo-se as garrafas. Bebi com os outros. A bebida era detestável. Com o carro correndo, era difícil encher os copos e beber. O uísque e o rum derramavam. O carro cheirava a rum.

Cecil disse: — Abra esse porta-luvas para mim.

Obedeci. Em meio a panos amarelos, livrinhos sujos e blocos, encontrei duas pistolas. Uma era pequena, com coronha de marfim; a outra era grande, toda de metal. Eu nunca vira uma pistola antes.

— Pegue a grandona.

Tirei do porta-luvas a pistola grande. O carro desceu a toda velocidade uma lombada, na contra-mão. Eu nunca havia segurado uma pistola antes. Agora percebi que não era toda de metal: o acabamento da coronha era em madeira trabalhada. Surpreendiam-me o peso da arma, a cor do metal, a precisão das formas. Esta precisão era uma espécie de beleza. Corri os dedos pelas bordas da pistola.

— Uma Luger — disse Cecil. — Pesa, não é?

No banco de trás, Dalip e o negro sorriam como se conhecessem um segredo; eram homens que entendiam de Lugers.

Cecil, olhando para a frente, com uma das mãos no volante, pôs a mão esquerda no bolso da camisa, o mesmo gesto elegante, cheio de flexibilidade, com que costumava pegar o maço de cigarros. Tirou do bolso uma bala, dizendo: — É dela.

Guardei a Luger. Peguei a arma menor. Era velha, bem lisa.

— Uma belezinha — disse Cecil. — É belga. Um revólver para mulheres. Cabe todinho na palma da mão. Experimente.

Respondi: — Prefiro a Luger.

Guardei o revólver e fechei o porta-luvas. Era assim que eles se divertiam. Cigarros, bebidas, o carro correndo sem direção, o dinheiro desperdiçado com camponeses assustados. E agora as armas.

Era domingo, de manhã cedo, e a praia estava deserta. Do coqueiral escorriam riachos de água salobra sob as árvores caídas na areia. O céu estava cinzento. Não ia fazer sol. Tiramos nossas roupas. Dalip era rechonchudo; em breve se tornaria gordo. Cecil era magro, musculoso, forte, como sempre fora.

O negro tinha um físico de halterofilista. Despimo-nos, mas não entramos na água. Cecil andava de um lado para o outro, e nós fazíamos o mesmo. Como eu conhecia bem aquela inatividade de Cecil! Era a partir de momentos de ócio como aquele que ele criava suas histórias de pândegas em que ele se divertia muito. Cecil levantava areia com o pé e brincava com galhos de coqueiros. O negro o imitava. Dalip catava conchas e ouriços. Porém, mais do que qualquer outra coisa, bebiam. Em pouco tempo entabularam uma conversa cheia de filosofia pueril a respeito do mar. O mar.

Não era meu elemento. No entanto, fazia parte de muitas das minhas lembranças naquela ilha.

De repente, enfiando o dedão do pé na areia, Cecil levantou a vista para mim e disse: — Você não conhecia o Dalip? Sabe quem ele é?

Olhei para Dalip. Sua tranqüilidade desaparecera. Agora havia em seu rosto uma expressão de puro ódio.

Cecil soltou sua gargalhada característica, prendendo a respiração, rinchando — as narinas que na irmã eram tão finas nele eram ligeiramente dilatadas —, e disse, batendo com a mão na coxa: — É seu irmão, sua besta!

Entendi na mesma hora. Não era nada agradável. O tal Dalip era o filho da viúva que vivia com meu pai desde que ele se tornara Gurudeva e fugira para as montanhas. Eu não queria jamais conhecer a viúva nem seu filho, de quem já ouvira falar. Mas este encontro era inevitável e espantava-se que não tivesse ocorrido antes. Nossa comunidade era pequena e nossa elite, toda aparentada através dos casamentos, praticamente endogâmica. Impossível esconder, guardar segredos. Mas naquele momento, olhando para Dalip, flácido e muito pálido, mais uma vez tive aquela sensação de ser obrigado a comer carne crua e beber óleo impuro; e esta sensação de obscenidade eclipsou a vergonha.

Dalip disse: — O filho do guru, hem?

O negro riu.

Cecil encostou-se no tronco embranquecido de uma árvore que havia caído em alguma outra ilha ou continente e fora trazida até aqui, ficando presa na areia. Apertou os lábios e dirigiu-me um olhar firme. Compreendi. Segurava uma garrafa de Coca-Cola pela cintura. O relógio em seu pulso esquerdo era o único adorno em seu corpo nu.

Meu raciocínio disparou. Fixou-se numa palavra. Pensei na Luger, na bala, no revólver belga para mulheres. Era muito cedo ainda. Pensei em uma palavra. Execução. Ela já me ocorrera antes. Nossa comunidade era pequena e, num sentido muito profundo, não reconhecíamos a lei da ilha deserta. Nosso código permanecia íntegro em nossa intimidade. Execução, pois, na areia quente, numa manhã de domingo. Uma questão de família; a coisa poderia permanecer em segredo: não seria a primeira vez que algo assim aconteceria. Um desaparecimento; um corpo destripado descendo para o fundo do mar, além do alcance de um arrastão. No entanto, eu não conseguia acreditar. Seria bobagem agir como se isto fosse mesmo acontecer. Nada havia sido anunciado. Pedi para beber algo. Deram-me rum. Eu teria preferido uísque. Mas bebi o rum assim mesmo. Era muito forte e enjoativo. Constatei, assustado, que me sentia passivo. Era como o rato ou o lagarto hipnotizado pelo gato. Aceitei. Estava disposto a fazer o que exigiam de mim.

Então começou o que percebi ser a provocação. Dalip estava vermelho de álcool, seu rosto estava inchado e as pálpebras pesadas. Levantou areia à minha frente e disse: — O filho do grande líder. Pois vou lhe dizer uma coisa: não acho que ele seja grande líder coisa nenhuma, ouviu? Ele é um patife. Um vigarista. Um vagabundo. Já devia estar na cadeia há muito tempo.

Estranha, aquela provocação. As palavras me deixavam indiferente. Reagi, no entanto, por saber que se tratava de uma provocação.

Cecil, encostado no tronco, a pulseira prateada do relógio tão visível no braço nu, riu, prendendo a respiração. Seu criado riu também.

Comecei a dizer: — Quem é que você pensa que... — Não concluí, cansado demais para terminar de formular e pronunciar a frase.

— Vou lhe dizer uma coisa — prosseguiu Dalip. — Seu pai me deve trinta dólares. *Trinta* dólares.

Quando? Em face da execução, minha impotência, minha aceitação. Quando? Tentei imaginar esta outra vida que meu pai havia criado, esta redescoberta de si e daquelas virtudes que a mulher do missionário vira nele: aquela outra vida, com todas as limitações costumeiras, inclusive talvez um pedido de dinheiro. Por fraqueza, suplicando? Ou por desprezar, como profeta, as coisas a que os homens dão valor?

— Trinta *dólares*.

Meus olhos se encheram de lágrimas. Eu havia de repente assumido a dor de meu pai. Era uma dívida que tinha de ser paga, e imediatamente. Antes que o futuro se definisse. Trinta dólares. Que ninharia! Porém, fora uma ninharia necessária. Fora pedida. Pobre Gurudeva! As lágrimas eram também de humilhação, minha própria humilhação. Apesar da vontade de pagar esta dívida, apagar aquele insulto, eu não tinha comigo a quantia. Assim mesmo corri até o carro como se tivesse o dinheiro. Peguei as notas de um dólar nos bolsos de minha calça. Uns doze dólares. No carro, debruçado sobre o banco com a porta aberta, pensei: a Luger. Entretanto eu não tinha a bala. Lembrei: estava na camisa de Cecil. Mas hesitei em pegar a camisa. Eu saberia carregá-la? E talvez a palavra e o horror só existissem em minha cabeça. A situação era absurda. No entanto, essa constatação não me aliviava. Eu caminharia em direção à morte rindo, e até o fim teria de fingir que ninguém estava pensando em morte. Deixei a Luger no porta-luvas. Voltei correndo com o dinheiro e o ofereci a Dalip.

— Tem menos de trinta dólares — disse ele.

— Eu lhe dou o resto depois.

— Só quero meus trinta dólares.

Joguei as notas a seus pés. Claro — pensei, vendo-as cair na areia seca — que elas vão ficar aí quando tudo isso terminar.

Dalip me deu um soco. Revidei, embora não quisesse brigar. Ele estava bêbado. Cecil e seu criado, agora um ao lado do outro, encostados no tronco, riam. Dalip pulou sobre mim. Era pesadão, descontrolado. Errou e caiu na areia. Pegou um pedaço liso e retorcido de madeira e tentou acertar-me com ele. O pau era pesado demais. Caiu por si só, e eu me safei. Cecil jogou areia em mim. O criado o imitou. Os dois haviam se aproximado.

Disse Cecil: — A Luger. A bala na minha camisa.

E, na verdade, eu não acreditara que ele tivesse mesmo deixado a bala no bolso da camisa. O negro correu para o carro, mas como quem não tem pressa. Parei de lutar. Deixei que Cecil e Dalip me batessem. Jogaram-me na areia, me deram socos e chutes. E mesmo naquele momento eu continuava sem entender direito o que eles queriam.

— Trinta dólares. Seu pai me deve trinta dólares. — Dalip repetia a frase incansavelmente.

E eu pensava apenas: o mar, a areia, as ondas verdes, os vagalhões, os velhos barcos a vela, a música da manhã. Não era meu elemento, e eu ia acabar ali. E de repente vi a nós três, náufragos, perdidos, estrangeiros, degenerados, os últimos de nossa raça naquela ilha, entre árvores caídas e areia, areia muito lisa nos lugares onde ninguém havia pisado nela.

— Um carro — disse o criado de Cecil.

Ouvi as rodas sobre cascas de cocos e areia. Uma porta bateu. Vozes.

Cecil riu e disse bem alto: — Mas afinal, que diabo tem esse sujeito caído na areia?

Numa duna não muito alta, perto do riacho de água salobra, vi uma família de brancos. Fiquei de pé. Dalip também se levantou. Não estava rindo como Cecil e o negro. Ainda estava zangado, ainda reclamando os trinta dólares. Ainda queria continuar brigando. Estava muito bêbado. Cecil e o criado continuavam rindo, representando para os recém-chegados. Fui obrigado a lutar com Dalip. Os recém-chegados olhavam.

— Todos para a água! — exclamou Cecil.

O negro correu para a água. Cecil foi atrás dele, como se o perseguisse de brincadeira. Livrei-me de Dalip e corri atrás dos dois. Ele caiu e não saiu do lugar. A família começou a caminhar pela areia; alguns estavam vestidos, outros de roupa de banho. Após algum tempo, Dalip levantou-se e foi cambaleando até o carro. Abriu a porta e pareceu cair no banco de trás, sobre as roupas e toalhas. Consegui por fim chegar na parte mais funda. As ondas quebravam-se sobre mim, grandes vagalhões — na praia havia uma placa branca, desbotada, com a inscrição *Perigo* em letras vermelhas —, e a cada onda que vinha eu me sentia mais próximo de mim mesmo. Era como voltar de longe, como dizia a gente das montanhas. De onde viera o estado de espírito daqueles minutos anteriores? O mar e a areia. Ah, nunca mais.

Mais tarde encontramos Dalip adormecido, nu em pêlo. Havia tentado se vestir, mas só chegara a tirar o calção de banho. Havia tentado beber ainda mais. A garrafa de rum estava deitada, sem rolha, quase vazia; nossas roupas estavam encharcadas de rum, cheirando a rum. Aparentemente, Dalip havia tentado também voltar para casa a pé. Seguimos sua trilha pela areia quente e seca entre os coqueiros, até chegarmos à estrada. O asfalto estava cheio de calombos e sulcos e buracos, esverdeados ao fundo, nos quais havia água empoçada. Ele caminhara uns quinze metros e caíra. Carne mole e pálida, rosto inocente e machucado, sexo ridículo e flácido. Carregamos Dalip até o carro e o vestimos.

Voltamos a toda. O carro estava molhado, cheio de areia, cheirando a rum. Largamos Dalip em sua casa. Era uma estrutura de concreto grande e feia, de dois andares, pintada com cores berrantes. Vi gravuras de divindades hinduístas e retratos do Mahatma Gandhi na varanda do segundo andar. Quando chegamos em casa, ainda estavam lendo os jornais e o almoço ainda não fora servido. Ainda era manhã; nossa aventura fora rápida. Cecil só falou na bebedeira de Dalip. Não mencionou mais nada.

Ainda restava uma dúvida em minha cabeça. Até hoje a dúvida permanece. Dalip telefonou no dia seguinte e me pediu desculpas. Sua voz era suave e cativante. Disse-lhe para não se preocupar. Mas fiz questão de evitá-lo. Voltamos a nos ver anos depois, quando nós dois já havíamos morado no exterior e voltado. Àquela altura, a questão já estava morta e enterrada; tudo havia sido resolvido, inclusive os trinta dólares.

Nunca mais voltei à casa de Cecil. Nunca mais voltei a ver Sally. Alguns meses depois, ela foi estudar numa faculdade para moças nos Estados Unidos. Eu sabia que ela jamais voltaria a Isabella. Assim, Sally partiu para a contaminação do mundo maior e foi absorvida por ele. E eu estava livre para fazer o mesmo. Sentia-me tão vazio como no momento em que fomos descobertos. Fui para meu escritório escrever meus certificados, e toda a tristeza que eu sentia afundou no vazio em que eu já vivia há algum tempo. O vazio permaneceu.

Voltei a ter notícias da Luger, porém.

O pai de Cecil comprou um cinema no interior. Foi a última coisa que comprou. Não era nenhum grande investimento para ele, e creio que no fundo de sua consciência encontrava-se a idéia — um ascetismo pervertido — de que o que era frivolidade para o resto do mundo era para ele trabalho. No final de sua carreira voltava, de certo modo, agora com absoluta segurança, a "encher garrafas com um funil". Creio que foi também seu último ato de devoção: o cinema exibia principalmente filmes indianos.

O cinema virou um brinquedo para Cecil. Era igualzinho à Coca-Cola: acesso ilimitado a uma delícia pela qual o resto do mundo tinha de pagar. Era também mais um lugar para ir de carro. Vivia entrando e saindo do cinema com seu criado, atormentando o gerente; dava-lhe prazer ser reconhecido na aldeia como o dono do cinema. Uma noite chegou bêbado, quando o filme já havia começado, e deu ordem ao gerente de acender as luzes. Ouviram-se gritos no *hall*. Ele entrou, de Luger na mão, seguido pelo criado. Subiram no palco. Os dois vultos interceptaram a luz do projetor, lançando sombras enormes sobre a tela. Cecil deu um tiro no chão e outro no teto. — Vão embora! Peguem seu dinheiro de volta e vão embora. — Algumas pessoas formaram fila à porta do escritório do gerente, mas a maioria simplesmente foi para casa. As luzes foram apagadas novamente. E lá ficou Cecil, os pés no banco a sua frente, a Luger no colo, assistindo ao filme, só ele e o criado, que não entendia a língua.

Quem me contou essa história foram minhas irmãs. Elas continuavam morando na casa. Lá, continuavam se encontrando com os jovens que haviam se tornado seus noivos. Para elas, Cecil agora era só uma parte da atmosfera de seus namoros, e este episódio era apenas mais uma das histórias de Cecil, como aquela famosa, dos tempos da infância, a respeito dos engradados de Pepsi-Cola no piquenique.

Jamais se dissiparam minhas dúvidas sobre o ocorrido naquela manhã de domingo na praia. A revelação, a surpresa, porém, do incidente fora a solidariedade súbita e profunda que eu sentira em relação a meu pai. Pobre Gurudeva! Ali, na praia, eu me sentira solidário com seu poder, sua loucura, sua humilhação. Trinta dólares. Dia viria em que para mim pagar aquela quantia dez mil vezes seria fácil. Mas jamais me esqueci.

6

Logo após o fim da guerra, morreu o pai de Cecil. A decepção que Cecil representara para ele ficou patente na herança, a qual, ao contrário do que se esperava, dispersou seus bens. À minha mãe, ele legou o bastante para que ela pudesse se considerar rica. Deixou também quantias razoáveis para mim e minhas irmãs. Deixou-me também umas terras sem valor, que tentei em vão vender. Se Cecil ficou melindrado, não demonstrou seus sentimentos. Meu avô costumava dizer, primeiro com orgulho, mais tarde com resignação, que Cecil nascera para dar coisas de graça. E com razão. Em dois anos, Cecil arruinou a Bella Bella e perdeu a concessão da Coca-Cola. Mas mesmo assim, pelo que ouvi dizer, não perdeu nem um pouco a linha: dramatizou seu declínio, passou a considerar-se uma vítima inocente do destino, deleitando-se com as lembranças dos bons tempos de sua infância.

A última vez que o vi antes de partir de Isabella foi numa manhã de segunda-feira, na rua principal da cidade. Ele saiu correndo de um bar e me chamou para tomar uma cerveja com ele. Demonstrou uma amizade tão pura e ansiosa que não pude resistir ao convite, embora ainda não fossem onze horas. Ele trajava uma camisa de um branco reluzente e uma gravata. Não era seu traje costumeiro. Disse que estava indo para o banco. — Preciso de uns trocados — disse ele, em voz bem alta. Com a mão esquerda segurou o copo, cheio até o meio, bem perto da base, e com ele bateu com força no balcão. — Vou pedir a eles duzentos e cinqüenta mil dólares. Duzentos e cinqüenta *mil* dólares, rapaz. — Cecil grunhiu. Não acreditei naquilo, achei que ele estava apenas querendo impressionar o *barman*. Mas eu estava preocupado com a Bella Bella. Cecil disse também que ia haver algum tipo de cerimônia religiosa para seu pai na casa.

Queria que eu fosse lá. Eu disse que iria. Não era verdade, não tinha nenhuma intenção de ir, e ele o sabia. A casa, que agora era dele, não era mais o lugar para onde eu fugia: nela não havia mais o *glamour* da Coca-Cola, nem a segurança proporcionada pelo chão bem plano.

Podem me considerar indelicado. Considerem-me também, no entanto, um homem de sorte, na medida em que, numa época de mudanças, eu não precisava mais buscar segurança em tais coisas. Finalmente eu estava prestes a partir. Havia escrito para faculdades em diversos países e fora aceito pela Escola em Londres. Muitas outras pessoas, de todos os tipos, estavam partindo também; eu constatava agora que aquela ambição não era exclusivamente minha. A guerra fizera com que o mundo ficasse mais perto de nós: os engarrafamentos em Liège, as encostas brancas das Laurêntidas, as paisagens que a imaginação havia criado com base nos desenhos de H. M. Brock num livro de francês. Agora estavam oferecendo um número um pouco maior de bolsas de estudo. Browne conseguiu uma delas. Ia para Londres, estudar línguas: uma decepção para a família, que queria um profissional liberal. Nunca mais ouvi falar de seu romance. Eden candidatou-se a uma bolsa de estudos para estudar jornalismo no Canadá e por um triz não a obteve, o que horrorizou a todos nós. Seu fracasso não o preocupou muito; contentava-se em estudar o movimento de navios e passageiros para seu jornal. Hok não tentou ganhar nenhuma bolsa: havia caído numa espécie de letargia, e, além disso, dizia-se que estava apaixonado.

De vez em quando eu encontrava com Deschampsneufs. Continuava trabalhando no banco e continuava pintando. Não tinha nenhum plano no sentido de viajar no momento. Dizia que ainda não se sentia preparado para ir para Quebec ou Paris. Dava-me a impressão de estar gozando sua reputação de ''radical'' em Isabella. Havia causado sensação em nossa Associação Artística ao pintar um burro vermelho contra um céu verde, ou um burro verde contra um céu vermelho. O jornal recebera cartas a favor e contra, citando nomes famosos de todo tipo e, com isso, Champ se tornara conhecido. Continuava me tratando como uma pessoa "séria"; tínhamos conversas intelectuais. Creio que nós dois nos deleitávamos com a idéia de que caminhávamos por aquela cidade colonial decadente falando sobre arte e filosofia. Ele andava se interessando por religião e me considerava um perito, por um motivo que eu não achava nada lisonjeador — parecia ser um curioso tributo a meu pai —, eu, porém, fingia falar com a autoridade que ele exigia. Estas conversas eram um tanto forçadas; creio que nós dois sempre ficávamos um pouco aliviados quando elas terminavam.

Cerca de um mês antes de minha partida, nos encontramos por acaso num café na hora do almoço. Trocamos umas idéias. Então Deschampsneufs disse: — Gostaria que você pudesse passar lá em casa antes de ir embora.

Fiquei mortalmente constrangido. Ele falava como se soubesse que um convite para ir a sua casa era algo que muita gente na ilha gostaria de receber. Falava também como se soubesse que estava se arriscando a ser humilhado, pois ninguém gosta de humilhar mais do que os oprimidos e impotentes que se vêem subitamente cortejados. E, por fim, ele falava como se pedisse que estas duas considerações fossem postas de lado. Seu convite era uma proposta de reconciliação, uma maneira de selar nossa cerimoniosa amizade de intelectuais.

Eu não queria ir a sua casa. Só podíamos nos encontrar e ficar à vontade em território neutro. Mas eu não queria dar a impressão de que o estava humilhando. Resolvi ganhar tempo.

— Como está a videira? — perguntei.

— Aconteceu uma coisa estranha. Foi atacada pelas formigas.

O convite pairava no ar.

— Que dia seria mais conveniente? — perguntei.

Combinamos uma tarde.

Eu havia desistido daquela ilha. Mas uma família, principalmente se está em casa, consegue impor-se como uma concepção, e foi esta concepção que se impôs a mim quando fui à casa de Deschampsneufs. Seus pais estavam lá, e também sua irmã mais nova, Wendy. O pai era moreno e atarracado; a mãe era pálida e magra, totalmente desprovida de ancas, com um rosto gasto e anguloso. Wendy era tão magra quanto a mãe, mas sua feiúra era mais simpática. Estava naquela fase da infância de se esfregar nas pessoas, apertálas, exibir-se para elas. Subiu em mim e em minha cadeira, plantou bananeiras, tentou de todos os modos atrair a atenção. Disseram-me que houvera certa dificuldade em matriculá-la na escola.

Disse a sra. Deschampsneufs: — É uma criança muito inteligente, só que não é o que pensam aqui. Levei-a a um psiquiatra quando estive em Nova York.

Demonstrei interesse. Eu mais ou menos acreditava que os psiquiatras só existiam nos cartuns.

— Ele disse que ela era acima do normal. Q. I. muito alto.

Wendy estava plantando bananeira numa poltrona na outra extremidade da sala.

— E olhe que ele não sabia nada sobre nossa família, nada disso.

Nas paredes havia fotos de vários membros da família, inclusive uma que me pareceu ser do grande Deschampsneufs, líder do homem desvalido em 1877. Havia também um enorme retrato a óleo de uma mulher com trajes do início do século XIX. A pintura parecia nova e reluzente, e achei-a terrivelmente malfeita. Também havia fotografias de grupos de pessoas; fotos do interior da França; um ou dois castelos franceses; e meia dúzia de gravuras velhas, com molduras também velhas, representando cenas de Isabella: gente aportando em praias batidas por ondas e sendo levada à terra por negros nus, florestas, uma cascata, negros de chapéu de palha e calça listrada até o joelho, rolando barris de rum. Em uma parede encontravam-se as fotos para as quais eu evitava olhar: cavalos de corrida, um deles Tamango, certamente.

— Soube que você vai para a Inglaterra — disse a sra. Deschampsneufs. — Não sei se você vai gostar. — Seu sotaque foi, aos poucos, tornando-se mais vulgar, até que começou a falar como uma mulher do povo. Achei que ia fazer algum comentário sobre a chuva ou o frio. O que disse, porém, fazendo uma careta, foi: — *Whitey-pokey*.

O marido levantou a mão, um gesto de leve censura.

Fiquei envergonhadíssimo. Aquele termo era usado pelos negros da rua para se referir aos brancos. Para mim, suas conotações eram tão obscenas quanto seu som. Eu não sabia se era eu que sempre havia entendido erradamente aquela expressão ou se a sra. Deschampsneufs, tentando ser vulgar, fora longe demais.* Para os negros da rua, ela própria era muito *whitey-pokey*. Todavia, o termo parecia lhe agradar. Ela o empregou de novo. Ocorreu-me que a sra. Deschampsneufs talvez estivesse tentando mostrar que também tinha um lado popular: estaria afirmando, perante um homem que ela considerava político e nacionalista, que se sentia em casa em Isabella tanto quanto qualquer outra pessoa, talvez até mais

(*) *Pokey* é um termo coloquial com diversos sentidos, todos pejorativos, e está associado a *poke*, que significa "cutucar", e na gíria também pode ter a acepção de "copular com". (N. T.)

do que qualquer outra. O que ela disse em seguida confirmou esta minha impressão.

— É claro que talvez seja só por eu ser francesa. Mas não pense que um isabelense pode se dar bem com aquela gente. Nós somos diferentes. Este lugar é um paraíso, meu rapaz. Você vai chegar a esta conclusão por si só.

— Você gosta de música? — perguntou-me o sr. Deschampsneufs.

Em resposta, produzi um ruído que deixou a questão em aberto.

Ele se levantou e, com Wendy agarrada a suas pernas e tentando impedi-lo de andar, foi até a estante. Abriu a porta de vidro e pegou dois cartões numa prateleira.

— São ingressos para o concerto na Prefeitura. Nós não podemos ir. Champ não gosta de música, e acho uma pena eles serem desperdiçados. Não é todo dia que a gente ganha uma coisa dessas.

— O Roger vive recebendo esse tipo de coisa — disse a sra. Deschampsneufs.

— Tome — insistiu o marido.

— Senão ninguém vai usar —disse ela.

Bem, aceitei os ingressos.

A sra. Deschampsneufs perguntou-me o que eu pretendia fazer em Londres. Falei-lhe sobre a Escola. Mas ela estava interessada em detalhes. Queria saber o que eu faria aos domingos, por exemplo. Eu não sabia o que ela queria que eu dissesse. Ela insistiu. Mas eu não quis confessar minhas fantasias.

Disse ela: — Imagino que você vá voltar com uma esposa *whitey-pokey*.

— Mas por que você quer se meter na vida de todo mundo? — disse o marido.

— Vou lhe dar um conselho, meu rapaz. Acredite em quem já conheceu o mundo: não faça isso.

Com essa, saiu da sala.

— O que você pretende fazer quando voltar? — perguntou-me o sr. Deschampsneufs. — Não vejo muito campo aqui para o que você pretende estudar lá.

Mas eu ainda estava pensando na sra. Deschampsneufs. Ela fora um pouco agressiva, e pensei: meu Deus, ela foi agressiva porque para ela eu já sou uma pessoa que foi embora, que não precisa mais se sujeitar às leis da ilha.

— E quem é que está querendo se meter na vida dos outros agora? — disse Champ. — Por que você acha que todo mundo sempre fica doido para voltar para cá?

— Ah, eu sei, todos nós queremos ir embora, eu sei — respondeu o pai. — Mas é gozado, isso de terra natal. Meu bisavô, até meu avô, eles viviam dizendo que iam embora para não voltar mais. Iam. Mas sempre voltavam. Sabe, você nasce num lugar, é criado nele. Você passa a conhecer as árvores e as plantas. Você nunca mais vai conhecer outras árvores do mesmo jeito. Você cresce vendo goiabeiras, por exemplo. Você conhece bem a casca de goiabeira, que se solta igual tinta velha. Você tenta subir nessa árvore. Depois de tentar umas vezes você já sabe que a casca fica tão lisa e tão escorregadia que não dá para se firmar. Você sente aquela cócega no pé. Ninguém precisa lhe explicar o que é uma goiabeira. Você viaja. Aí você pergunta: "Que árvore é aquela?". Alguém lhe diz: "É um olmo". Você vê outra árvore e pergunta. Alguém lhe diz: "É um carvalho". Bom, você agora sabe. Mas não é a mesma coisa. Aqui você fica esperando o *poui* florescer numa certa semana do ano, e você nem se dá conta de que está esperando. Está bem, você vai embora. Mas um dia você volta. É a terra natal, homem, a terra natal. E esta ilha é um paraíso, você vai descobrir isso.

— Eu não vou voltar — respondi, sentindo que ele estava tentando me arrastar de volta para seu mundo, onde ele se sentia seguro. Mas o sr. Deschampsneufs não ficou desconcertado.

— É o que eu sempre digo. Vocês que são lá do Oriente, dessas civilizações antigas e coisa e tal, vocês só enxergam longe. Vocês desistem logo. Justamente o contrário dos nossos irmãos africanos. Esses só vêem de perto. Não enxergam o futuro, e não têm passado para contemplar. É por isso que, infelizmente, acho que os nossos amigos africanos não vão conseguir muita coisa. Fazem muito barulho, mas só vêem de perto. Vou lhe contar uma. Esses que vivem no mato na América do Sul, quando matam algum bicho, um veado ou seja lá o que for, eles sentam e comem tudo ali mesmo. Não guarda nada pro dia seguinte, né? — Deu um risinho quando assumiu o sotaque do homem da rua.

— O senhor se refere aos *bush-negroes*? — perguntei.*

— Os índios. — Ele riu de novo. — Ameríndios. Os bugres, sabe? Mas é a mesma coisa: só vêem de perto.

Claramente, aquela era uma de suas teorias favoritas. O exemplo por ele citado, do festival do veado sul-americano, dava a impressão de ser um fato tantas vezes utilizado em discussões que já se transformara em mito. Lá a sua maneira, o sr. Deschampsneufs era um perito em assuntos raciais. Tinha amplos conhecimentos na área, e por vezes demonstrava saber de coisas que eu julgava serem conhecimentos exclusivos meus, de tão recônditos. Os nomes de livros por ele mencionados mostravam que se tratava de um aficionado de teorias raciais. Rejeitava as classificações raciais tradicionais, por achá-las grosseiras. Propunha, em seu lugar, uma classificação tríplice: raças de visão curta, como os africanos, que permaneciam no estado natural; raças de visão de longo alcance, como os indianos e chineses, obcecados

(*) Descendentes de escravos africanos foragidos que vivem nas florestas do Suriname. (N. T.)

por concepções de eternidade; e as de visão média, como a sua. Estas eram as que construíam coisas, eram as sobreviventes.

— Nada de grandes filosofias, mas a gente sobrevive. Meu Deus, quantas revoluções? — Fingiu estar contando. — A Revolução Francesa, para começar. O que aconteceu? Viemos para estes lados, para a ilha de São Domingos. E lá houve aquela revolução. Não vamos falar no Haiti. Dez anos gloriosos de revolução, etcétera e tal, mas nunca se fala nos cento e trinta, cento e quarenta anos que vieram depois. Não vamos falar no Haiti. Seja como for, depois viemos para cá. *Tonnere!* Mal chegamos aqui, nossos amigos ingleses assumem o poder. E veja no que deu. Ouça meu inglês com esse sotaque isabelense vulgar. Já o Champ mal sabe falar francês.

Era verdade. O francês de Champ era horrível.

— Mas ainda continuamos aqui. Aquela senhora lá — e apontou para o péssimo retrato a óleo — era uma ancestral deste rapaz aqui.

— Mas não de você — disse Champ. Parecia uma pilhéria de família.

— Ela nasceu em São Domingos. No começo até que as coisas não iam tão mal, nos tempos de Toussaint. Mas depois, como você sabe, viemos todos para cá. Ela era criança ainda. Quando estava com uns quinze anos, foi a Paris. Para se instruir, conhecer gente. Você sabe. Era muito bonita, como se pode ver. Era também um bocado assanhada. Acho que isso também dá para se perceber. Muito popular, muito requisitada, você sabe. Costumava ficar na casa de uma mulher chamada Clémentine Curial.

Eu não conhecia aquele nome.

— O marido era general, um conde. Do tipo que eu chamo napoleônico. Tinha um sujeito que freqüentava a casa. Um sujeitinho feio, que falava pelos cotovelos. E além disso não tinha muito dinheiro, não. Quarentão, e vivia escrevendo umas coisas que ninguém queria ler. Biografias, relatos de viagens, essas coisas. Um sujeito baixinho, gorducho. E sabe o que aconteceu? Ela — e apontou para o retrato — se apaixonou por ele. O nome dele era Henri Beyle.

Manifestei surpresa. O sr. Deschampsneufs levantou a mão espalmada, aplaudindo meus conhecimentos, porém pedindo que eu o deixasse continuar falando.

— Quando ela voltou para Isabella, tinha um maço de cartas de Henri Beyle. É claro que não chegou a acontecer nada. O tal do Beyle falava muito de amor, mas não era muito de fazer. Um dia, acho que foi em 1831, ainda muito antes da Abolição, ela recebeu um livro de Paris. Chamava-se *Le Rouge et le Noir*. Na folha de guarda, Beyle havia escrito o número de uma página. Ela abriu o livro nessa página e viu que dois parágrafos curtos estavam marcados. Depois de ler os dois parágrafos, ela rasgou todas as cartas de Henri Beyle e destruiu o livro.

Havíamos estudado *Le Rouge et le Noir* na sexta série. Eu não gostara do livro. A linguagem me pareceu vulgar, e o enredo, simples e irreal, mais uma história de fadas do que uma história sobre gente de verdade. Disse isto ao sr. Deschampsneufs.

— É, o livro não pode senão dar esta impressão a nós aqui em Isabella. Não temos marqueses nem nada semelhante por aqui, nada como a sociedade deles. E a gente não consegue entender um homem como Julien ou o marquês de la Mole. Mas, seja como for, dizem que é um grande livro.

— Eu sei. Tive que escrever composições sobre ele. Quais eram os parágrafos que Stendhal assinalou?

— Os parágrafos. Você conhece bem a história? Lembra quando Julien sobe até o quarto de Mlle. de la Mole à noite? — Foi até a estante e pegou um livro, que se abriu com facilidade na página desejada. — Julien acaba de jogar a escada e a corda nos canteiros. Lembra?

— Foi esse o tipo de coisa de história de fadas que eu não gostei.

— Sei, sei. — Começou a ler o trecho: — *Et comment moi m'en aller? dit Julien d'un ton plaisant, et en affectant le langage créole.* — O sr. Deschampsneufs usou o sotaque adequado. — Como você vê, de repente o Beyle faz uma referência ao francês crioulo. Sem mais nem menos. É um momento importante da história, e ele faz uma coisa dessas. E aí ele diz o seguinte, entre parênteses, veja bem: *Une des femmes de la maison était née à Saint-Domingue. — Vous, vous en aller par la porte, dit Mathilde, ravie de cette idée.* Sem mais nem menos. Um diálogo em francês crioulo. Apenas uma brincadeira que só ela entenderia. E a graça da coisa é que ele havia trocado exatamente aquelas palavras na casa de Clémentine Curial com a mulher daquele retrato ali.

Aquilo me causou profunda impressão. Senti que a narrativa do sr. Deschampsneufs tornara o passado mais próximo. Era possível acreditar numa ligação entre nossa ilha e o mundo maior. Meus sonhos tornavam-se absurdos. O mundo exterior perdia o que tinha de lendário e era reduzido a algo compreensível. Grandes personagens tornavam-se mais próximos. Um escritor considerado grande transformava-se num homem simples, gordo, de meia-idade e irônico. E a proximidade enaltecia, não diminuía.

— Toda uma vida. E isto é tudo que resta. Um aparte num romance, uma frase entre parênteses. Algo de afetuoso, algo de debochado. *Femme de la maison.* Não é verdade, nem elegante. O que você acha disso? Quanto a você, não sei, mas acho que eu nem isso vou deixar nesse mundo. Essa tal de imortalidade é uma coisa engraçada. Nunca se sabe quem é que vai consegui-la. Quantas pessoas que leram esse livro param para pensar no que eu acabei de lhe dizer, hem? Ela rasgou todas as cartas. Acha que ela teve razão de se sentir insultada?

Outro assunto que lhe era familiar, certamente. E, tal como ocorrera com o primeiro, não participei da discussão. Pouco depois fui embora. Champ me acompanhou por parte do caminho. Perguntei-lhe se era mesmo verdade aquela história de sua ancestral e Stendhal. Respondeu ele: — Meu pai se mataria se descobrisse que não é verdade. Acho que *Le Rouge* foi o único romance que ele leu na vida.

Era mais um fim de tarde isabelense; o sol já havia se posto; vento fresco, céu em chamas para os lados do oeste, com nuvens pintadas de vermelho, e contra este fundo de esplendor efêmero destacavam-se as palmeiras altas e os *samans* cheios de galhos, negros, porém com laivos de tons mais profundos, mais quentes. Com Stendhal e a ancestral e o francês crioulo de São Domingos na cabeça, vi a cena como se eu já não estivesse nela, como se ela ocorresse em minha memória, num livro.

— Aquele retrato da sua ancestral é antigo?

— Não fique cheio de cerimônia comigo. Foi feito por algum pintor da Flórida, de Minnesota ou coisa que o valha. Ele pinta a partir de fotografias, e meu pai lhe enviou um desenho ou algo assim. Tem um outro, se você está interessado, no quarto dos meus pais. Fui eu que fiz com que eles o botassem lá. Num prato de porcelana.

Eu estava levando comigo mais do que uma história sobre Stendhal e a mulher. Levava também a lembrança da maneira absurda como terminou aquele encontro. Teria o velho Deschampsneufs realmente não percebido que eu lhe oferecia a mão para apertar a sua? Tentei duas vezes, e quando por fim ele me estendeu a mão, foram só dois dedos. O que havia de gratuito naquele insulto me pegou de surpresa. Era como se um homem desconhecido, por quem eu passasse na rua sem sequer ver, de repente me agredisse e seguisse em frente. Uma coisa tão íntima! Tão inesquecível! E ao caminhar por aquela paisagem terrivelmente artificial que Browne me revelara, enquanto Champ falava, eu ia pensando comigo: Você não está interessado naquilo que eles representam nem no que são, e eles nada têm a lhe oferecer. Você está prestes a partir, você já partiu: a mãe de Champ percebeu isso. Por quê, ao reconhecer o inimigo, você não o matou imediatamente?

Sempre subestimamos ou superestimamos nossa própria força. Recusamo-nos a machucar e desperdiçamos assim nossa posição de vantagem. Criamos problemas para o futuro. *Le Rouge*. No colégio, chamaram nossa atenção para a inteligência de Stendhal ao fazer Julien, logo no início do livro, confundir com sangue a água que vê no chão de uma igreja. Isto me parecera um efeito grosseiro. Mas agora, sentindo-me próximo de Stendhal, olhei para o céu vermelho e vi sangue. E, no entanto, estava contente por ir embora. Não desprezemos o melodrama e o estilo: são necessidades humanas. É muito fácil transformar aquela paisagem, que para nós é algo banal por vivermos nela e nos tornarmos parte dela, numa paisagem de campo de batalha.

Faltava ainda fazer uma viagem antes de minha partida. Precisava visitar meu pai. Alguns meses após o fim da guerra ele fora solto. Durante alguns dias, os jornais se interessaram pelo caso. Também se interessaram alguns dos políticos do novo tipo criado pela Comissão Real, empresários e empreiteiros que viam na política um prolongamento potencial de seus negócios particulares. Estes homens achavam que a aprovação de meu pai ainda era importante. Meu pai, porém, não correspondera a seu interesse, e eles se afastaram. Meu pai não voltou para seu acampamento nas serras do leste. Escolheu uma floresta no sudoeste, perto do mar. Também eram terras da Coroa. Mas o governo, felizmente, não o molestou.

Fui com dinheiro no bolso. Tinha uma dívida a saldar. O acampamento de meu pai ficava numa clareira perto de uma trilha. Era uma clareira feia, uma ferida na mata. Ele ou os discípulos que ainda o acompanhavam haviam transformado o trecho de chão entre os tocos de árvores em lama; e sobre a lama haviam colocado tábuas e troncos de coqueiro para se poder andar sem pisar nela. Não haviam derrubado todas as árvores até a praia. Uma fina cortina de mata ocultava o mar, como se aquela vista fosse indecorosa. Numa extremidade da clareira ficava a cabana de Gurudeva, com paredes de barro e telhado de sapé. Sobre uma elevação do terreno havia um toco de árvore, no qual fora construída o que parecia ser uma réplica em miniatura de sua cabana. Haviam retirado todas as ervas e o capim desta elevação, e a lama fora alisada. A cabana em miniatura era claramente uma espécie de santuário. Eu não esperava uma infantilidade como aquela da parte de Gurudeva. Era preferível o líder do populacho do que aquele homem acabado, de barba mal cuidada, envolto num manto amarelo, que, ignorando-me, foi até seu santuário e redispôs pedacinhos de pedra, conchas, folhas, raízes e um coco. O coco parecia particularmente importante. Ele havia inventado tanta coisa. Suas invenções eram tão brilhantes. Teria perdido seu dom?

Fui até a cabana maior. Uma mulher vestida de branco me saudou. Ela me reconhecera, e eu sabia quem ela era. Só eu fiquei constrangido. Dirigi-me a ela: — Vou-me embora da ilha para sempre. Vim para vê-lo antes de partir.

Ela me respondeu em hindi: — Então vieste para ter uma visão dele? — Usou uma palavra com fortes conotações religiosas: *darshan*.

Eu não queria mentir. Não disse nada, submetendo-me, tal como fizera na casa dos Deschampsneufs, à concepção que a mulher fazia de si própria, da santidade do homem a quem servia, da santidade daquele lugar. Ela estava além de qualquer acusação de ordem sexual: fora este tipo de acusação que eu temera.

Disse ela: — Hoje é seu dia de silêncio. Ele abandonou o mundo. Tornou-se um verdadeiro *sanyasi*.*

Um *sanyasi* de manto amarelo no meio do mato! Uma floresta cheia de cantos arianos, aqui numa ilha cercada por um mar de um verde turvo. Hoje era seu dia de silêncio. Quando voltou do santuário para a cabana, ele me saudou sem reconhecer-me de início. Mas depois me abraçou. Lembrei-me da outra vez em que ele me abraçara, no dia em que me levou no quadro de sua bicicleta. Estava meigo e silencioso. Foi para dentro da cabana. A simpatia que me restava era pela figura que ele representava. Gurudeva, *asvamedha*: eram estes os momentos inspirados, o cumprimento, ocorrido em algumas semanas, de uma promessa que fermentara por muito tempo.

No entanto, eu viera também para saldar uma dívida. Na verdade, não havia como saldá-la, mas o gesto era necessário. Disse eu à mulher: — Gostaria de deixar isto para Gurudeva. — Entreguei-lhe um maço de notas, um total de cem dólares. Em seguida, dei-lhe três notas de dez dólares. — Meu pai pediu esse dinheiro emprestado a seu filho Dalip. — Vestida de branco, a cor da pureza, a mulher aceitou o dinheiro sem demonstrar surpresa.

Depois fui caminhar na praia. A costa aqui era virgem e suja. Às vezes a água vinha cheia de uma espuma amarelada e lodosa. A praia estava coberta de pedaços de madeira e outros detritos vindos dos grandes rios sul-americanos, cujas águas doces e sujas, no período da cheia, chegavam até a ilha. A areia era escura, cheia de seixos, cortante. Outro dia

(*) Santo mendicante. (N. T.)

nublado, nuvens tão sujas e revoltas quanto o mar e a praia. Caminhei. A floresta das terras da Coroa dava lugar a um coqueiral decrépito de alguma propriedade decadente. Os troncos estavam cobertos de manchas alaranjadas e, por trás das árvores, viam-se as casas brancas de madeira, onde moravam os empregados, têmpera branca riscada pela ferrugem salgada que escorria dos velhos telhados de zinco. Havia um carro na praia. E na água rasa, formando um grupo apertado, como se para proteger-se da imensidão do céu e do mar, havia uma família de brancos, que parecia conter apenas mulheres e meninas. Um homem, que claramente fazia parte do grupo, estava em pé na areia. Um homem carregado de mulheres. Caminhamos um em direção ao outro.

— Você esteve no acampamento de Gurudeva? — disse ele, com um sorriso de conspirador.

— Estive com ele agora mesmo. Sou o filho dele.

— Ah! O Deschampsneufs me disse que você o visitou.

— O filho dele me convidou para tomar chá.

Não tinha mais de quarenta anos, mas tinha aquela aparência desgastada própria de um homem que encontrou seu lugar ainda jovem e já pode contemplar uma estupenda experiência acumulada durante vinte anos.

— O que você achou do velho Des? — perguntou ele.

— Um bom sujeito.

— Ele lhe falou da ancestral dele?

— Falou.

— Pobre Deschampsneufs.

— Não entendo como alguém pode chamar Deschampsneufs de pobre.

— Chega a ser patético. Essa mania de ser francês.

— Eu sei.

— Mas, como você bem sabe, o rio Níger é afluente do Sena.

A frase saiu pronta: já fora usada antes. Senti-me sufocado. Eu queria ar fresco. Queria estar entre pessoas com medos maiores.

— O Des me disse que você ia para o estrangeiro prosseguir nos seus estudos. — Ele usou a expressão jornalística. Seu cabelo ralo caía encacheado e úmido sobre a testa amarelada, acima dos olhos que, por trás dos óculos, pareciam vazios. — É estranho, mas, sabe, nunca estive no estrangeiro. Todos os meus amigos viajam e voltam dizendo como se divertiram. Mas eu observo que todos eles voltam. Vou lhe dizer uma coisa, rapaz: este lugar é um paraíso. — De novo aquela palavra. — Imagino que você vai fazer como todos os outros e voltar com uma *whitey-pokey*. — Aquela palavra de novo.

O homem levou a mão à testa para recolocar no lugar a mecha rebelde. Examinei suas veias. Eram como um mapa hidrográfico. *Whitey-pokey*: eu aprendera a ler aquela palavra. O Níger era afluente do Sena, no paraíso. Ar fresco! Fugir! Para medos maiores, homens maiores, terras maiores, continentes com montanhas de oito quilômetros de altura e rios tão largos que não se pudesse ver a outra margem, viagens que levavam dois dias e uma noite. Adeus àquele mar impuro que me cercava!

Meus amigos do Colégio Imperial organizaram um jantar de despedida para mim. Aquele gesto me emocionou. Era agradável descobrir que, apesar de tantos relacionamentos tumultuados, eu tinha amigos que queriam comemorar minha despedida. Agradável demais; perturbador demais. Quando Hok veio para me levar em seu carro até o restaurante, dei alguma desculpa. Eu não conseguia explicar por que, no último minuto, eu não queria mais ir. Foi um impulso infantil, sem dúvida: medo da grande ocasião, medo do carinho e da amizade, um sentimento de inferioridade corrosivo, a vontade de ficar sozinho com aquela mágoa súbita e sem nome. Não sei. Assim que Hok saiu, levando minha desculpa para os outros, senti-me envergonhado e arrependido. Na manhã seguinte ele me trouxe o livro que eles iam me dar. Continha todas as assinaturas de meus colegas, caprichadas, cada vez mais rebuscadas. *Fête champêtre: As Pinturas de Watteau e Fragonard*. Concluí que quem escolhera o livro fora Deschampsneufs.

Foi somente no navio, já bem longe de Isabella, que encontrei uma estreita tira de papel entre as páginas. Nela vinha uma mensagem escrita a máquina, não assinada: *Algum dia nos encontraremos, e algum dia*... Suspeitei que fosse de Hok, por ser datilografada e por ser o tipo de papel usado nas redações dos jornais. Era como aquele último almoço de família organizado por meu pai. Afinal de contas, têm lá seu mérito as ocasiões montadas, os sentimentos formais. Chegou a mim no oceano, esta mensagem pontuada com reticências, que me dizia que todas as minhas idéias de naufrágio eram falsas, dizendo-me isto contra minha vontade, dizendo-me que fora eu mesmo que criara meu passado, que minha felicidade ou infelicidade já estava mais ou menos determinada.

Eu pensava em Colombo, enquanto hora após hora, dia após dia — sem nenhuma pausa à noite, o que de certo modo eu havia imaginado — atravessávamos aquele oceano imenso. O vento arrancava das cristas das ondas vapores riscados de arco-íris. A luz do sol morria aos poucos; os arco-íris desapareciam. Pensei naquele mundo que, à medida que ia se afastando de mim, tornava-se cada vez menos descoberto, cada vez menos real. Não havia mais lugar para temores ridículos: eu nunca mais ia voltar.

E vejam-me então, apenas quatro meses depois, no sótão de uma pensão chamada de hotel particular nos arredores de Kensington High Street, segurando a foto de uma moça e rezando por um pouco de imortalidade, uma profilaxia contra a catástrofe maior, o naufrágio maior que já me sucedera.

7

Naquela época, eu desejava voltar tão íntegro quanto eu saíra de lá. Mas, embora raramente seja possível começar de novo e o mundo continue sendo uma construção toda nossa, partir é partir. É uma fratura; a cada vez é necessário recolocar os ossos no lugar. Eu estava em Londres, esperando pela saúde, tendo Sandra como minha sorte, quando soube que meu pai havia morrido. A notícia veio numa carta cuidadosa de minha irmã. Fui à sala de leitura do Conselho Britânico, lugar que não freqüentava há muito, para ler os jornais isabelenses. O evento que não obteve sequer um parágrafo nos jornais londrinos merecera manchetes no *Inquirer*, com fotos do acampamento que eu vira uma vez, e que agora me parecia estranho e vulnerável, cheio de autoridades e policiais. Meu pai havia sido morto a tiros, juntamente com uma mulher. A arma utilizada fora uma Luger. Aquela notícia pedia uma resposta. Pedia sentimento e o oposto de sentimento. Caminhei pelas ruas. Mais tarde saí com uma prostituta. A notícia mal cabia dentro de mim. Mas eu a guardei para o final. A reação superficial e vulgar da mulher, a mistura de sentimentalismo com reprovação, era tudo que eu poderia esperar. Mais tarde, na escuridão da noite, chorei no seio de Sandra. E de repente descobri que estava pronto para partir. Partimos de Avonmouth. Era agosto, mas o vento estava frio. Gaivotas boiavam como rolhas em meio aos detritos do porto. Seguimos para o sul e navegamos por treze dias.

TERCEIRA PARTE

1

À medida que escrevo, modifica-se minha atitude em relação a meus próprios atos. Já disse que meu casamento e a carreira política que se seguiu a ele, que aparentemente dele decorreu, toda a parte ativa de minha vida, ocorreram, por assim dizer, entre parênteses. Normalmente eu os encarava como aberrações, caprichos, atos arbitrários que por algum motivo haviam escapado de meu controle. Mas agora, com a consciência do tempo perdido, lamentando as oportunidades desperdiçadas, começo a questionar esta atitude. Duvido que qualquer ato, acima de um certo nível, seja inteiramente arbitrário, caprichoso ou desonesto. Agora questiono a idéia de que a personalidade seja fabricada pela visão dos outros. A personalidade é um todo íntegro. É una e indivisível.

Sandra via em mim um marido. Tinha razão. Via o que havia para ver. Lembro o dia em que ela foi embora. Oficialmente, ela ia fazer compras em Miami. Este tipo de peregrinação estava virando moda em nosso grupo. Nossas mulheres voltavam destas viagens com pacotes grandes e leves, envoltos em papel de embrulho diferente do nosso, e trazendo a edição daquele dia do *Miami Herald*: chamavam a atenção quando, de óculos escuros, saíam do avião da Pan

American. Para mim, a cena tinha um significado especial: o avião era o símbolo cinematográfico: Bogart em *Casablanca*, com sua capa, sozinho na pista, o Dakota decolando e desaparecendo na noite.

Depois peguei meu carro e voltei para a casa romana. Andei ao redor da piscina central; as bicas esguichavam ruidosamente, estremecendo a água azul; agora, pensei, não havia mais ninguém para ouvi-las. Fui até o quarto de Sandra e examinei seus armários. Não havia nenhum sinal de que ela pretendesse voltar. Alguns sapatos que ela abandonara definitivamente, alguns vestidos que não usava há algum tempo. Peguei um sapato e examinei o salto gasto, as pequenas rachaduras do couro. Toquei nos vestidos. Estava um pouco alto, do uísque que havia bebido; aqueles gestos pareciam apropriados a um momento de teatro íntimo.

Só depois, minutos depois, quando o ruído incessante dos esguichos tornou-se insuportável e a sensação de alívio que eu simulava desapareceu de repente, foi que me dei conta de que o gesto, por mais forçado e teatral, de manusear os sapatos e vestidos que Sandra abandonara, continha no entanto algo de verdadeiro: como aquele outro gesto em Londres, no dia de minha primeira nevada, o gesto de segurar a fotografia amarrotada de uma jovem desconhecida e desejar, por um instante, preservá-la de uma ignomínia ainda maior.

A minha carreira política foi como aquele gesto. Eu costumava dizer, com sinceridade, que nada em minha vida me havia preparado para ela. Até o fim, comportei-me como se minha vida política fosse ser encarada como apenas mais um aspecto do meu dandismo. Um erro criminoso! Eu exagerava minha frivolidade, até para mim mesmo. Pois verifico agora que o que estou escrevendo é a história da infância e juventude de algum tipo de líder, de um político, ou ao menos de um agitador. Fui eu que criei este isolamento, esta mágoa complexa, esta excitação específica. E creio que também criei, talvez nesta frivolidade proclamada, esta falta de juízo e de equilíbrio, o sentimento profundo de irrelevância e intrusão, a incompatibilidade entre o líder e o papel que ele foi levado a assumir, e seu fracasso inevitável. Da representação de um papel à desordem: é esta a progressão natural.

Um nome particularmente poderoso havia sido preparado para mim. Era um nome que eu tentava negar. Era a única coisa que eu ocultava de Sandra, encarando o nome como uma deformidade a que a qualquer momento alguém poderia se referir. Agora o nome veio me reclamar. E juntamente com o nome veio mais uma vez aquela relação difícil com Browne, que eu imaginava ter deixado para trás para sempre quando vim para Londres.

Browne também estava em Londres na mesma época. Nossos interesses, porém, nunca coincidiam — ele, imagino eu, entregava-se de corpo e alma à política, às assembléias, ao *New Statesman** — e eu só estivera com ele uma vez. Foi perto da estação de Earl's Court. Browne estava muito apressado; a capa esvoaçava atrás dele; gritou para mim sem parar quando cruzamos: — Veja só, rapaz! Sabe o que acabou de acontecer comigo? Uma filha da mãe cuspiu em mim, rapaz.

— Cuspiu em você?

— É, rapaz. Cuspiu em mim.

Cada um foi para seu lado, ele tinha pressa e ficou por isso mesmo. Foi como se nos tivéssemos visto poucas horas antes, e fôssemos nos ver novamente pouco depois. Ele parecia muito alegre, levando-se em conta a natureza da notícia que me dera. Talvez ele tivesse inventado aquilo; talvez tivesse ouvido falar do meu estilo de vida e estivesse fazendo

(*) Revista semanal de notícias, de tendência esquerdista. (N. T.)

ironia; talvez houvesse me confundido com outra pessoa; talvez o que ele dissera fosse mesmo verdade e, ao me ver, ainda estivesse em estado de choque. Estava com pressa, como já disse. Mas bastou aquele rápido encontro para me fazer pensar que Londres havia exercido seu efeito sobre ele, tal como ocorrera comigo. Browne estava mais leve e mais livre do que na sexta série.

Mais tarde, na ilha, ele havia se tornado uma espécie de personagem, e aquele rápido encontro em Londres conformava-se à sua imagem. Seu personagem era de um tipo muito especial. Pessoas como Browne eram, em Isabella, o que havia de mais semelhante a poetas, renegados, fracassados interessantes; tínhamos muito carinho por elas. Browne era um bom exemplo desse tipo: um homem do povo, um aluno bolsista que não chegara a se dar bem e estava se desperdiçando. Havia largado o magistério e se tornara panfletário. Escrevia artigos para o *Inquirer*, brigava com o diretor do jornal e escrevia panfletos sobre estas brigas. Às vezes trabalhava como editor, às vezes como redator, e vivia metido em conversas intermináveis nos bares de classe média.

Falava melhor do que escrevia. Era sempre veemente, porém — fato curioso — sempre negativo. Analisava situações com agudeza e prazer, mas dava pesos iguais a todos os fatores. Contentava-se em analisar de modo febril cada episódio subseqüente. O que o salvava era sua atitude ambivalente em relação ao assunto que mais explorava: a angústia de sua raça. Havia escrito um panfleto venenoso, contra tudo e todos, a respeito do crânio do negro, para descarregar uma parte da raiva que provocara nele um artigo publicado num periódico americano. Mas uma das histórias de que mais gostava de contar nos bares — adorava imitar o sotaque dos aristocratas ingleses — era a do capitão de um time de críquete inglês, perplexo mas honesto, que na década de 1880 enviou o seguinte telegrama para Londres: *Derrotados por time local com seis jogadores negros*. E Browne, embora fizesse campanha em prol da contratação de negros no serviço de rádio e telégrafos, era a favor de sua exclusão dos bancos. Costumava dizer: — Se eu soubesse que meus míseros trocados estão nas mãos de negros, eu não dormiria tranqüilo.

Quanto à angústia dos negros, ele sem dúvida era sério. Só manifestava rancor, no entanto, em seus escritos. Não dava a impressão — ao contrário de muitos outros — de achar que um rancor oculto e cumulativo era uma fonte de força para o futuro. Talvez, ao conversar, tentasse inconscientemente lisonjear seus interlocutores; pois Browne — e isto era agora mais acentuado do que nos tempos do colégio — preferia a companhia de pessoas de outras raças. Talvez ele precisasse de testemunhas que não fossem negras para provar sua própria realidade e tornar válida a angústia que ele dissecava. Ou talvez ele temesse ficar a sós com sua angústia, e só conseguisse ser espirituoso com outrem. Seu desespero parecia uma coisa muito íntima. Era justamente o que esperávamos de nossos poetas e, possivelmente, de nossos palhaços. Era atraente. Sempre havia quem apoiasse suas iniciativas mais tresloucadas. Eu próprio utilizara a contracapa de seu panfleto sobre o crânio do negro para veicular um anúncio discreto: *Crippleville é um subúrbio*.

Quando veio à casa romana para me instigar a proclamar o nome de meu pai, Browne já havia deixado crescer uma barbicha e estava dirigindo um jornal chamado *The Socialist*. A barba se harmonizava com seu rosto fino e corpo esbelto. Escondia a verruga no queixo e diminuía sua aparência de comediante. Era só para isso que servia. Nada tinha a ver com o jornal, que — após o primeiro número, em que a posição do novo órgão era explicitada exaustivamente — de socialista tinha muito pouco. Browne sempre esclarecia as posições de cada uma de suas publicações de maneira exaustiva. Era um panfletário. Tendo explicitado as posições de sua publicação, perdia o interesse por ela, e passava a empenhar a maior parte de suas energias na publicidade. Seus artigos tornavam-se cada vez mais fragmentários, superficiais, até mesmo desanimados; o leitor tinha a impressão de que o diretor da publicação estava com dificuldades não apenas de conseguir anúncios, mas também de preencher o espaço entre eles.

O *Socialist* estava neste ponto quando Browne veio me visitar. Disse-me que tinha um plano e uma idéia. O plano era eu investir em seu jornal, ou em um novo jornal que fundaríamos juntos. A idéia era o *Socialist* comemorar o aniversário do êxodo dos estivadores, e eu próprio escrever o artigo principal sobre meu pai.

Há certas idéias que nos dominam por sua simplicidade. Acima de tudo, foi a proclamação do nome que me agradou; depois, a idéia da revista. Meu entusiasmo o surpreendeu, em seguida o contagiou. Browne fez aqueles gestos que eu conhecia tão bem — lavar as mãos, bater com o indicador direito, girar a cadeira de repente para reforçar um argumento. Seu interesse por seu próprio jornal ressuscitou; ele parecia quase estar pronto para mais uma longa explicitação de política editorial. Sua visão ampliou-se. Ele via o *Socialist* como um jornal internacional, e falava da necessidade de uma editora "nacionalista" na região. Era um dos projetos dos quais vivia falando, e eu sabia que era justamente o tipo de coisa em que ele se empenharia com ardor. Apesar de meu entusiasmo, porém, percebi que aquela proposta era comercialmente insensata. Fiz com que ele voltasse ao número comemorativo do *Socialist*.

E foi ali, na casa romana — cenário que eu havia preparado para um outro tipo muito diverso de ocasião —, que fechamos o negócio. Um conjunto de mesa com cadeiras de ráfia, em azul e branco, feito em Hong Kong; as garrafas de bebida; a piscina iluminada; a edição Loeb dos poemas de

Marcial — tudo isso visava menos causar uma impressão em Browne do que criar a imagem de um homem que, apesar dos eventos mais recentes de sua vida particular, havia atingido um certo equilíbrio. O livro de Marcial é fácil de explicar. Eu havia voltado a estudar latim. Era para mim uma terapia. Estudar paulatinamente uma língua precisa e morta, através de um autor fácil, tinha um efeito curiosamente tranqüilizante. Exigia esforço; ocupava meu tempo; fazia com que um dia levasse ao outro.

Minha disposição de espírito talvez explique o entusiasmo que senti, o modo como aceitei imediatamente uma idéia que, para muitas pessoas na ilha, poderia parecer absurda, e que, mesmo para mim, apenas alguns meses antes, teria parecido uma afronta. Mas além disso eu era prisioneiro de meu relacionamento especial com Browne, aquela compreensão que começou, continuou e foi morrendo à míngua com base num mal-entendido. Um relacionamento incômodo, um constrangimento que vinha desde a infância e que nunca era esquecido por completo quando estávamos juntos. Agora era uma coisa lisonjeira. Ele precisava de testemunhas que não fossem negras para provar sua realidade. Para mim, uma prova semelhante era oferecida pelo modo como Browne entendia as coisas literalmente, o que era uma forma de generosidade. Eu era para ele, desde os tempos do Colégio Imperial, uma pessoa completa. Ele lembrava-se de expressões, idéias, incidentes. Eles formavam um todo. Browne me propunha uma imagem de mim mesmo que me dava confiança examinar. Era esta a sua generosidade; era um alívio, após os desafios e provocações constantes dos relacionamentos do grupo de que eu e Sandra fizéramos parte. Assim, ressurgiu a velha amizade entre eu e Browne. Ele me convidava a compartilhar de sua angústia. Atribuía-me um papel. Não o rejeitei. Como posso encarar o que aconteceu em seguida como uma traição?

Mesmo naquele primeiro encontro na casa romana, meu constrangimento não estava totalmente contido. Se antes meu nome era como uma deformidade, agora parecia-me que eu possuía um passado ao qual Browne poderia a qualquer momento se referir. Mas ele não me fez nenhuma pergunta a respeito de Sandra; tampouco fez qualquer comentário sobre a casa romana. Era meu próprio constrangimento que me fazia pensar, no momento exato em que conversávamos, que eu quase nada sabia sobre a vida particular de Browne, que me era impossível imaginá-lo em casa, descansando. Um detalhe reforçava essa impressão. Sua barba parecia irritá-lo. Ele enxugava a pele áspera em torno do pomo-de-adão com o lenço, encostava-o no pescoço e deixava que a barba pendesse sobre ele. Um cacoete perturbador: o suor em meu pescoço começou a pinicar-me. Fiz algum comentário a respeito da barba. Ele respondeu com aquele seu jeito de ironizar a si próprio, dizendo que era "barba de negro". Não entendi o que ele queria dizer com isso. Depois afirmou que nos três anos que passara em Londres jamais fora ao barbeiro. Não fora problema algum; cabelo do tipo do seu na verdade nunca ficava comprido.

Achei que ele estivesse brincando. Ainda não sei se estava ou não: isso não é o tipo de coisa que se possa perguntar. Juntamente com esta surpresa, porém, ante um fato fisiológico que não causaria surpresa alguma na maioria dos habitantes daquela ilha que agora eu afirmava ser minha, vinha também a vaga consciência de que eu estava agora comprometido com toda uma mitologia nova, misteriosa e estranha, comprometido com uma série de interiores de lares onde eu nunca quisera entrar. Joe Louis, Haile Selassié, Jesus, "aquele negro idiota", o menino cantor cômico: a repulsa e o pânico da infância surgiram com toda a força. Mas Browne já voltava a falar na sua editora nacionalista; o ruído de água jorrando me trouxe à mente a solidez da casa romana; a pontada de pânico tribal passou. Era um detalhe, um instante de quem está se afogando: jamais o esqueci.

O artigo sobre meu pai para o *Socialist* saiu ao correr da pena. Foi trabalho para uma noite. Saiu com facilidade, percebi mais tarde, porque foi a primeira coisa que escrevi. Cada um dos escritos subseqüentes foi um pouco menos fácil que o anterior, embora eu jamais perdesse minha facilidade com as palavras. No momento em que eu escrevia, em que a caneta corria sobre o papel, porém, parecia-me que as frases fluíam na seqüência certa, sem erro, porque eu estava fazendo uma confissão, proclamando o nome, realizando um ato de expiação. Percebo a ironia da situação: o artigo era profundamente desonesto. Era obra de um convertido, um homem recém-criado, que acabava de ser presenteado com uma imagem de si próprio. Foi o primeiro de uma série de artigos semelhantes: equilibrado, judicioso e esquivava-se da verdade final até perdê-la. O ato de escrever este livro é mais do que uma forma de me libertar daqueles artigos; é uma tentativa de redescobrir aquela verdade.

Assim, desse modo banal e absurdo, com a publicação do número comemorativo do *Socialist* em sua nova fase, começou nosso movimento político. Considere-se o impacto que causamos. Considere-se o poder peculiar de meu nome. Acrescente-se a isso minha reputação de "milionário isabelense" muito jovem que "trabalhava com afinco e divertia-se com afinco". Considere-se a situação de Browne, de renegado e romântico, de "radical" a cujos talentos reconhecidos a ilha não oferecia meio de expressão, e a quem, portanto, tudo era permitido. Veja-se então que de que modo nós dois, que individualmente nada representávamos em termos políticos, dávamos força um ao outro e juntos parecíamos constituir um verdadeiro portento, que era necessário levar a sério. Há certas idéias que nos conquistam por sua simplicidade. Em três meses — apenas seis números do novo *Socialist*, cujas finanças e organização estavam sob minha responsabilidade — nos colocamos no centro do que era menos um despertar político do que uma ansiedade política, à qual cabia-nos tão-somente dar um direcionamento.

Isto já aconteceu em vinte países. Não quero exagerar nosso feito. Mais cedo ou mais tarde, conosco ou sem nós, algo semelhante teria ocorrido. Mas creio que nossa coragem merece ser reconhecida. É necessário que se compreenda a natureza da vida política de nossa ilha. Éramos uma colônia, um território dependente administrado de modo benévolo. Enquanto não questionássemos nossa dependência, nossa vida política permaneceria uma brincadeira. Um homem como meu pai, com toda sua extravagância, fora apenas um perturbador da tranqüilidade, um fenômeno passageiro. Ele se enquadrava no esquema da dependência, como também era o caso dos que o sucederam, aproveitando as vantagens concedidas pela constituição limitada que nos foi outorgada pouco antes do fim da guerra. Estes políticos eram empreiteiros e comerciantes nas cidades, fazendeiros no interior, pessoas inexpressivas que não tinham nenhum programa a oferecer, que nada ofereciam a não ser eles mesmos. Não gozavam de muita consideração. Seus nomes e suas fotografias apareciam com freqüência nos jornais, mas eram figuras ligeiramente ridículas; circulavam constantemente histórias a respeito de seu analfabetismo e sua corrupção.

Naquele tempo, entrar para a política não era uma decisão tão simples como pode parecer agora. Poderíamos perfeitamente ter cometido o erro de parecermos estar competindo com os políticos já estabelecidos. E isto teria sido desastroso. Teríamos nos exposto ao ridículo. O que fizemos, no entanto, foi ignorá-los. Afirmamos que eles estavam mortos, nada representavam. Não apenas desmascaramos o ridículo de nossa vida política como também apresentamos uma alternativa desejável e possível. Tínhamos recursos, tanto intelectuais quanto em termos de ofertas de apoio, para questionar o sistema em si. Negávamos a concorrência; de fato, não tínhamos concorrentes. Pelo simples ato de nos manifestarmos — eu, Browne e o *Socialist*, todos juntos — demos fim à velha ordem. Foi só isso.

Coragem: é o único mérito de nosso movimento em suas etapas iniciais que peço que seja reconhecido. É preciso coragem para destruir qualquer sistema, por mais decrépito que seja, que nos permitiu crescer dentro dele. Não víamos essa decrepitude como uma espécie de ordem apropriada a nossas circunstâncias. Isto só veríamos depois de já tê-la destruído. Por outro lado, essa decrepitude não nos representava e, portanto, não poderia durar. Sendo assim, fomos nós que agimos de fato? Ou fomos objetos de uma ação? Depois de nós, não era mais possível uma pessoa como meu avô materno, tendo enriquecido, ser nomeado membro do Conselho, manter-se nesta posição por ser pessoa "confiável", uma situação que, no final das contas, não exigia nenhuma iniciativa; e tentar conquistar, através de caridades e boas ações, uma condecoração ou título honorífico.

Sei que escrevo de duas perspectivas opostas. É inevitável. Meu avô materno foi, sem dúvida, um personagem desprezível, fácil de satirizar. Mas no mínimo a antiga ordem das coisas lhe impunha benevolência e a obrigação de servir. E ele jamais foi tão completamente ridículo quanto os homens que colocamos em seu lugar: homens sem qualquer talento, qualquer realização, cujo único mérito era controlar certos setores da população, homens improdutivos e desprovidos de criatividade, que subiam até posições de destaque graças ao excesso daquele ressentimento amargo que todo funcionário medíocre segrega. Foi este ressentimento que se sentiu atraído por nossa proposta. E esta atração foi para nós o sinal de que nossa proposta tivera sucesso e era verdadeira!

Mas como poderíamos nós mesmos perceber a realidade, quando éramos uma parte dela? Os outros, podíamos observar. Nós os víamos de terno novo até nos dias mais quentes. Víamos as expressões ridiculamente graves que preparavam para exibir ao público, com o fim de ocultar o prazer que sentiam por se verem em posições de destaque. Nós os víamos saindo dos restaurantes com suas "secretárias". Nós os víamos em mangas de camisa — os paletós bem visíveis em seus cabides — dentro de carros oficiais assinalados com a letra M, uma exigência deles, para proclamar seu *status* ministerial. O carro, o paletó no cabide: a moda se espalhou tão depressa pelos setores motorizados de nosso funcionalismo que poderia ser considerada o traje oficial de nossa revolução. Nos eventos esportivos, eles ficavam logo na primeira fileira da tribuna de honra e, com o passar dos meses, víamos suas nucas engordarem, graças à boa vida que levavam e à falta de exercícios. E, a seu redor, cada vez mais policiais.

Eram medrosos, esses nossos colegas. Tinham medo do interior, tinham medo do escuro, chegaram a ter medo das próprias pessoas de cujos votos eles dependiam. Quem adquire os ouropéis do poder a troco de nada vive com medo de perder estes mesmos ouropéis. Tais homens sentem-se inseguros porque vêem muitos iguais a si. Assim, partindo da decrepitude, criamos uma situação dramática. Pelo menos meu avô materno, que jamais precisou de votos, jamais precisou de proteção. Pelo menos ele tinha consciência da solidez de sua posição e sabia como a havia conquistado.

Falei em coragem. É preciso coragem para destruir, pois há que se ter confiança na nossa própria capacidade de sobreviver. Naquela fase inicial, jamais pensei em sobrevivência. Nunca me ocorreu que isso estivesse em jogo. Quando percebi, já era tarde demais. Porque àquela altura dos acontecimentos eu já me tornara indiferente.

2

Isso já aconteceu em vinte lugares, vinte países, ilhas, colônias, territórios — essas palavras com as quais brincamos, achando que uma pode ser trocada pela outra, e que a utilização desta em vez daquela altera a verdade. Não consigo encarar nossa situação como única. Ainda hoje leio nos jornais a respeito de situações que, mudando-se os nomes e as paisagens, me são familiares. Fala-se no ritmo das mudanças políticas do pós-guerra. Não se trata do ritmo da criação. Nem tampouco da destruição, ao contrário do que pensam alguns. Ambas essas coisas exigem tempo. O ritmo dos acontecimentos, a meu ver, não passa do ritmo do caos, dentro dos limites rígidos que lhe foram impostos. Naturalmente, estou me referindo a territórios como Isabella, à deriva, mas não totalmente abandonados, nos quais este caos controlado se aproxima, no final das contas, após os discursos exaltados e deportações de praxe, de uma espécie de ordem. O caos é todo interior.

Não entrarei em detalhes a respeito de nosso movimento. Não posso falar do movimento enquanto fenômeno gerado por minha personalidade. É quase impossível para mim falar sobre ele em termos pessoais. O político lida com abstrações, mesmo quando lida consigo mesmo. Ele é um homem que foi retirado de si próprio, separado de sua personalidade, a qual ele pode reconhecer de quando em quando. Deixei que Crippleville se administrasse por si mesma; abandonei o latim. Dediquei-me ao *Socialist* e à organização do partido. Era o tipo de trabalho administrativo que eu nascera para fazer. Mas — apesar do que já se viu — eu não estaria fazendo justiça comigo mesmo se não dissesse que meu trabalho tornava-se menos árduo graças à consciência de que eu havia me tornado uma personalidade pública, e uma personalidade simpática. Era aquela que Browne tinha visto: o homem rico com um certo nome que havia se colocado ao lado dos pobres, que parecia ter deixado para trás o empenho de ganhar dinheiro e suas antigas amizades, que parecia de repente ter descoberto a verdade: eu percebia agora o quanto esta personalidade era atraente. Assim, nas circunstâncias mais improváveis, o dândi londrino ressuscitou. Eu sabia do afeto e da ironia benevolente que este personagem recebia das pessoas e, naquela fase inicial, era agradável voltar a assumir este papel. Eu nunca experimentara nada como aquilo.

Imaginem-se, pois, as cenas. Imagine-se Browne, o líder, com seu terno surrado de jornalista, cheio de energia e entusiasmo, a toda hora resvalando para o dialeto local, para fazer graça ou atacar. A seu lado, eu, tão elegante na indumentária quanto na fala: eu tinha consciência de meu papel. Imaginem-se os comícios nas praças, nos auditórios. Imaginem-se as viagens por estradas de terra do interior, no final da tarde ou à noite, os faróis iluminando as muralhas de cana-de-açúcar dos dois lados da estrada. Imagine-se a organização sendo formada na casa romana, as mãos ávidas e negras de funcionários de empresas particulares e do serviço público. Imaginem-se as reportagens cada vez mais longas a respeito de nossos discursos, publicadas no *Inquirer*. Imaginem-se outros símbolos do sucesso: os policiais com suas bermudas de sarja grossa, cada vez menos agressivos, mais protetores, mais numerosos. Sua amabilidade era patética: era como a amabilidade do gângster que se vê entre pessoas finas. Acrescente-se um detalhe pitoresco: a luz amarela refletida nos rostos negros reluzentes, uma velha maluca no meio da multidão proclamando sua mensagem apocalíptica e, aqui e ali, uma tocha acesa, que a polícia, considerando-se agora parte do povo, não tenta apagar.

Acrescente-se um cheiro de suor de negros no momento em que, entre aplausos, atravessamos a multidão de nossos seguidores, olhos reluzentes em rostos reluzentes, até o palanque, eles baixos e atarracados, nós altos e esbeltos. Neste cheiro de suor aquecido, antes rejeitado, eu tentava agora encontrar virtude, a virtude dos pobres, dos trabalhadores, dos oprimidos. Tal é a vulgaridade gerada pelas multidões, em si e em seus manipuladores. A virtude que eu encontrava naquele cheiro acre era a virtude dos inseguros, dos massificados e dos insensatos. Browne tinha o privilégio de ser menos sentimental. — Ah, esse *bouquet d'Afrique* — murmurava ele. E dizia às vezes, quando estávamos no palanque: — Sentiu o perfume?

Era genuíno este sentimento, fazia parte de sua ambivalência. Entretanto era também, cada vez mais, uma tentativa de me tranqüilizar, de me dizer, naquela linguagem de subentendidos que havíamos criado para utilização em público, que nós dois éramos um. Pois há que se imaginar outras cenas, acrescentar outros detalhes: trabalhadores rurais entediados, asiáticos pitorescos, sem nenhum interesse de compartilhar angústia nenhuma, numa estrada ao anoitecer, indiferentes, ouvindo-nos educadamente apenas devido a meu nome. Algum membro de nossa comitiva se digladia com um microfone ou uma lâmpada. O lojista impassível em sua venda escura entrega um pacote de açúcar ou farinha a uma menina que é indiferente a nossa missão; depois ele nos vende cerveja. Depois a volta, atravessando aquela terra tranqüila: luzes fracas em casas silenciosas. A lama cheia de sulcos profundos nos surpreende. Damo-nos conta de como estamos longe do conforto da cidade, das facilidades que ela oferece, nas quais raramente pensamos. Em silêncio, solidarizamo-nos com aquela gente pitoresca que deixamos para trás. Esta solidariedade parece confirmar nossa missão e nossa causa. Tudo de que precisávamos era tempo, para unir todos na angústia.

Encha-se a casa romana de gente outra vez. Elimine-se a atmosfera de alegria forçada e destrutiva. Mas não se elimine a frieza que se instaura em toda casa que foi mentalmente abandonada antes do fim da obra por aquele que a construiu. Até serem aquecidas por novos moradores, tais casas jamais são lugares para se morar. Relembre-se a cozinha fria e os cômodos vazios por onde perambulava uma moça perdida, de corpo puro, pensando em outras paisagens. Agora encham-se estes cômodos com uma nova atmosfera feminina, mais apropriada. É a atmosfera da dedicação e da lealdade mútua, em que se fala baixinho, em que as afirmações, por mais inexatas, nunca são contestadas com violência, em que mesmo as bebidas, servidas por mulheres leais a homens merecedores, são tomadas como um sacramento.

Formara-se uma corte a nossa volta. Disputavam a honra de nos servir e, entre esses ajudantes, como bem sabíamos, havia ódios mortais dissimulados. Fora dos portões, homens estranhos começaram a aparecer à noite. De início, pensávamos que fossem policiais e, realmente, na primeira fase, chegamos a ver um ou dois. Mas aqueles rostos vieram a se tornar conhecidos. Eram pessoas que tinham vindo da cidade, sem serem requisitadas, para nos proteger. Assim, juntamente com a corte, surgiram episódios dramáticos. Quando soubemos da ocorrência de incidentes violentos, em diversos distritos, a proteção em torno da casa aumentou.

Aparentemente, o que começara não podia mais ser detido. Nós, da corte, seríamos responsáveis? Na atmosfera feminina da casa romana, tudo era boa vontade e dedicação. Havia algo de sacramental não apenas na comida e na bebida, mas também nas ligações que se formavam entre alguns dos cortesãos, entre homens bonitos e mulheres feias, mulheres bonitas e homens mal-encarados. O sexo era um sacrifício à causa e uma promessa de liberação vindoura: tão diferente daquela irrealidade de cartum que eu vira na relação entre a irmã de Browne e seu namorado, feiúra unindo-se a feiúra num arremedo de humanidade, na única ocasião em que eu fora à sua casa, quando éramos nós dois alunos do Colégio Imperial.

Assim, na própria casa romana, aqueles interiores que eu temera penetrar se abriram para mim. Nessa atmosfera, não se podia confessar o prazer abertamente. E devo dizer que as notícias que nos chegavam, cada vez em maior número, de cenas de violência, de caráter racial cada vez mais pronunciado, nos enchiam de admiração. Já estávamos muito admirados com nossas próprias realizações, trabalhando na tranqüilidade da noite, em que o ruído de água jorrando ressaltava o silêncio, avaliando nossos progressos, redigindo discursos, planejando viagens. Sentíamos que tínhamos encontrado em nós algo de bom e verdadeiro. Falo em ‘‘nós’’; talvez eu pensasse mesmo em ‘‘nós’’. Mas esta admiração era algo que me excluía. Para nossos cortesãos, homens e mulheres que ganhavam pouco no magistério e no serviço público, esta admiração era do tipo que se pode chamar de religiosa. Escrevo com plena consciência das palavras que escolho: esta admiração era uma coisa emocionante e assustadora de se ver. Era a admiração dos medíocres que julgavam ter descoberto subitamente, nesta reação que haviam desencadeado entre os medíocres de seu povo, a fonte do poder e da regeneração que eles sempre haviam aguardado sem esperanças de encontrar.

Eu não sabia direito como Browne se posicionava em relação a isto. Era tão dedicado quanto os outros. Era também, no entanto, mais frívolo do que qualquer um de nós ousava ser. Nós nos víamos com regularidade, mas nunca mais nos sentimos tão próximos um do outro como naquela primeira noite na casa romana. Era como se cada um de nós tivesse se comprometido de modo irrevogável daquela vez, de modo que não fosse necessário ir mais fundo. Assim — por mais absurdo que pareça — era no alto do palanque que nos sentíamos próximos de novo, lá onde cada um assumia seu personagem.

Assim, a admiração experimentada por toda a corte me excluía. Por vezes eu pensava: eles estão confiantes demais, estão exigindo demais de mim. Mas eu não tinha como não consentir com tudo, e logo surgiram situações em que achei que cabia aos outros fazer algum pronunciamento tranqüilizador, quando um vendedor asiático era surrado em nome de nosso movimento, ou uma moça branca era insultada. Isto tinha de ser deixado de lado. Era superficial. Estas palavras eram minhas. Eu as ouvia sendo repetidas. A verdade de nosso movimento estava na casa romana, a corte dentro, a guarda fora. Em meu próprio silêncio e consentimento havia dedicação à organização que eu construíra. Havia também vaidade: a vaidade do criador que julga ter poder de controlar sua criação. Não havia nada de autoviolação no artigo que escrevi para o *Socialist*. Nele afirmei que a violência não era novidade nas Américas. Viera com Colombo; convivíamos com ela desde então. A corte apenas repetia o que eu dissera. Percebi, porém, que sua admiração peculiar permaneceu.

A verdade do movimento residia na casa romana, e também no nosso inegável sucesso. Granjeamos adeptos de todas as raças e todas as classes. Logo ficou claro que o que oferecíamos era mais do que uma alternativa ao rancor: era dramaticidade. E ao nosso movimento acrescentou-se um nome que eclipsou o meu um pouco. O nome Deschampsneufs: Wendy, indiferente ao passado recente, sem temer a possibilidade de ser rejeitada, confiando na excentricidade de um ancestral. O que poderia eu fazer? Como consertar aquele relacionamento? Ela foi bem recebida: nisso acertou. Veio para a casa romana e nela reinou durante dois meses e, perante sua autoconfiança, senti-me impotente. Tornou-se a mãe de todos nós, com sua energia de menina; ofereceu-nos a bênção final de seu nome e sua raça, duas coisas que nos separavam dela. Com sua feiúra, seus pés chatos, sua voz esganiçada!

Os boatos lhe atribuíam coisas. Ligavam-na a estivadores. A Browne. Por fim, a mim. No início, não era um boato malicioso. Depois veio a ser uma das coisas usadas contra mim: prova de que, já no início, eu fora corrompido pelo *glamour*, e portanto estava pronto para me tornar um traidor. Wendy deliciava-se com os boatos. Sempre que participávamos os dois de uma reunião, ela fazia o possível para dar a entender que a intimidade que havia entre nós era do tipo sacramental a que me referi. E as pessoas gostavam. Adoravam Wendy por causa do sacrifício que ela fazia. Os homens atarracados, de olhos vivos e rostos aparvalhados, ofereciam a ela a mesma proteção que ofereciam a todos nós. Ela andava entre eles como uma rainha feia. Quanto a mim, como era de se esperar, tornei-me — pelo menos para todos os efeitos — o que os outros viam em mim. Eu representava, ela representava.

Após dois meses, ela afirmou estar cansada do movimento e da ilha. Todos a perdoaram. Wendy pegou um avião e foi ter com seu irmão no Canadá. E, durante o ano que se seguiu, recebi de seu irmão uma série de cartas. Ele continuava pintando e acabara de descobrir o hinduísmo. Enviava-me os enigmas do universo e da existência, e pedia com todas as letras que eu lhe ensinasse uma sabedoria milenar. Eu fazia o que podia.

Uma pontada de ciúmes, o choque da solidão: foi o que senti quando Wendy partiu. Invejava-lhe a liberdade e a considerava a mais livre de todos nós. Além disso, era-lhe grato pelo alívio que me oferecera na intensidade daqueles dias. Uma intensidade composta de confusão, desonestidade, medo, prazer, admiração. A minha admiração não era a dos outros. O que me admirava e me intrigava era aquele conceito de povo que me fora revelado de repente, uma massa passível de ser influenciada e manipulada, através de táticas gerais que podiam ser planejadas na casa romana. E juntamente com esta perplexidade — posso confessar agora — vinha um medo cada vez maior daqueles rostos reluzentes; um medo enterrado sob a fina camada de prazer que me proporcionava a sensação de ser protegido por esta força ingênua, tão virtuosa quanto o cheiro de suor que dela emanava; um medo enterrado sob o prazer que eu experimentava ao sentir-me orador e manipulador, com um senso de oportunidade recém-desenvolvido, com um instinto necessário para colocar a palavra grandiloqüente no lugar exato, provocar aquela interjeição de admiração, colocar no lugar exato a piada por meio da qual abolíamos o passado, no lugar exato o dandismo que, em mim, era como a frase que é a marca registrada do comediante que se apresenta a sua platéia costumeira. E desonestidade: aqueles discursos, cuja eloqüência tornara-se tão famosa que vinha gente de longe para ouvi-los, fundamentavam-se no desprezo, na consciência de que o que se dizia não era importante. Bastava a presença. Independentemente do que fosse dito, o resultado era sempre o mesmo: aplauso, a caminhada por entre a multidão, as mãos dando tapinhas, esfregando, acariciando meu ombro, as mãos de escravos dispostos a servir voluntariamente a uma causa que julgavam ser deles.

Confusão: no final, estávamos todos sem entender nada. O sucesso nos deslumbrou. Não sabíamos mais se éramos nós que tínhamos criado o movimento ou se era ele que nos estava criando. E volto àquele sentimento de admiração. Quando examino a mim mesmo, não consigo pensar numa causa, em discursos políticos arrebatadores ou convincentes o bastante para fazer com que me torne parte de uma multidão manipulável. Abolimos com entusiasmo uma ordem; jamais definimos nosso objetivo. E isto aconteceu em vinte países: esta revelação do conceito de povo, a humanidade do político, esta prova desconcertante da verdade do político.

Sobre o que falávamos? Éramos, naturalmente, de esquerda. Éramos socialistas. Defendíamos a dignidade do trabalhador. Defendíamos a dignidade da angústia. Defendíamos a dignidade de nossa ilha, a dignidade de nossa indignidade. Expressões emprestadas! Esquerda, direita: que diferença fazia? Por acaso acreditávamos na abolição da propriedade privada? Isto era relevante à violação que era nosso tema? Falávamos como homens honestos. Mas usávamos expressões emprestadas que eram uma forma de não pensar, de fugir daquela realidade a qual queríamos que as pessoas vissem, mas que nós mesmos agora mal conseguíamos encarar. Nós entronizamos a indignidade e a angústia. Não fomos mais longe do que isso.

Não sei se os extremistas de nosso partido não eram mais honestos do que nós em seus discursos. Prometiam abolir a pobreza em doze meses. Prometiam abolir as placas de bicicletas. Prometiam disciplinar a polícia. Prometiam o casamento inter-racial. Prometiam aos fazendeiros preços mais elevados para o açúcar, a copra, o cacau. Prometiam renegociar os *royalties* da bauxita e nacionalizar todas as propriedades em mãos de estrangeiros. Prometiam empurrar os brancos para dentro do mar e mandar os asiáticos de volta para a Ásia. Prometiam e prometiam; e geravam o frenesi do pregador de esquina que eletriza sua platéia com a visão do mundo inatingível dos ricos explodindo numa bola de fogo. Naturalmente, não aprovávamos aquilo. Mas o que podíamos fazer? Estávamos paralisados de admiração. Não era desonestidade. Somente o distanciamento poderia nos fazer ver que era o próprio sucesso de nosso movimento que tornava nossa situação absurda e inevitável. Em nosso próprio sucesso residia aquela desordem que a cada dia temíamos mais.

3

As eleições estavam próximas. A excitação chegava ao auge. Os vencedores levariam tudo: mais conferências constitucionais em Londres e, em seguida, a independência. Mais reuniões noturnas, mais passeatas, manifestações; viagens cansativas de carro; reuniões na casa romana entrando pela madrugada adentro. Entre nossos seguidores, em nossa corte, de vez em quando surgia uma onda de pânico. Deixávamos que eles encarassem a possibilidade de uma derrota que, no clima de histeria do momento, certamente lhes pareceria total; isto os estimulava a trabalhar com mais afinco ainda.

O desfecho foi inevitável: o sucesso na noite do dia das eleições, as ovações, as bandeirinhas, as bebedeiras. Foi aquele momento de sucesso que, depois de um esforço prolongado, é tão estarrecedoramente breve: um momento que quase pode ser determinado no relógio, e se afasta, se afasta deixando um vazio, uma exaustão, até mesmo uma sensação de repugnância: uma insatisfação que incomoda sem parar, e termina se definindo como apreensão e ansiedade.

Ansiedade: em nosso caso, mesmo nas primeiras horas de vitória na casa romana, esta ansiedade tinha Browne como ponto central. De vez em quando nos ocorria o pensamento de que em apenas algumas horas, entre o colega da véspera e o primeiro-ministro das próximas horas, ele se separara de nós. Fora separado por nosso próprio empenho. A brincadeira terminara. O entusiasmo terminara. Não podíamos mais nos apoiar um no outro. Era um daqueles momentos em que cada um mergulha em seu próprio ser e só encontra fraqueza, encontra o menino, a criança que já foi e nunca deixou de ser.

Desta consciência de nossa fraqueza — que só era força quando estava lutando com algo que considerávamos forte — passamos para o desânimo. Era como se, num jogo de cabo-de-guerra, o adversário de repente tivesse soltado a corda. Isso já aconteceu em vinte outros países como o nosso: o momento do sucesso que se transforma em momento da verdade, em que o teatro vira realidade. Nossos ressentimentos eram nossa realidade, eram o que conhecíamos, o que nos permitira crescer, o que fizera de nós o que éramos. Surpreendia-nos a facilidade com que tínhamos vencido, não entendíamos por que ninguém havia pago para ver. Víamos algo de fraudulento em nosso próprio sucesso. Mas nada disso seria muito sério se não houvesse também a consciência de que não havia como voltar atrás. Agora era cada um por si.

Aquela manhã marcou o fim da animação da casa romana. No momento da vitória, a atmosfera feminina desapareceu. Todos estavam irritáveis. Inumeráveis ciúmes finalmente vieram à tona. Houve uma ou duas brigas. O encanto havia terminado: o príncipe voltara a ser sapo.

Em ocasiões assim, procuramos alguém que nos oriente e determine a nova atmosfera que deve vigorar. Procuramos Browne. Ele bem que tentou. Tentou acentuar ambos os aspectos de sua personalidade, o autoritário e o coloquial. Ressabiados, encaramos Browne com olhar crítico, principalmente quando, naquela tarde, ele voltou de sua entrevista com o governador. Procuramos nele fraqueza, e a encontramos. Ficamos um pouco supresos de ver que ele se comportava como um homem que ascendera socialmente. Eu sabia que isto fazia parte do Browne que falava com a maior familiaridade dos escritores e comentaristas que colaboravam nas publicações que ele lia. Fazia parte de sua literalidade e de seu entusiasmo, quando encontra algo de novo que o estimule. Mas isto agradou às mulheres fúteis de nossa corte por outro motivo. Para elas, era a vitória final do movimento, o triunfo da raça, Browne, seu representante, falar em pé de igualdade como representante dos poderes constituídos. Em circunstâncias normais, Browne acharia a reação delas uma atitude servil. Agora, no entanto, ele não parecia nem um pouco aborrecido com isso.

Sua mente era analítica e raciocinava em termos de abstrações, não tendo nenhum talento descritivo. Mas agora Browne revelava este dom insuspeito. Sua narrativa da entrevista com o governador lembrou-me, mais do que qualquer outra coisa, da falação de meu avô materno após voltar de uma viagem de avião à Jamaica. Era a primeira vez que um membro de nossa família andava de avião, e a aventura teve o efeito de fazer com que — como agora — um homem seco revelasse seu lado caudaloso.

Browne cativou-nos com suas descrições dos móveis e rituais, das vistas de nossa cidade pelas janelas e portas, dos quadros. A certa altura, o governador levou Browne até um nicho na parede dizendo: — Até que gostamos deste quadrinho. — Era a paisagem de uma aldeia de pescadores mediterrânea, em tons de rosa e branco; fora dada ao governador ''por Winston'' — assim mesmo, mencionado pelo primeiro nome. Compartilhamos da admiração de Browne: era um elo com o mundo que nos enobrecia, uma ligação com um grande homem e eventos grandiosos. Então Browne lembrou-se de sua nova posição. O entusiasmo foi substituído pela gravidade.

— E dizer — comentou ele, na pausa criada por nossa admiração — que decisões referentes a nosso futuro são tomadas há tanto tempo numa sala como aquela.

Era decepcionante. Não sei se tínhamos, porém, o direito de nos sentirmos decepcionados com o entusiasmo de Browne, ou com a importância que ele dava à legalidade e aos rituais. Nosso desapontamento era conseqüência de nossa simplicidade. Os rituais eram um vínculo com a segurança do passado. Browne, como todos nós, precisava de apoio; ele também irritava-se ao pensar que seu comportamento poderia ser mal interpretado. Mais tarde eu viria a dizer que minha traição fora premeditada, mas nunca acreditei nisso. Jamais agíamos com tanta sofisticação assim.

Uma multidão havia se formado à porta da casa romana. Diversos empresários vieram nos dar os parabéns. Também vinha gente pedir um emprego melhor ou a revogação de uma decisão judicial. Logo ficamos exaustos; demos ordens para que não deixassem mais ninguém entrar. Mas havia um negro velho que se recusava a ser barrado. Gritava *slogans* e citações de textos religiosos. Estava transtornado de angústia e sequioso de justiça. Estava quase em lágrimas quando o deixaram entrar.

Ignorou todos nós e foi direto a Browne, o redentor da raça. Desembrulhou o volume que trazia e ofereceu-o: uma pequena estante, que ele próprio fizera, segundo afirmou. Começou a contar sua história. Sua angústia, porém, não diminuía, e nem sempre era possível entender o que estava dizendo. Há anos — disse o homem — ele trabalhava numa empreiteira inglesa. Há anos que o preteriam sempre na hora das promoções. Os patrões escolhiam sempre negros inferiores para promover, com o objetivo de provar que um negro não podia desempenhar com sucesso uma tarefa de responsabilidade. Há anos que ele vinha sendo insultado sem esboçar qualquer reação. Agora ele podia falar. Todos os insultos que havia engolido há anos agora jorravam de sua boca, para provar sua virtude e seu mérito. Havia trabalhado na construção daquela estante todas as noites, perdera as esperanças de encontrar alguém que merecesse recebê-la de presente. Mas agora era diferente. Veja só: uma estante feita de quatro peças que encaixam uma na outra, sem usar cola.

Era uma história antiga, e já estávamos calejados. Mesmo a angústia, quando se repete demais, torna-se vulgar. Mas aquela cena era uma coisa forte, comovente. O negro velho, com seu terno velho descorado na bainha e nas axilas, um homem que eu podia ver voltando das humilhações de seu trabalho, chapéu na cabeça, símbolo de respeitabilidade, chegando de bicicleta na sua rua, onde sem dúvida era respeitado e onde, talvez, ele encarnava o personagem do negro velho e sábio que conhece as sutilezas do mundo dos brancos, mas que só iria falar quando chegasse a hora. E a hora havia chegado!

Browne ouviu tudo sem manifestar irritação. Quando o velho terminou, disse: — O senhor deve largar esse emprego. É o único conselho que posso lhe dar. — O velho ficou estarrecido. Browne fez uma pausa, esperando, e depois prosseguiu: — Olhe. Eu podia pegar esse telefone aqui e ligar para o presidente da firma. Amanhã o senhor estaria sentado na cadeira do gerente. — Aquele jeito direto de se expressar, aquele modo populista de criar imagens, era novidade; era tão impressionante quanto a confiança em seu próprio poder que Browne demonstrava. O velho parecia constrangido, imaginando-se sentado na cadeira do gerente. Todos nós permanecíamos em silêncio, examinando Browne, o mágico, o homem que agora estava separado de nós. — Mas e aí? — perguntou Browne de repente, irritado. O velho olhou para o chão; não ia dizer mais nada. — E aí? — insistiu Browne. — Quer que eu lhe diga? Aí alguém em Londres ia querer conseguir este contrato ou aquele. E sabe o que ia acontecer então? Quem é que eles iam mandar para me pedir o favor? Para me subornar? Quem?

E o negro velho, entrando no jogo retórico de Browne, respondeu, com orgulho e satisfação: — Eu.

Fim da audiência. Solicitante e cortesãos estavam satisfeitos. E pensei: meu Deus, numas poucas horas a consciência do poder transformou um semipolítico, um semi-ideólogo, um gozador, num líder populista.

Browne reconheceu nossa admiração. Disse, simulando impaciência: — Se eu fico aqui, esse diabo desse povo me devora.

E agora eu não conseguia mais ler sua ambivalência.

Acreditaria Browne em seu poder? Estaria dominado pelo desespero que sobrevém no momento da vitória e a consciência de que a vitória não muda nada? Ele havia me mostrado a natureza da violação que vínhamos explorando. Pensaria ele, como eu, que violação era violação e não podia ser desfeita, mesmo estando ele na posição em que estava, o limite de sua ambição? Eu não conseguia mais ler sua ambivalência. Eu só sabia que chegara a hora em que ele queria descer do alto, voltar ao passado que havíamos destruído com tanta facilidade. Mas como aqueles homens sem rosto — que andavam em carros com M de ministro — que nós havíamos criado permitiriam que um homem que se revelara tão poderoso fizesse tal coisa? Como eu, Browne havia se tornado prisioneiro de seu papel.

Assim, a casa romana morreu pela segunda vez. Browne logo mudou-se para sua residência oficial. Lá ele era protegido dos mendigos, solicitantes, malucos e até mesmo dos seus colegas. Pegou o hábito de me escrever cartas. De início achei que seu objetivo era me tranqüilizar, tal como fazia antes quando me sussurrava comentários nos palanques. Depois comecei a achar que as cartas eram exercícios. Entrei no seu jogo; minhas cartas eram semelhantes às suas. Era uma correspondência de universitários, um tanto pretensiosa, um pouco semelhante à que eu mantinha com o irmão de Wendy, que em Quebec agora se angustiava não só com a dança da vida e da morte de Shiva como também com a questão de um estado francês independente no Canadá. Escrevíamos sobre livros que líamos, idéias que nos haviam ocorrido, escrevíamos sobre tudo, menos o trabalho que havíamos empreendido e, embora em nossas cartas nos referíssemos a nossos encontros, jamais, quando nos encontrávamos, nos referíamos a nossas cartas. Continuávamos, embora com menos freqüência, a aparecer juntos em público, cada um ainda desempenhando seu papel. Nessas ocasiões, porém, não estávamos mais próximos um do outro do que nas reuniões do gabinete, em que cada membro estava sozinho, reservado, cuidadoso. O processo de aprendizagem havia começado, e cada um guardava o que sabia para si.

Aprendíamos sobre o poder. Aprendíamos sobre nossa pobreza. Uma coisa estava ligada à outra, mas era nossa pobreza que tornava mais urgente a necessidade de compreender o poder. Em territórios como o nosso, o processo de aprendizagem a respeito do poder leva quatro anos. Nossas constituições normalmente prevêem uma eleição a cada cinco anos, e é no quinto ano que as pessoas começam a desafiar veementemente a força de seus rivais e colegas. Todos pagam para ver, e os fortes se revelam. Há uma convulsão; o resultado, muitas vezes, é que nunca chegam a ser realizadas as segundas eleições. Chegou a hora da verdade em Isabella e minha cabeça teve de rolar. Fui como um cordeiro para o holocausto. Não culpo ninguém. Cabia a mim agir, e eu não agi. Tinha muitas cartas na mão. Joguei-as fora. Na época, meu comportamento me pareceu perfeitamente lógico. Agora parece-me irresponsável.

Em nossa inocência, no começo achávamos que os aplausos e o cheiro de suor eram nossa única fonte de poder. Rapidamente percebemos que dependíamos do que não passava de uma multidão, e que nosso controle sobre a multidão dependia da palavra, um instrumento incerto. Fui um pouco além. Vi que, na situação em que estávamos, a multidão, por não possuir nenhuma capacitação profissional, era improdutiva, não oferecia nada e, em última análise, não tinha poder. A multidão podia tocar fogo na cidade. Mas podia ser fuzilada, e o poder do dinheiro reconstruiria a cidade. No momento da vitória, não entendemos por que ninguém pagou para ver. Logo vimos que isto não fora necessário, que nosso poder não passava de brisa. Não tínhamos o apoio de nenhum sindicato, nem do capital organizado. Não tínhamos sequer a força do nacionalismo, apenas o arrebatamento negativo de uma violação profunda que só poderia levar a mais arrebatamento, à visão do mundo explodindo em chamas: era a única expiação.

A situação era sórdida. Estávamos, no entanto, entre homens a quem, em meio a viagens ao exterior a convite de governos estrangeiros, conferências realizadas em Londres, Humbers dirigidos por choferes e hotéis de primeira em meia dúzia de cidades, a riqueza do mundo estava subitamente revelando-se. Estávamos entre homens que se sentiam mais fraudados, mais rancorosos agora que estavam no poder do que jamais haviam se sentido, homens que temiam que aquele mundo rico e maravilhoso que se abrira para eles, a qualquer momento lhes pudesse ser negado. Assim, cada um tentava transformar aquele poder aéreo, que sua ansiedade fazia parecer — e com razão — algo inseguro, numa realidade. Alguns tentaram fazer isso enriquecendo depressa. Os emissários dos bancos suíços nos procuravam: esta corrupção nas fímbrias do poder era algo que não tínhamos como impedir. Alguns tentavam tornar-se líderes dos trabalhadores. Alguns tentavam subverter a polícia. Para todos, a proclamação da angústia era necessária, juntamente com o antagonismo racial que a complementava.

Estávamos encurralados nesta situação. Cada tentativa que fazíamos no sentido de garantir a nossa segurança pessoal abria caminho para mais desordem. Isto me alarmava, para dizer a verdade. Preparei um relatório de cinco mil palavras para o gabinete, a respeito da reorganização da polícia. Era meu objetivo reabilitá-la socialmente, livrá-la de suas associações com os quintais dos fundos; eu queria integrá-la aos elementos responsáveis da sociedade que ainda restavam. Propus que mantivéssemos os oficiais ingleses enquanto desenvolvíamos uma classe de oficiais nativos; não deveríamos promover de repente elementos desqualificados ou socialmente inaceitáveis. O relatório fez com que me encarassem com desconfiança. Foi considerado antiliberal pelos porta-vozes do rancor; nada foi feito. Percebi que, na situação em que nos encontrávamos, a polícia ou o regimento poderia tornar-se um estado em si, como o próprio estado de Isabella, em que o poder poderia a qualquer momento passar de uma mão a outra, o soldado poderia se recusar a obedecer, e dez homens decididos poderiam eliminar as lideranças a que eles resolvessem não mais obedecer por não ver motivo algum para fazê-lo.

A obediência jamais me parecera ser um problema. Agora era para mim o milagre da sociedade. Dada a nossa situação, a anarquia seria total, a menos que agíssemos depressa. Desperdiçamos nossas energias, porém, na questão do poder e da consolidação de um poder efêmero, até que a verdade maior emergiu: numa sociedade como a nossa, fragmentada, inorgânica, sem vínculos entre o homem e a paisagem, numa sociedade em que não havia interesses comuns que a mantivessem unida, não havia uma fonte interna de poder e todo poder real vinha de fora. Tal era o caos controlado que nós, com tanto entusiasmo, havíamos criado para nós mesmos.

Uma visão histérica, equivocada, criminosamente irresponsável: talvez. Mas ela me enfraqueceu. Fui esmagado pela crueldade do que via. Recolhi-me ao papel que representava. Fiz o mesmo que Browne, que falara tanto da angústia e da dignidade como descobertas por si só, mas jamais pensara em ir além disso. Ele nunca aprendeu mais nada depois daquele primeiro dia. Permaneceu no papel de líder populista, esperando, como eu, a hora da verdade. Seu papel era sua força. O meu me expunha ao perigo representado por meus colegas.

Continuei a dirigir o *Socialist* como antes, proclamando a dignidade da angústia. Meus discursos conservavam o tom de protesto de antes. Jamais abandonei o personagem do dândi. Isto não era nem honesto nem desonesto, era apenas a saída mais fácil. A opinião pública, no entanto, via em mim uma espécie de oposição interna, o que me tornou popular. Em pouco tempo percebi que, graças a minha coerência cega, a minha recusa a elaborar maquinações, meus colegas começaram a me considerar forte e perigoso. Eu tinha cartas demais nas mãos. Poderia ter atraído para meu lado o grande capital, para pressionar aqui e ali quando necessário; poderia ter arregimentado os bancos, os Stockwell, as companhias de bauxita; poderia ter arregimentado aquela classe média à qual, por instinto, eu pertencia; e poderia ter atraído seguidores entre os trabalhadores do campo, asiáticos pitorescos como eu, sempre prontos para ouvir a voz de seu sangue. Poderia ter me esquivado da falsidade daquela posição de mero compartilhador de angústia em que me encontrava, de convertido, de quem tanto os fiéis quanto os infiéis desconfiavam. As cartas estavam todas na minha mão. Não usei nenhuma delas, e intriguei a todos com minha estupidez.

Assim como Browne, eu não era um político. A perspectiva de deter o poder em Isabella me fatigava. Era mais fácil, muito mais fácil, o caminho que haviam escolhido para mim. E havia também minha correspondência com Browne e com o irmão de Wendy em Quebec. Para um, eu escrevia dissertações a respeito da dança do cosmos. Para o outro, eu escrevia cada vez mais a respeito de história, assunto que me absorvia progressivamente. Lembro que escrevi um longo ensaio a respeito do comportamento de Pompeu durante a guerra civil, coisa que sempre me intrigara — era a respeito de assuntos inofensivos como este que minha correspondência com Browne agora versava. Eu julgava manter estas correspondências por me interessar pelas pessoas a quem eu escrevia e para manter a imagem que elas tinham de mim. Mas tiveram o efeito de aprofundar minha convicção de que eu tinha uma vida oculta, mais profunda. Por trás do dândi, o maquinador e organizador político, por trás disto, esta negação. Eu desconfiava das atitudes românticas. No entanto, como se vê, não resisti a elas.

A meu ver, um homem só luta quando tem esperança, quando tem uma visão da ordem, quando tem a convicção profunda de que há uma relação entre ele e a terra que ele pisa. Minha visão, no entanto, era de uma desordem que homem nenhum poderia consertar. Tinha a consciência de um equívoco, que surgira no silêncio daquela manhã em que voltei àquela ilha de escravos e tentei fazer de conta que era minha. Tinha aquela sensação de ser um intruso, que se tornava mais forte à medida que eu me convencia de que meu poder era apenas uma questão de palavras. Assim, numa atitude desafiadora, no íntimo, assumi esse meu personagem de intruso, o asiático pitoresco que nasceu para viver em outras paisagens.

Por fim, havia o engodo da loucura: eu acreditava na minha estrela, não na estrela da sorte, mas na estrela que —

se eu me entregasse à situação, se eu fizesse sempre o que pediam de mim — me guiaria até o lugar que me cabia. A compaixão do messias, do homem que se penitencia pelo mundo: já expliquei os sentimentos absurdos que me surpreenderam no momento em que era maior o meu poder, maior meu amor-próprio, a sensação de que estávamos todos caminhando em direção à borda de um mundo plano: a visão da criança, ou do conquistador; o princípio da religião ou da neurose.

4

A criança, andando no carro do avô por uma estrada no interior, num dia de chuva, vê as cabanas de sapé dos camponeses, encharcadas. Vê os camponeses chafurdando até a altura das canelas numa lama negra que, ao secar, formará manchas brancas na pele escura dos homens. Ela exclama: — Por que não dão perneiras a eles? — O avô lhe responde: — As perneiras custam dinheiro. — É uma resposta decepcionante, a criança percebe, e quando vê as casas dos administradores, paredes cor de ocre e telhados vermelhos, crianças alouradas brincando nos jardins malcuidados, fica indignada.

O político também conserva esta indignação. Numa reunião do gabinete ou num debate no Conselho, porém, ele é obrigado a ver a agricultura como um problema nacional. Ele sabe como ela é importante para a economia do país. Conhece os fatos e as cifras; conhece o preço do açúcar e da copra no mercado internacional; sabe quem é que garante seus mercados de exportação. Sabe que as pequenas propriedades são pouco eficientes e que os planos de reforma agrária são utópicos. Sabe que o interesse do país está vinculado ao dos grandes proprietários e que estes estão do seu lado. Sabe que os grandes proprietários gostariam de uma certa alteração no sistema tributário. O político resolve esquecer aqueles vultos chafurdando na lama; resolve esquecer a indignação que sentiu ao ver as casas dos administradores. Tudo isso é superficial e irrelevante, mas foi o que o instigou a seguir sua carreira. Toda a sua liderança consiste em levar esta mensagem ao povo. Ele é um político, um homem que foi elevado acima de si próprio.

Começamos com um blefe. Continuávamos blefando. No entanto, havia uma diferença. Começamos na inocência, acreditando na virtude do cheiro de suor. Continuamos já com a consciência da pobreza e do poder. O político colonial é um alvo fácil para a ridicularização. Quero evitar o ridículo, não vou contar histórias de analfabetismo e inocência social. Não que eu queira pintar uma imagem do político colonial mais elevada ou mais perfeita do que a realidade. É que sua situação, ela própria constitui, por assim dizer, uma sátira; ela vira a sátira do avesso, leva-a a um ponto em que ela se aproxima do patético, talvez até do trágico. Nesta imensa violação, as palavras lhe vêm com facilidade, uma facilidade excessiva. Ele é obrigado a trair suas palavras. Atingido o sucesso, ele é obrigado a pôr de lado a violação. Ele tem de se trair, e no final sua única causa é sua própria sobrevivência. O apoio que ele atraiu — não um ideal atraindo outro, e sim um rancor atraindo outro — ele termina por trair e mutilar: a emancipação não é possível para todos.

Assim, por exemplo, antes falávamos da necessidade de nos livrarmos dos ingleses expatriados que praticamente monopolizavam o setor administrativo do serviço público. Havíamos afirmado que sua presença era uma indignidade e um ônus insuportável para nosso Tesouro. Eles recebiam dinheiro da Inglaterra; sua moradia era subsidiada; a cada três anos eles e suas famílias ganhavam passagens para Londres. Cada expatriado nos custava o dobro de um nativo. Se tivéssemos um pouco menos de inocência, perceberíamos que éramos incapazes de sobreviver sem os expatriados: eram tão numerosos que, se tivéssemos de indenizá-los, nossas finanças ficariam arrasadas durante dois anos, no mínimo, e não estávamos em posição de poder romper acordos unilateralmente. Além disso, um número razoável dos funcionários que ocupavam altos cargos técnicos, nas áreas de silvicultura e agricultura, eram subsidiados por Londres, através de um generoso plano de ajuda às colônias.

Deixamos a questão por resolver. Emitimos uma declaração a respeito de nossa confiança na lealdade do funcionalismo público e, dos escalões inferiores de nossos ministérios, emanavam de vez em quando parábolas hipócritas sobre a harmonia criada pelas teclas brancas e negras do piano ao trabalharem juntas. Na verdade, estávamos começando a descobrir em nós mesmos uma profunda relutância em relação à idéia de aumentar o número de nativos no serviço público. Devido à atmosfera de dissimulação gerada pelo nosso jogo do poder, algumas pessoas preferiam ser servidas por homens que não constituíam nenhuma ameaça para elas, que ao final do tempo de serviço voltariam para seu país.

Os funcionários nativos ficaram insatisfeitos. Eles haviam sido nossos seguidores mais inteligentes. Agora sentiam-se traídos; e um homem de cinqüenta anos de idade não pode aceitar a idéia — por mais suavizada que fosse com mostras de solidariedade — de que ele só será promovido quando seu superior de quarenta e cinco anos chegar ao fim de seu contrato vitalício. O descontentamento crescia. Começou a manifestar-se no *White Paper*, a publicação do funcionalismo público que, antes de chegarmos ao poder, divulgava listas de nomeações, transferências e aposentadorias, notícias a respeito de funcionários de licença e, às vezes, um conto extremamente cauteloso, que normalmente começava com um grupo de pessoas sofisticadas bebendo num bar, uma das quais lembrava-se de um incidente curioso. Resolvemos derrubar um ou dois dos funcionários locais dissidentes mais elevados na hierarquia e mais veementes em seus protestos. Não foi difícil. O próprio *White Paper* nos ajudou. Contrastamos a velha postura de aquiescência com a irreverência atual, e demos a entender que era o novo regime que estava sendo atacado. Os funcionários revoltados eram mestiços; passavam as férias na Inglaterra e matriculavam os filhos em escolas inglesas; tentavam manter a pele clara e o cabelo liso através de casamentos seletivos. Sua punição foi justa. Nada do que dissemos era mentira; o público ficou do nosso lado.

Pouco depois, vieram de Londres mais ofertas de ajuda técnica e envio de peritos com contratos de curto prazo. Aceitamos com gratidão, de modo que, no final das contas, tínhamos mais expatriados do que antes. Alguns de nossos ministros faziam questão de ser vistos em público com seus secretários ingleses, cujo comportamento era impecável. Era o que esses ministros ofereciam a seus seguidores: o espetáculo do negro servido pelo branco: a revolução que afirmávamos ter criado.

A sátira se manifesta. Mas compreenda-se o político colonial. Talvez tenha sido sua indignação pessoal que o impeliu. Atingido o sucesso, sua única postura possível é a dignidade pessoal e, por algum tempo, isto satisfaz seus seguidores. Ele é um símbolo; ele representa a esperança de todos. Assim, faz parte de sua função exibir os ouropéis do poder: o carro assinalado com um M, o terno nos dias mais quentes, os brancos a servi-lo. Compreenda-se, também, sua insegurança. Ele conhece sua própria insignificância, e, cada vez que volta do mundo rico, a reação de prazer que sente ao se ver de volta em seu país — "pelo menos este pedacinho do mundo é meu" — desaparece rapidamente quando ele se dá conta do quanto é precária sua situação. Ele é obrigado a economizar para o futuro que lhe é impossível prever; sua apreensão vira pânico já na cerimoniosa ida do aeroporto à cidade, quando ele passa pelas casas altas, em ocre e vermelho, dos administradores das propriedades rurais. Compreenda-se sua insegurança, sua incapacidade de ouvir críticas, sua solidão.

Compreenda-se o comportamento irracional de Browne, ditado pelo pânico, o desaparecimento de sua frivolidade; seus ataques de raiva dirigidos a nós e ao povo e, juntamente com a afirmação de sua dignidade pessoal, sua proclamação não da diminuição da angústia, e sim de uma angústia recém-descoberta, e maior do que a de antes. Browne havia se acomodado ao papel de líder populista. Não tinha coragem de ir além. Havia se adaptado ao rancor e à auto-repulsa que este papel certamente o fazia sentir. Seus discursos ficaram diferentes, embora para o público sua substância permanecesse a mesma. Se antes ele falava da angústia como se se dirigisse apenas aos angustiados, agora parecia se dirigir aos culpados também. Gritava com eles, queixava-se, tentava aterrorizá-los. Seu desafio tornou-se tão vergonhoso quanto aquilo que ele atacava. Percebi que ele estava competindo com aqueles que lhe eram inferiores. Mas deu certo. Aquilo fez de Browne uma personalidade; fez com que os semanários de circulação internacional lhe dedicassem parágrafos. Aqueles que não eram atingidos por seus apelos anteriores à dignidade e ao estoicismo, porque tais apelos os excluíam, agora sentiam-se lisonjeados por aquela angústia mais reconhecível que ele proclamava e, finalmente, o aceitaram como líder. Mesmo que não lhe faltasse a vontade de seguir adiante a partir do vazio de sua posição, esta aceitação a teria enfraquecido.

Nossa correspondência prosseguia, aquela troca de cartas oblíquas e irrelevantes as quais — conforme percebo agora — revelavam, não obstante, muita coisa. E foi com base nesta correspondência que comecei a achar que cada vez mais ele queria largar aquele papel que o encarcerava, tal como antes o encarcerava a casa ao lado da barbearia Kremlin. Em suas cartas, Browne fazia-me voltar ao passado, a Londres, a seu romance inacabado, ao Colégio Imperial e ao movimento de meu pai, ao menino que, vestido e pintado, para o deleite dos pais e a inveja dos colegas, cantara com tanto sucesso aquela canção de negros. Com base nestas cartas, percebi não apenas o desprezo que ele sentia por aqueles entre nossos colegas que não eram mais impelidos por seus rancores pessoais, não apenas o desprezo que sentia pela torrente infindável de pedintes que apelavam para ele em nome da raça e do passado que com ele tinham em comum, como também comecei a sentir que estava penetrando numa fantasia semelhante à minha. Aqui havia mais do que saudade do passado que tínhamos destruído, de revistas efêmeras com suas declarações de princípios, de panfletos esporádicos, de idéias súbitas desenvolvidas em mesas de bares. Havia também um anseio por paisagens diferentes, um mundo diferente, em que a primeira lembrança ligada à escola era a de levar uma maçã para a professora, em que, ao menos nas redações, passava-se as férias numa fazenda de clima temperado. Havia aqui um anseio, semelhante ao meu, por liberdade, por aquilo que considerávamos nossas verdadeiras personalidades. Na fantasia, talvez, esta verdade era uma das coisas que o sucesso deveria ter nos trazido; e as decepções da fantasia não são menos reais. Assim, um explicava ao outro seus atos e sua inação — pois, conforme vejo agora, não era outra a intenção de meu laborioso ensaio sobre Pompeu — enquanto continuávamos sendo colegas na política, um apoiando o outro.

Foi no terceiro ano de nosso governo que ocorreu um incidente que causou má impressão no exterior; no entanto, não chegou a abalar nossa reputação de estabilidade e bom senso. O Cercle Sportif teve a idéia infeliz de comemorar o aniversário de Browne com um baile à fantasia, e alguns dos convidados tiveram a idéia infeliz de se fantasiar de nativos africanos, com lanças e barbichas. Browne foi informado ainda durante a festa — um garçom do Cercle achou-se na obrigação de informá-lo — e na manhã seguinte foram deportados todos aqueles que estavam presentes no baile que podiam ser deportados. Vários funcionários públicos expatriados estavam incluídos no grupo.

Durante dois ou três dias, Browne esbravejou, em comícios, no Conselho, no rádio. Parecia ter perdido a cabeça. Dava a impressão de estar querendo provocar um conflito racial. Por fim os jornais começaram a protestar. Um deles publicou uma *charge* em que apareciam em nosso aeroporto três portas. Embarques, Desembarques e Deportações. Imediatamente Browne acalmou-se. Divulgou uma declaração sensata a respeito de suas atitudes pessoais e das de seu governo a respeito dos clubes racialmente segregados. Nada tinha contra eles, afirmou Browne, desde que não recebessem, abertamente ou de modo indireto, quaisquer verbas públicas; nada tinha contra o Cercle Sportif em si, porque não era mais um lugar onde ''decisões referentes aos interesses vitais de nosso país eram tomadas entre goles de uísque com soda''. A explosão de Browne havia envergonhado muitos de nós. Mas não abalou nem um pouco seu prestígio. Pelo contrário, fortaleceu sua posição e lhe angariou muitas manifestações de solidariedade na imprensa estrangeira; sua declaração a respeito dos clubes segregados foi considerada apropriada pelos observadores estrangeiros e ''diplomática'' por seus seguidores. Pobre Browne! Em que situação havia se colocado? Saberia ele o que realmente pensava a respeito de qualquer assunto?

Houve uma seqüela. Cerca de um mês depois, começou a circular uma narrativa satírica anônima chamada *O Níger e o Sena*. Era escrita em inglês, entretanto seguia tão de perto o estilo de *Cândido* que parecia ter sido traduzida do francês. A escravidão acaba de ser abolida, e a filha de uma família francesa antilhana chega em casa um dia e diz que vai se casar com um negro. Sua inflamada declaração de motivos é interrompida pelo pai, que a abraça. Ele não apenas aprova o casamento como também promete fazer o que puder no sentido de ajudar o negro e sua família. Resolve enviar seu genro a Paris e custear seus estudos. Tudo isto é feito e, pouco tempo depois, está estabelecida na ilha uma família negra de posses. Seus descendentes continuam a praticar a miscigenação racial. O mesmo se dá com os descendentes da família francesa: o ônus de sua culpa é pesado, e seu liberalismo é tenaz. Com o tempo, as duas famílias sofrem certo grau de alteração racial. Assim, acontece que a filha da família negra, que agora parece branca, chega em casa e anuncia sua intenção de casar-se com o herdeiro da família francesa, que é um negro. Seu pai diz que não; chovem epítetos racistas. A moça se suicida. O ciclo de liberalismo está encerrado; já cumpriu seu objetivo; não se repetirá.

O Níger e o Sena era uma obra bem escrita, inteligente, espirituosa, mordaz, de uma crueldade quase insuportável. Jamais se escrevera algo tão franco a respeito de Isabella desde os tempos da visita de Froude. A narrativa fez com que as discussões sobre atitudes raciais adquirissem uma brutalidade que fora tacitamente proibida em nossa ilha. Da violação original emergira um certo equilíbrio, uma certa ordem. Agora, com o baile à fantasia, a explosão de Browne e este panfleto satírico, ficou claro que esta ordem estava se desintegrando. E, naturalmente, os intrusos, aqueles que impediam uma compreensão mútua integral entre senhores e escravos, é que teriam de pagar.

5

Assim, trouxemos à nossa ilha uma certa dramaticidade. Considero isto uma de nossas realizações. A dramaticidade, por mais que a temamos, aguça nossa percepção do mundo, nos dá uma certa autoconsciência, nos transforma em atores, dá um sentido e às vezes um pouco de glória a cada dia. Dá vida a uma paisagem prosaica. Assim, freqüentemente acontece — conforme muitos já constataram — que, numa situação caótica, aparentemente prejudicial a qualquer forma de desenvolvimento humano, a personalidade humana torna-se, na verdade, mais variada e ampla. E isto é sem dúvida uma forma de criação! Talvez eu esteja escrevendo de um ponto de vista subjetivo, aqui no ambiente ordeiro deste hotel suburbano, inserido no tumulto desta cidade industrial — cuja luz já foi tão mágica — que, apesar de tão movimentada, nem por isso deixa de estar morta, fato que se torna evidente sempre que se penetra um interior e aquela movimentação se decompõe em suas partes elementares. *Quem vem lá? Um soldado. O que ele quer? Chope gelado.*

Esta dramaticidade que criamos certamente me estimulou. Em mim, teve o efeito de acabar com o tédio que eu sentira na infância e que estava associado à paisagem: aquelas tardes quentes e silenciosas de domingo, em que meu pai zanzava sem rumo pela velha casa de madeira e pelo quintal vazio, de camiseta e calças, e por vezes se dedicava a limpar meticulosamente a bicicleta com que iria diariamente ao trabalho na semana que tinha pela frente. Vou deixar registrada aqui a brincadeira com que me divertia desde o começo. Era um jogo de nomes. Eu começava um discurso assim: "Acabo de vir de uma reunião na esquina de Wellington com Coyote Streets...". Ruas desenxabidas, de casas de concreto e zinco, mas eu tinha prazer em repetir seus nomes, como tinha prazer em dar a documentos e declarações os nomes das aldeias ou cidades onde haviam sido esboçados. E assim eu ia adiante, dando nome a tudo e, posteriormente, passei a exigir que tudo — todo prédio do governo, toda estrada, todo projeto agrícola — fosse rotulado. Aquilo sugeria dramaticidade, atividade. Reforçava a realidade. Reforçava aquela sensação de posse que me advinha sempre que eu voltava à ilha após uma viagem ao estrangeiro: que não se pense que eu era imune aos sentimentos. A dramaticidade me estimulava em minhas atividades, e naquele jogo de nomear havia dramaticidade. Antes o governo era discreto. Agora, nós, os protagonistas, por mais impotentes que fôssemos, por mais insignificantes, éramos personalidades públicas, éramos o centro das atenções onde quer que fôssemos. Havia dramaticidade naquele jogo do poder, do qual eu havia me afastado. Num certo nível, as divisões e alianças eram do domínio público: num outro, era possível fazer de conta que elas não existiam. A dramaticidade nos acompanhava sempre, e não era desagradável. Considero-a uma realização, muito embora as conseqüências fossem, para mim, bastante desagradáveis.

Assim, gastávamos nossas energias na divulgação daquilo que já existia. Vivíamos ocupados. Inaugurávamos escolas que antes teriam aberto suas portas às crianças sem muito estardalhaço; cortávamos fitas para inaugurar trechos curtos de estradas no interior; inaugurávamos lavanderias, sapatarias, postos de gasolina. Éramos fotografados com visitantes de agências de viagens americanas ou alemãs, os quais sempre diziam o que se esperava deles; éramos fotografados trocando apertos de mãos com representantes de uma fábrica de automóveis francesa que viera para avaliar a possibilidade de uma agência regional. Fazíamos questão de nos associarmos a todas as atividades da ilha e a tudo aquilo que, num território como o nosso, pudesse ser considerado um investimento ou mais uma etapa no processo de industrialização.

Uma companhia inglesa começou a fabricar biscoitos. Uma outra fabricava creme dental, ou apenas trouxe para a ilha o equipamento necessário para colocar a pasta dentro dos tubos. Já não sei bem o que faziam. Estimulamos um aventureiro nativo a enlatar frutas da ilha. Não deu certo. Ninguém tivera a idéia de investigar se a população estava interessada em adquirir frutas nativas em lata. O mesmo indivíduo mais tarde resolveu enlatar margarina, e deu certo. A margarina era importada, as latas eram importadas. Tudo que fazíamos era operar uma máquina que transformava a folha de lata em cilindros. Tampava-se uma das extremidades, enchia-se o cilindro de margarina importada, tampava-se a outra ponta. Lembro-me bem do processo. Fui eu que inaugurei a fábrica. Nossa margarina era ligeiramente mais cara do que a margarina em lata importada, e era preciso protegê-la. Creio que a fábrica empregava cinco negros, que foram fotografados com guarda-pós brancos de cientistas, com rostos muito sérios.

A industrialização, num território como o nosso, é, ao que parece, um processo de encher tubos e latas importadas com diversas substâncias importadas. Quando íamos além disto, quase sempre tínhamos problemas. Foi o que aconteceu no caso da fábrica de plásticos, mais tarde conhecido como o escândalo dos plásticos, ao qual meu nome foi associado. Um tcheco veio me procurar uma vez. Disse que havia desertado uma gigantesca firma holandesa, e propôs que o deixássemos dirigir uma fábrica de plásticos estatal. Ele nos deslumbrou com as possibilidades dos plásticos e, devo confessar, sua nacionalidade me atraía. Com o tempo, chegou a produzir alguns pentes e tigelas de plástico. Eram de um marrom malhado ou de um azul sujo. O processo utilizado pelo tcheco, porém, tinha uma falha irremediável.

Tudo que ele produzia fedia terrivelmente. A hora da verdade se aproximava — tenha-se isto em mente em meio a todas essas aventuras, toda essa atividade, essa dramaticidade — e estou certo de que a história dos plásticos teria sido usada para me enfraquecer se não tivesse surgido, mais ou menos na mesma época em que o tcheco estava fugindo da ilha, a grande notícia do contrato da bauxita.

Desde o início, havíamos prometido renegociar o contrato da bauxita. Era nosso único recurso natural importante, e sua exploração, no final dos anos 30, fora talvez a única coisa que salvara nossa economia da ruína total e evitara a revolução em nossa ilha. Mas muita gente não estava satisfeita; havia a convicção generalizada de que o contrato havia sido negociado numa situação de ansiedade e ignorância, e que não estávamos recebendo o que merecíamos. O *Socialist* criava imagens magníficas do que poderia ser feito com *royalties* mais elevados. O problema da bauxita, no entanto, é que quase todo mundo é leigo no assunto. O político colonial que se compromete a renegociar um contrato de exploração de bauxita se vê na mesma posição do professor de física que promete fazer uma bomba atômica para seus alunos da quinta série. Já estávamos numa enrascada antes mesmo de começar. Não dispúnhamos dos conhecimentos técnicos necessários, nem sabíamos onde obtê-los. Londres não nos ajudava. Queríamos um perito, estávamos dispostos a pagar. Mas parecia não haver em parte alguma um perito em bauxita que estivesse disponível e disposto a trabalhar por nós.

Fiz contatos oficiais com as companhias. Em resposta, elas me fizeram convites informais para churrascos à beira de piscinas. As festas eram muito simpáticas. Os homens, simpáticos, tinham dobras de gordura na cintura; brincavam com bolas e cachorros, e de vez em quando dirigiam palavras severas às crianças que se divertiam na água. A carne chiava nos espetos; as mulheres riam e umedeciam o churrasco. Nesta atmosfera, puxar o assunto bauxita parecia uma atitude de estraga-prazeres, quando partia de mim, e uma ameaça, quando partia deles. Chegava mais um convidado, saudado por todos; uma empregada silenciosa aparecia; alguém ria de um cachorro que nadava. Enquanto isso, me diziam que na América do Sul havia bauxita de excelente qualidade abaixo de uma camada de areia branca, facílima de retirar; que na Jamaica a bauxita ficava sob cinco centímetros de terra solta, sem pedras; e que a Austrália era um continente inteiramente composto de bauxita. A bauxita de Isabella era de difícil extração e qualidade duvidosa. Ao criarmos caso, estávamos comprometendo nosso futuro; mesmo na situação atual, nada impedia que todas as companhias fossem embora de Isabella, e aí os nativos poderiam brincar à vontade com aquele pó avermelhado, tal como ocorria antes de 1935. Além disso, se houvesse qualquer incerteza a respeito do futuro, talvez fossem abandonados os planos, já bem adiantados, da instalação de uma fábrica de alumina. E tratava-se de um investimento de alguns milhões.

Aquilo era um exagero. Não fiquei alarmado. O *Socialist* continuava a manifestar seu ressentimento, mas aparentemente era só isso que podíamos fazer. Como negociar em relação a uma mercadoria cujo valor se desconhece? A todas as nossas iniciativas formais, as companhias respondiam com convites informais. Creio que alguns dos administradores mudaram durante o período, mas a atmosfera de churrasco em família permaneceu a mesma e as conversas eram sempre iguais. As companhias não queriam ser indelicadas conosco. Éramos uma nação jovem, etcétera e tal, e elas faziam parte de nossa vida — era esse o tema de seus discretos anúncios publicados em nossos jornais —, mas sua posição era: nada a discutir. E não podíamos fazer nada. Não havia nenhuma possibilidade de pedir ajuda aos trabalhadores. Não controlávamos aquele sindicato. Além disso, os empregados das companhias de bauxita eram os mais bem pagos de Isabella — aqueles empregos eram constantemente disputados — e, em termos de moradia, recreações e coisas assim, as companhias eram empregadoras irrepreensíveis. O que fazer? Mais uma mensagem para ser transmitida ao povo, mais um teste para nossa capacidade de liderança.

Fomos salvos pela Jamaica. Lá eles tinham mais recursos, um governo mais experimentado e enérgico e mais contatos internacionais. Eles também tinham tido os mesmos aborrecimentos quando resolveram renegociar sua bauxita, que era tão fácil de explorar, e finalmente pareciam estar conseguindo alguma coisa. Nós simplesmente seguimos seu exemplo e seus conselhos. Terminaram os churrascos. Em vez disso, fomos fotografados com nossos assessores numa sala de reunião, entre mata-borrões limpos e garrafas d'água e copos. Todos tínhamos no rosto uma expressão séria e formal. A julgar pelos anúncios que elas publicaram, as companhias ficaram mais satisfeitas do que ninguém.

Foi um triunfo. Foi o ápice de minha carreira política. Daí em diante, a queda foi rápida.

Quanto menor a sociedade, mais complexas as questões: as hostilidades e alianças num parlamento de seiscentos membros são mais fáceis de acompanhar do que as que se formam num conselho paroquial com vinte participantes. Para mim, até hoje há apenas uma seqüência de eventos. Os motivos de todas as pessoas envolvidas me parecem obscuros, e creio que uma comissão de inquérito imparcial concluirá que houve apenas confusão, e proporá a adoção de alguma resolução aleatória. Tenho certeza de que os motivos e alianças mudaram rapidamente durante o mês que se seguiu à renegociação do contrato da bauxita. A hora da verdade estava próxima; havia nervosismo e medo.

Simultaneamente com a fuga do tcheco dos plásticos fedorentos e com o júbilo e a publicidade decorrentes do novo contrato da bauxita, ocorreu uma agitação prolongada e de grandes proporções nas plantações de cana-de-açúcar dos Stockwell, a qual nossa polícia, durante quase uma semana, não conseguiu controlar.

Veja-se como os dois primeiros eventos giravam em torno de mim, e a apreensão me associou ao terceiro. Era um movimento de asiáticos — aquela gente que se entusiasmara tão pouco com a proposta de compartilhar a angústia alheia. Era a primeira ameaça à ordem mais grave que tínhamos de enfrentar, e percebemos que se tratava de uma verdadeira demonstração de força. Era tempo de colheita. A cana madura estava pronta para ser cortada, os incêndios criminosos causavam prejuízos imensos. Veja-se com que facilidade a apreensão transformou-se em pânico, vejam-se quantas interpretações poderiam ser dadas a esta agitação, que de início parecia incontrolável. Vejam-se quantas alternativas se descortinavam ante aqueles homens que desconfiavam uns dos outros e que achavam que seu próprio poder não passava de um blefe. Havia vontade de conquistar e controlar esta força que subitamente se manifestava, havia vontade de destruí-la. Falava-se em exploração e em latifundiários ausentes. Ao mesmo tempo, nas cidades, pipocavam aqui e ali manifestações contrárias, de caráter claramente racial.

Vi-me no centro de acontecimentos que não me era possível controlar. Percebi que a opinião pública convergia sobre mim. Estava ciente de todos os boatos. Até mesmo aqueles churrascos começavam a receber interpretações sinistras: táticas para ganhar tempo, de um homem comprado, que dedicara toda sua carreira política a promover os interesses de sua raça. O que de certo modo era fácil de provar, já que o *Socialist*, indo contra o bom senso, sempre proclamara a nacionalização dos canaviais como um objetivo do governo. Aquilo fora uma questão de coerência minha, por algum tempo fora minha força, e agora era uma arma nas mãos dos que queriam me destruir.

No entanto, em meio a toda essa confusão, às notícias cotidianas de incêndios nos canaviais e violência nas cidades, era este o grito que se ouvia de um canto da ilha ao outro: nacionalização. Os canaviais tinham de ser nacionalizados em prol da unidade, em prol daquele fim à exploração de que tanto se falara. Os canaviais tinham de ser nacionalizados para compensar a sorte do novo contrato da bauxita. Os canaviais tinham de ser nacionalizados para impedir que tais ameaças à ordem voltassem a surgir no futuro. Eu estava no centro, cabia a mim agir. Browne manifestou-se, e foi ambíguo: cabia a mim agir. Meus seguidores, que eram muitos, certamente esperavam um milagre. A nacionalização era tão impossível quanto livrar-se dos funcionários públicos expatriados: Londres deixara isso bem claro. Propôs-se enviar uma delegação a Londres. Veio a resposta esperada: nada a discutir. Mas o brado na ilha não cessou; eu não poderia ignorá-lo. Nacionalização agora era só uma palavra. Não tinha significado. Exprimia apenas uma ameaça dos asiáticos, uma esperança dos asiáticos; para alguns, a palavra traduzia a concretização de um desejo; para outros, uma vingança. Nacionalização tornou-se menos do que uma palavra: passou a ser uma interjeição emocional. Os canaviais ardiam; duas ou três delegacias de polícia no interior foram invadidas; nas cidades, lojas e residências foram saqueadas. Estávamos no meio de um conflito racial, mas falávamos em nacionalização. E eu estava comprometido com tudo aquilo que diziam meus aliados e meus inimigos: nacionalização, unidade, dignidade, angústia compartilhada.

Uma vez, quando jovem, eu me vira numa situação em que caminhava rindo até minha morte, numa praia, numa manhã sem sol; apesar da Luger, eu teria de ir até o fim fazendo de conta que aquilo era uma brincadeira, porque poderia sê-lo. Do mesmo modo, eu me via agora encurralado em meu fingimento, quando estava perfeitamente claro o que estava sendo preparado. Nas duas ocasiões, eu poderia ter gritado: "Não! Vocês não vão me matar!". Em ambas, a resposta poderia ter sido: "Mas quem é que falou em matar você?". Melhor fingir, fazer de conta.

A cada dia de fingimento que passava, mais difícil ficava a possibilidade de me retirar de cena. A cada dia de fingimento eu enfraquecia. A força era minha: era eu que devia controlar a situação, eu que devia dar uma declaração sem rodeios. Não estou exagerando. Numa situação confusa, minha posição era tão clara como sempre fora e, justamente por causa da falsidade desta posição, eu poderia ter arregimentado um número suficiente de seguidores meus na ilha para solidificar minha força e restaurar a ordem. Eu podia contar com os ideólogos para quem o *Socialist* continuava a ser um órgão de oposição interna; com aqueles para quem a renegociação do contrato da bauxita fora a única realização importante de nosso governo; com a classe média, de todas as raças, que sempre havia se sentido tranqüilizada pela minha presença no ministério; com os trabalhadores dos canaviais, que precisavam apenas de um porta-voz para expressar sua força. Todos estes setores contavam comigo e eu decepcionei a todos. A única alternativa àquele fingimento era desafiar meus inimigos a me matarem, impor meu controle. A perspectiva de ganhar o controle, no entanto, de deter o poder e seu corolário, a perspectiva de conservar o poder numa situação que seria constantemente volátil — esta perspectiva me desanimava.

Perdi meu senso de dramaticidade. Para mim, foi esta a verdadeira perda. Durante quatro anos ele me dera forças e agora, abruptamente, eu o perdera. Foi uma perda íntima; a idéia de que eu estava sendo irresponsável ou não estava cumprindo meu dever foi se esvaindo, tornou-se absurda. Eu me esforçava para manter vivo este senso de dramaticidade, pois em seu lugar só poderia vir o desespero: a imagem de um menino caminhando por uma praia deserta sem fim, entre uma faixa de vegetação viva, apodrecida, morta, e um mar vivo, irracional. Não havia tranqüilidade possível: isto viria depois, e por pouco tempo. À falta da dramaticidade, veio-me a histeria. Ela me mantinha calado. E o silêncio me obrigava a continuar fingindo.

Nacionalização? Eu iria a Londres. A proposta do envio de uma delegação fora aceita: muitas negociações tinham sido feitas nos bastidores, por amigos e inimigos. Durante os quinze dias que eu passaria no estrangeiro, minha posição seria abalada. A violência continuaria e não haveria nenhum motivo para voltar. Comecei a experimentar uma sensação de alívio, para ser franco; ansiava por ir embora.

6

Alívio: fiquei surpreso com o estado de espírito que me dominou. Já ocorrera uma vez de minha partida não dar em nada. Agora, finalmente, por linhas tortas, eu partiria de verdade: seria a realização de meu desejo. Naturalmente, eu voltaria; mas seria apenas uma visita, só para confirmar o que eu já esperava encontrar. Os dias antes de uma partida são fantásticos. Fiz meus preparativos devagar. Não me preocupava nem um pouco com minha missão. Tinha os fatos na ponta da língua, sabia de cor nossos argumentos. E Londres já deixara clara sua posição. Aceitaria a delegação, mas ela não seria recebida pelo ministro. Londres só estava aceitando nosso jogo até certo ponto, fazendo-nos um favor.

Tempo de colheita em Isabella, de incêndios nos canaviais: início da primavera em Londres. O sobretudo que sempre me dera prazer carregar no braço sob o sol e o calor de nosso aeroporto: o distintivo do homem que precisa viajar. Na estrada rumo ao aeroporto: casas de zinco e madeira, cores mediterrâneas, campos, árvores, lojas, *outdoors*, rostos negros anunciando creme dental e cerveja: nada disto jamais voltaria a ser visto com olhos de proprietário. No aeroporto houve uma manifestação. Fiquei surpreso; não faltava nada. Era dos nossos seguidores, é claro; era a favor. Fiz um discurso apropriado à ocasião; veio-me aos lábios com tanta facilidade quanto todos os anteriores. Meu último discurso: mantive-me fiel a meu estilo até o fim. Em breve estávamos isolados dentro do avião, subindo no ar, sobrevoando campos, rios, estradas e povoamentos cuja lógica jamais me parecera tão clara.

Um embarque como este e um desembarque tão discreto no aeroporto de Londres. Este fato poderia ter feito com que eu pensasse no que havia de patético na política de países como o nosso. Porém, naquelas circunstâncias, estava em harmonia com meu estado de espírito. Um representante de nossa Comissão, funcionários de baixo escalão do ministério, nenhum jornalista. Mas havia um automóvel com chofer e, no final da viagem, um hotel de primeira. Poucas coisas na vida se comparam à chegada num hotel de primeira numa grande cidade. Vemo-nos cercados de luxo, tendo como única obrigação o compromisso de pagar a conta. A nossa volta, há um zumbido discreto e insistente de atividade: dezenas de serviços a nossa disposição. *Glamour* em tudo e todos: na camareira, na telefonista, cujo sotaque e entonação jamais esquecemos, nos recepcionistas, na moça da banca de jornais. Tudo faz parte de um reino encantado, que permanece encantado até que vemos de relance a telefonista cercada de luzes que piscam, as figuras uniformizadas e exaustas sentadas na lavanderia, o recepcionista noturno, pálido, chegando com uma capa de chuva surrada, até que a estrutura do reino encantado se torne compreensível e o hotel se transforme num lugar de trabalho, associado não ao *glamour* das tabelas de horários de vôos, e sim às casas que se viram a caminho do hotel. Esta é a hora de ir embora, quando os dias começam a passar depressa, insossos. Mas antes dessa hora, o hotel é um lugar que irradia sua magia a toda a cidade.

Eu estava livre. As conversações oficiais só teriam lugar dentro de alguns dias. Eu estava só. Muitos dos meus assessores haviam desaparecido nos diferentes cantos da cidade, buscando prazer ou visitando amigos e parentes, estudantes e imigrantes, para quem haviam trazido rum e cigarros. Como eles se tornavam pequenos naquela cidade! O que era um vínculo com meu passado em Londres. Mas era esta a cidade que eu, explorando a partir do hotel, agora tentava conscientemente abolir. Eu havia dissecado e destruído o *glamour* desta cidade; eu a havia decomposto em indivíduos; eu não via mais nada.

Agora eu tentava recriar a cidade enquanto espetáculo: a cidade da luminosidade mágica, na qual eu podia andar sem sombra. Tentei redescobrir o cheiro docemente pungente das tabacarias e o cheiro acre do ar frio e fumacento ao entardecer. Tentei ser um turista naquela cidade que me demonstrara a impossibilidade de fugir. E tal era meu estado de espírito que consegui. Durante três dias, minha felicidade foi completa. Os dias não eram completamente vazios. Em cada dia havia algum acontecimento no qual eu podia me ancorar: um almoço com empresários, um jantar com os correspondentes londrinos de nossos jornais isabelenses, uma entrevista no Serviço Internacional da BBC, gravada em Bush House, em cujo subsolo ficava a cantina na qual Sandra, com sua capa, histérica, antevendo um futuro que lhe causava medo, me pedira em casamento.

Tínhamos, porém, uma missão. As notícias de Isabella eram cada vez piores; a violência aumentava; resultou um parágrafo no *Daily Telegraph*. Tivemos nossas conversações com os funcionários do ministério. Eles repetiram o que já haviam dito muitas vezes, o que nós já esperávamos ouvir. Delinearam com clareza e concisão quais seriam as conseqüências da nacionalização. Nossas reuniões não precisavam ter durado mais do que um minuto, mas fizemos com que durassem três dias e demos entrevistas coletivas todos os dias, que foram ignoradas pela imprensa londrina. Seria minha imaginação, porém, que me fazia perceber uma certa hostilidade oficial dirigida a minha pessoa? Senti que ali havia uma reprovação pessoal, que me consideravam racista e radical, um homem perigoso, um criador de casos num lugar onde poderia reinar a estabilidade.

Assim, o enrijecimento das posições em Isabella durante meus três dias livres repercutiu em Londres. Eu não podia fazer nada, estava comprometido com nosso jogo. E não podia evitar causar uma impressão ainda mais desfavorável. As conversações fracassaram. Insisti em pedir uma audiência com o ministro: era a única coisa que me restava fazer. Duas vezes meu pedido foi negado. Da segunda vez, disseram-me que eu poderia ser convidado a um almoço ao qual o ministro estaria presente. Lancei mão do último recurso que me restava: convoquei os correspondentes dos jornais de Isabella e falei-lhes de meu pedido. Dois dias depois fui informado de que o ministro me receberia, mas sem a delegação. Era melhor do que nada.

Foi um encontro curto e humilhante. Este homem, com quem eu já me encontrara mais de uma vez em viagens oficiais a Londres, em ocasiões em que ele ocupava um cargo menos elevado, e que me parecera simpático e um pouco abobalhado, agora mal tinha tempo para me cumprimentar. Seus modos deixaram claro que nosso jogo já fora longe demais e que ele tinha mais o que fazer do que servir de relações públicas para políticos coloniais. Em cerca de quarenta e cinco segundos, ele pintou uma imagem tão viva das conseqüências de qualquer ato impensado da parte do governo isabelense que me senti pessoalmente repreendido.

Então pronunciei a frase que me atormentou quase imediatamente após tê-la dito. Foi ela, sem dúvida, que fez com que esta entrevista me doesse tanto na memória posteriormente. Perguntei: — Como posso transmitir essa mensagem a meu povo? — "Meu povo": esta expressão fez com que eu merecesse a resposta que obtive.

— O senhor pode levar ao seu povo a mensagem que bem entender — disse ele. E assim tudo terminou.

Fiquei arrasado. Eu começara aquele jogo tão despreocupado. Andara pela cidade do ministro como um turista. Agora eu imaginava — sentindo-me, no entanto, impotente, consciente de meu próprio isolamento — cenas de destruição. Mas a minha volta só via sinais de desenvolvimento e alegria, reconstrução e vida. Senti o desespero da vontade de me vingar de tudo que aquela cidade havia me feito sofrer. Como era fácil diminuir-se naquela cidade! Como era fácil voltar a ser o menino, o estudante do passado! Onde, agora, a luminosidade mágica? Perambulei por aquela cidade terrível. Ruas mais largas do que eu me lembrava, mais automóveis, um cheiro mais forte. Estava quente demais para aquele sobretudo; eu suava. Tive discussões com motoristas de táxi, puxei brigas com garçons e balconistas. Uma indignidade. É que me sentia como se estivesse sangrando, sentia-me, pela segunda vez, desamparado naquela cidade que, por duas vezes, fora o foco de uma esperança tão vital.

O consolo veio de onde eu menos esperava, do próprio Lord Stockwell, cujas propriedades estavam em questão. Ele me escreveu uma carta de seu próprio punho — as letras eram bem separadas, mas o todo era quase ilegível — convidando-me para jantar. Julguei prudente aceitar o convite, embora não me agradasse a perspectiva de estar presente àquela comemoração. Era o que eu pensava. Imaginava algo vagamente oficial; estava convicto de que o ministro lhe relatara nosso rápido encontro, com satisfação. Comecei a destilar rancor, e constatei que o rancor me dava uma certa força. E foi com esta disposição de espírito, que em outras pessoas tanto me irritava, que fui ao jantar. Nesta disposição de espírito havia dramaticidade e era o que me animava na escuridão do táxi. Eu estava pronto para atacar o motorista ao primeiro sinal de qualquer irregularidade. Estava ansioso por uma cena em público. Minha reação era conseqüência de minha simplicidade, de minha ignorância em relação a Lord Stockwell e ao comportamento das pessoas que se sentem seguras. Eu não podia ser tão ingênuo assim, e não o era. Surpreendi a mim mesmo com aquele comportamento descontrolado e primitivo.

O motorista de táxi não cometeu nenhuma irregularidade. Separamo-nos em silêncio. Toquei a campainha. A porta foi aberta por um europeu do sul, com cara de favelado, pálido e sério. Não percebi mais nada no momento. Tive a impressão de que havia passado a vida inteira em interiores como aquele. A cena apagou de minha mente, ao invés de ressaltar como deveria, as minhas lembranças de lama escura e casas de administradores em vermelho e ocre. O homem pegou meu sobretudo, dobrou-o e colocou-o numa cadeira, sob uma pintura Kalighat,* que me perturbou por um momento, por ser tão inesperada: Krishna, o deus azul, em pé, a perna esquerda cruzada à frente da direita, flauta nos lábios, cortejando uma ordenhadora branca. Abriu-se uma porta, meu nome foi anunciado. Mulheres, de cujos

(*) Estilo de pintura em aquarela surgido em Calcutá, no século XIX. (N. T.)

rostos desviei o olhar — a súbita reafirmação dos preceitos que me ensinaram na infância —, um homem baixinho, um homem enorme vindo em minha direção, muito alto, pança proeminente ressaltada por um paletó abotoado, lábio inferior pesado e pendente. Eu esperava uma pessoa muito menor e mais elegante.

Foram feitas as apresentações. Uma voz de mulher disse coisas vagas, aparentemente sobre o tempo; perguntou-me o que eu achava de Londres; fez um comentário sobre o sol de Isabella. Não sei direito. Ao ouvir a voz, minha mente fechou-se para o que estava sendo dito; um ânimo perigoso se apossou de meu espírito. Desta vez o inimigo ia ser morto, e imediatamente.

Então Lord Stockwell disse: — O senhor nunca há de ficar calvo, eu lhe asseguro. — E a sala voltou a ser real. Aquilo me impressionou, me agradou, me aliviou. Era o consolo de que eu tanto necessitava. Senti uma gratidão ridícula. Então Lord Stockwell acrescentou: — Seu pai nunca ficou. — E fiquei a meditar mais uma vez sobre o significado de meu nome. Durante muito tempo, ele não disse mais nada.

As mulheres tomaram posse da palavra. Eram três: Lady Stockwell, sua filha Stella e uma mulher de uns quarenta e cinco anos cujo nome fiquei até o fim sem saber. Seu rosto inexpressivo fora alvo de muitos preparativos; ela acompanhava o homem baixinho, cujo nome e cargo também não descobri. Felizmente, eles também pareciam desconhecer meu nome e meu cargo. De vez em quando manifestavam um interesse cortês e isento de curiosidade por minha pessoa; vez por outra faziam-me alguma pergunta — estaria eu em Londres a negócios?— que, dadas as circunstâncias, revelava falta de tato; mas a maior parte do tempo falavam a Lady Stockwell a respeito de amigos mútuos e interesses particulares.

À mesa de jantar, fui colocado ao lado de Lady Stella. Dei-lhe vinte e poucos anos. Quando seu pai se calava, ela julgava-se na obrigação de me distrair. Era uma jovem cheia de vida. Devo ter lhe dado muito trabalho. Levei algum tempo para me acostumar com sua voz, que parecia um gorjeio, tão diferente da voz da mãe, áspera, porém clara. Assim, enquanto olhava para Stella, reconhecendo o fato de que ela estava falando, na verdade eu escutava sua mãe, menos por me interessar no que ela dizia do que para me livrar da voz da filha. Stella parecia um pouco superexcitada, mas eu não me julgava em condições de julgar o que quer que fosse, não estava conseguindo captar o espírito daquele jantar. Concentrei minha atenção em sua voz, tentando distinguir palavras em meio àquele tilintar incessante, mas foi só quando nos sentamos à mesa de jantar que percebi que Stella era linda. Então fiquei perturbado e não consegui mais fixar a vista nela. Era uma beleza de transparência, pele transparente, cabelos sem cor e olhos translúcidos. Talvez fossem os olhos que me perturbavam, olhos azuis e brilhantes para mim são vazios e insondáveis. Quando encaro olhos assim, vejo apenas sua cor. Talvez tenha sido isto, juntamente com a voz difícil, que me deu a impressão de excitação.

Ela falava sem parar. Eu captava um número cada vez maior de palavras e a comunicação tornou-se possível. Ela estava me perguntando que livros eu tinha lido na infância. Pensei em *Os Povos Arianos e suas Migrações*, mas não o mencionei. Stella estava interessada em literatura infantil, e fui obrigado a confessar que, salvo alguns contos de Andersen, eu não lera nada.

— Não leu Henty, nem Enid Blyton, nem nada assim?

Tive de sacudir a cabeça.

— Nem histórias de fada nem rimas infantis?

— Creio que uma de nossas cartilhas continha ''Pat-a-cake''.

Stella entristeceu-se; aquilo parecia-lhe difícil de acreditar. Suas leituras de infância eram importantes para ela, e era da opinião de que a comunicação era impossível entre pessoas que não tinham lido os mesmos livros nem ouvido as mesmas rimas na infância.

Lady Stockwell afirmou que era contrária àquele culto à infância e à literatura infantil; era mais uma coisa que estava sendo comercializada. Acrescentou que era uma coisa tipicamente inglesa, e que sociedades como a minha, a julgar pelo que eu dissera, eram mais sensatas ao incentivarem as crianças a se tornarem adultos "o mais depressa possível".

Stella franziu a testa num espasmo. Perguntou-me: — O senhor conhece "Gansinho Gansoso"?

Sacudi a cabeça.

— Não conhece *Gansinho gansoso, onde vai, seu preguiçoso?* — insistiu.

Lady Stockwell disse: — Acho indecente, aqueles bichos todos vestidos. Não suporto aqueles ursinhos e coelhinhos cheios de babados.

— *Pra cima, pra baixo, pro tapete ou pro capacho?* Não conhece?

— Não suporto esses cardápios — disse a senhora de quarenta e cinco anos. — "*Champignons* colhidos no orvalho matinal", essas coisas. Por que não dizem só *champignons?*

— Leite de vacas satisfeitas — comentou sua amiga.

— *Vaquinha boa, me dá teu leitinho* — recitou Stella — *que eu te dou um vestido bonitinho*. Não conhece essa?

— Essa nem eu conheço — disse Lady Stockwell. — Garanto que você aprendeu essa naquele livro da Oxford.

— É fundamental a gente estudar essas rimas constantemente — disse Stella. — Elas são terrivelmente sexuais.

— Sempre achei — disse a senhora de quarenta e cinco anos — que João e Maria formam o casal mais indecente de toda a literatura.

— Não sei — disse Lady Stockwell —, mas li em algum lugar que a maioria dessas rimas foram feitas no século XVIII, e se referem a pessoas que realmente existiam.

— As que não têm pé nem cabeça é que são fascinantes — disse Stella.

O tempo todo eu percebia que Lord Stockwell estava olhando fixamente para mim. De vez em quando eu olhava para ele: o rosto largo e amarelado, os olhinhos nervosos sob a testa grande e retangular. Ele não demonstrava nenhuma reação ao meu olhar. Continuava olhando para mim, a mão esquerda movendo-se regularmente do prato à boca. Parecia estar comendo nozes. Na verdade, estava catando pedacinhos de casca de pão e levando-os à boca, mas o gesto era amplo. Aceitei aquele olhar fixo, pensei em meu pai, em minha infância, em todas aquelas rimas infantis que eu não havia aprendido. Não era só o vinho e a sensação de libertação. Como eu já disse, eu não estava conseguindo captar o espírito do jantar.

Lord Stockwell só voltou a falar depois que as mulheres saíram da sala. Agora ele tinha ao menos algo para fazer. Ofereceu conhaque, que ele próprio não bebeu; ofereceu charutos, que ninguém fumou. Continuava comendo pedacinhos de pão.

— Não sabia que o senhor chegou a conhecer meu pai — disse eu.

— Estive com ele duas vezes.

Eu sabia tão pouco sobre meu pai, nunca quisera saber muito. Então percebi algo na voz de Lord Stockwell que me fez entender que não cabia agora nenhuma demonstração de constrangimento de minha parte.

— A segunda vez que o vi — disse ele —, ele tinha largado a política. Morava numa cabana à beira-mar. Num terreno da Coroa, não sei por quê. Ele tinha largado a política, mas havia uma pequena fila de gente que queria vê-lo. Ele me perguntou o que eu queria. Eu não soube responder. Ele disse: "Está bem, então sente-se aí". Sentei-me num canto. Era emocionante. Aquela gente simples vinha e falava de seus problemas. Aquelas coisas de sempre. Emprego, doença, morte. Enquanto a pessoa falava, ele estava sempre fazendo alguma coisa. Mas no final ele sempre dizia algo, uma palavra ou duas, às vezes uma frase. Era maravilhoso. E, sentado no meu canto, assistindo àquilo, senti um profundo bem-estar. Não conseguia sair dali.

— Extraordinário — disse o baixinho.

Senti-me pouco à vontade. Perguntei: — Que tipo de coisa ele dizia?

Lord Stockwell contraiu a testa num espasmo, tal como sua filha havia feito. — Certas coisas são simples, banais. Mas algumas pessoas conseguem fazer com que a gente as vivencie. — Sorriu, e o sorriso não lhe caiu bem. — É como o Código Rodoviário. Não presta, até o momento em que você se vê numa estrada. Aí ele passa a ser mais do que lógico. — Ele estava decepcionado comigo, percebi.

Tentei assumir uma expressão solene. Disse: — Vi meu pai poucas vezes nessa época.

— Naturalmente. Vou lhe dizer outra coisa a respeito dele. Da segunda vez que o vi, ele usava apenas uma tanga amarela. Estava nu da cintura para cima. Sua pele brilhava.

Ficamos em silêncio por alguns instantes. Mudamos de assunto. Pedi licença e fui ao banheiro. Achei que ia vomitar. Mas foi apenas uma fraqueza momentânea. Naquele cômodo pequeno, ao voltar a mim, tive vontade de chorar de solidão.

Pouco antes de eu ir embora, Lady Stella disse: — Espere um momento. — Saiu correndo da sala e voltou com um livro de rimas infantis, *O Dicionário Oxford de Rimas Infantis*. — Dê uma olhada neste livro. Eu gostaria de saber o que o senhor acha. — Argumentei que eu não devia levar o livro, ia ficar pouco tempo na Inglaterra, e talvez fosse difícil devolvê-lo. Ela insistiu: — O senhor está muito ocupado? Não poderia devolvê-lo amanhã ou depois de amanhã? — Eu não esperava por aquilo. Senti-me tremendamente lisonjeado. Um vínculo com o passado, com a cidade de luminosidade mágica. Combinamos almoçar juntos. Ela morava sozinha e me deu o telefone de seu apartamento.

Voltei a pé para o hotel. Aspirei o ar frio, com cheiro de fuligem. O céu estava nublado e a luz só chegava até pouco acima do nível da rua, vinda dos postes de iluminação e das vitrines. Era como se a cidade estivesse coberta por um toldo; eu não me sentia exposto. A meu redor, o céu brilhava. Bem, provavelmente brilhava em Isabella também, por outros motivos. Já passava da meia-noite. No passado a que eu me sentia vinculado por meu estado de espírito momentâneo, a cidade estaria silenciosa a essa hora, mas agora as ruas estavam cheias de carros, cujas lanternas traseiras vermelhas pareciam sinais de perigo na noite. Não fazia diferença.

Levando na mão o *Dicionário Oxford de Rimas Infantis*, livro curiosamente sólido e sisudo ao tato, entrei no reino encantado do hotel. Tomei um banho quente e, bebendo um gole do leite quente que me aguardava todas as noites numa garrafa térmica, comecei a ler. Eu lia, obedecendo às instruções, como uma criança. Não era difícil. *Quem vem lá? Um soldado. O que ele quer? Chope gelado.* Sentia-me sentimental. E logo senti tristeza, uma tristeza no entanto agradável, não apenas pelo desaparecimento, nessa cidade vermelha e barulhenta, de campos e cavaleiros e ordenhadeiras e feiras e cestas de ovos e viagens de campônios à cidade grande, mas também por aquela visão do mundo límpida e direta, que nunca fora minha, nem aquela visão de prazer, nem aquele mundo de ordem.

> Mas quando estiverem limpinhas,
> E todas bem bonitinhas,
> Ela vai se vestir que nem uma dama,
> E então vai dançar sobre a grama.

— *Winnie the Pooh?* — disse eu, devolvendo o livro. — Já vi muitas vezes nas livrarias, e já ouvi falar muito. Mas, confesso, nunca li. Acho que o título nunca me atraiu.

— *Ther* Pooh — disse Stella.

— Ther Pooh?

— Não entendeu? Pelo visto, vou ter que ler isso também para você. — Stella sentou-se na cama e cobriu os seios com o lençol. — Você está pronto? Então vou começar.

A delegação já tinha voltado para Isabella. Eu fiquei em Londres. Não tento mais explicar nada, apenas relato o ocorrido. Por oito dias, durante os quais o que restava de minha reputação estava sendo destruído, permaneci em Londres, cativado pelo que eu havia detectado em Stella a primeira vez que nos vimos. Aquilo me parecera superexcitação de início, e era, de certo modo, isso mesmo. Era uma capacidade de sentir prazer, tal como a que eu encontrara em Sandra, só que sem a angústia de Sandra. Era uma serenidade. Era mais, muito mais, do que a capacidade de criar ocasiões que caracterizara Sandra. Era um modo de encarar a cidade e estar nela, um modo de parecer dominá-la e organizá-la para uma série de prazeres distintos e perfeitos. Ela prolongava aquele estado de espírito que eu temia ver terminar, sabendo que jamais voltaria. Era uma criação, da cidade que eu procurara uma vez: uma realização inesperada de um desejo. Talvez eu estivesse me deslumbrando com os modos e talentos de Stella, que talvez fossem apenas os modos e talentos de sua classe. Mas eu era conivente com aquele deslumbramento.

Tudo isso, porém, tinha de ser pago naquelas tardes em seu apartamento. A respeito da capacidade sexual dos outros, só sei o que li nos livros. Com base nestes conhecimentos, não posso dizer que ela exigisse demais de mim, mas creio que o que já expus nesta narrativa deve ter deixado claro que meu impulso sexual era fraco e pouco confiável. Na verdade, eu tinha medo daquelas tardes passadas atrás de cortinas fechadas, pois elas terminaram por me afastar de Stella. A primeira delas foi minha segunda visita a seu apartamento; ela havia prometido contar-me histórias. Recebeu-me com um robe ou penhoar acolchoado cor-de-rosa. Beijei-a de leve na testa. Um cheiro desagradável de queimado, lembro-me: tinha chegado há pouco do cabeleireiro. Sua expressão não mudou, e eu não estava preparado para aquilo. — Vamos para a cama? — disse ela. Surpreendeu-me o contraste entre a voz tranqüila e infantil e o que ela esta propondo. O tom, no entanto, era familiar; eu recordava. "Posso mostrar meus desenhos feios?" Havia a mesma inocência naquela frase. Impossível recusar.

Fazíamos amor de um modo padronizado. O padrão foi estabelecido naquela primeira tarde. Dividia-se em duas partes. A primeira era dedicada a mim; a segunda, Stella tomava-a para si. Durante a primeira parte, ela ficava deitada de lado, passiva. Na segunda, montava em mim, curvava-se para trás, apoiando as mãos na cama ou em minhas canelas; era toda movimento; ficava de olhos fechados; sua pele umedecia-se. Não produzia nenhum som, salvo uma vez em que disse, como quem fala sozinha: — O corpo é uma coisa maravilhosa, não é? — Na época, não concordei com ela; mais tarde, maravilhei-me com sua precisão e honestidade. Os seios ficavam tão pequenos quando ela se curvava para trás!

Uma excitação muito íntima; era como se eu não estivesse presente. Stella me assustava um pouco. Para mim, aquela segunda parte, silenciosa e prolongada, era um tormento, uma tortura. Eu tentava pensar em outras coisas, e uma vez o fiz com tanto sucesso, pegando um livro volumoso e ilustrado na mesa-de-cabeceira — era sobre os tesouros do túmulo de Tutancâmon, se não me engano — dei por mim dizendo o que eu julgava estar apenas pensando: — Então você tem isso. — Um tapa rápido e leve foi a resposta. Recoloquei o livro na mesa.

Assim, com o coração pesaroso, eu ouvia as aventuras de Pooh e Eeyore e Piglet, sabendo que logo viria o momento de enfrentar coisas mais sérias. Chegou o momento. O lençol foi jogado para o lado, o livro foi largado na mesa, fiquei pacientemente à espera. O livro estava a meu alcance; tudo que eu queria era continuar a ler tranqüilamente. Examinei a capa. Ela ficou gravada em minha memória, e toda vez que a vejo sinto uma leve irritação, que logo se define como carência. Foi então que aconteceu o inevitável; era o que eu temia. Não consegui. Aquela figura montada em cima de mim estava pateticamente excitada e eu lamentava não poder fazer nada por ela. Depois, quando o fracasso se revelou absoluto, seu rostinho infantil ficou impassível, traindo decepção e uma raiva implacável. Era o fim. Nenhum relacionamento — especialmente um relacionamento lúdico como o nosso — sobrevive a um fracasso desses.

E já era mesmo tempo de ir embora, de partir daquela cidade de fantasia, daquele hotel encantado, que já perdera o encanto. Mas foi uma boa idéia de Stella mandar entregar a edição em brochura de *A Casa de Pooh Corner* em meu hotel.

7

Era hora de partir. Eu não tinha, porém, por que voltar para Isabella. Mas só compreendi este fato quando já era tarde demais, quando o avião estava a poucos minutos de Isabella e estávamos apertando os cintos de segurança. A cidade e a neve, a ilha e o mar: uma coisa só podia ser trocada pela outra. Era o que eu ia pensando; partida implica destino. Sentia-me calmo. Era aquela calma que tantas vezes nos sobrevém nos momentos de crise; e eu continuava contaminado com a atitude de Stella em relação aos eventos, aquela sua arrogância — assim eu a via — que talvez fosse o dom de sua classe ou raça, sua convicção de perdulário de que aquilo que é continuará a ser. A realização de um desejo gera suas próprias ilusões. Sandra se tornara indiferente à riqueza pela qual sempre ansiara; agora eu dava as costas sem remorsos à cidade que eu finalmente vira brilhar. Foi apenas no aeroporto, onde cheguei na hora devida, que me dei conta de minha calma. E imediatamente comecei a questioná-la. Um erro! O questionamento, a auto-análise, a necessidade de me tranqüilizar: rapidamente o processo tornou-se contínuo e comecei a temer que estivesse embarcando na montanha-russa da neurose. No momento, tive a impressão de que era só este medo que estava atuando sobre mim. Temia, e constatava que o temor era justificado. Minutos depois, meu mundo estava destruído — aquele mundo que se tornara íntegro há tão pouco tempo — e minha calma desaparecera.

Mesmo então, não questionei a necessidade de voltar a Isabella. Eu só queria adiar minha chegada, fazer um rodeio, fugir por um instante. Recuperar minha calma e aquela visão límpida do mundo: era tudo o que eu queria agora. Tudo mais perdera a importância: Stella, Isabella e o que me aguardava lá. Eu voltara a ser um estudante na cidade. Eu precisava ver coisas diferentes, paisagens novas, ouvir uma língua desconhecida. O norte da Espanha numa nevasca, a terra parda embranquecendo, a luminosidade subitamente acinzentando-se; Provença numa manhã de sol, verde, amarela e enevoada, a grande xícara de café no vagão-leito com uma colher pesada dentro para não virar.

Escala: esta palavra, vista nos anúncios das empresas de aviação, veio-me à mente. Não era fácil àquela altura dos acontecimentos. Mas meu desespero ignorava as objeções e sobrepujava as dificuldades. Assim, algumas horas depois, eu caminhava, como num sonho, pelas ruas de uma cidade que eu julgava desconhecer, mas que revelavam pequenos detalhes familiares, cenas subitamente semi-relembradas: de modo que a realidade parecia interrompida, os sons curiosamente abafados, e durante alguns intervalos de tempo vinha-me a impressão de que eu via coisas ou realizava atos pela segunda, terceira, quarta vez. Bebi as bebidas que provara pela primeira vez doze anos antes, belisquei os mesmos aperitivos; pesaram tanto no meu estômago como antes. Serragem num chão ladrilhado com um desenho familiar, a luz fluorescente fraca num canto escuro, um rosto, fragmentos de uma conversa num idioma que só me era inteligível em parte: minha perturbação era completa. Pela segunda vez naquele dia, irritei-me com funcionários de companhias de aviação. Mas não havia nenhum vôo para Isabella naquele dia. Amanhã, sim: mais um papel foi colado a minha passagem. Dezesseis horas de espera me aguardavam.

Entrei em livrarias e fiquei a folhear edições caras e incômodas dos clássicos daquele país, até que os vendedores começaram a me assediar. Depois até as lojas fecharam, e não havia mais nada a fazer nas ruas. Fiquei zanzando no hotel, no salão, em meu quarto. No botão de plástico da campainha de serviço, havia uma camareira de pés chatos e olhar perdido, e um garçom esbelto correndo, bandeja na mão, as abas do fraque esvoaçando. A promessa do prazer!

Pedi lanches que não queria comer e bebidas que não consegui tomar até o fim. Esgotei todos os serviços que o hotel tinha a oferecer. Tomei um banho e me deitei. Algum tempo depois me levantei. Eram apenas nove horas. Vesti-me com dificuldade e saí para a rua.

Fui parando em pequenos bares azulejados, em que *barmen* cansados me serviam pequenas doses; cada bebida fazia aumentar o peso que eu sentia no estômago. Um cruzamento, um prédio, uma ladeira, uma esquina: uma paisagem lembrada. Uma mulher caminhava lentamente à minha frente; entrou num café. Algo despertou em minha memória. Fui atrás da mulher; entrei pela porta giratória. Não era só a bebida que me fazia sentir assim; eu estava exausto; aquilo era a última coisa que eu queria no momento. Mas uma velha excitação fez diminuir o peso no estômago. Tinha a impressão de que tinha sido levado até aquele lugar: a luz, as mesas e cadeiras baixas, os copos finos cheios até a metade, os rapazes solitários e atentos de jaquetão, as mulheres cuidadosamente maquiladas, em grupos de duas ou três, tão serenas, ocultando tantos talentos, tanta energia.

Nessas ocasiões, o que me atrai são os rostos. O corpo não me interessa, todos os corpos são muito parecidos. A excitação que sinto me basta e o que se segue é perversão ou, curiosamente, obrigação. Parti para um rosto novo, simpático, espirituoso, excepcionalmente magro para aquele país, se bem que o corpo a ele associado fosse tão rechonchudo quanto qualquer outro. Era simpática e meiga, como são todas as mulheres desse tipo, invariavelmente; e enquanto caminhávamos do café ao hotel ela falava sobre os mais variados assuntos com tamanha naturalidade que um observador poderia ter a impressão de que éramos velhos amigos. Seu bom humor não estava deslocado nem mesmo no hotel. A senhora magra e idosa da recepção, apesar da aparência seca e eficiente que lhe emprestava o avental engomado, cumprimentou efusivamente minha companheira. Disse que era um prazer vê-la de novo; ela estava melhor? Minha companheira respondeu que estava. A senhora idosa, examinando o registro que eu havia assinado, disse que não estava surpresa; depois repreendeu minha companheira em tom de pilhéria por ter se desesperado, dizendo que em todas as circunstâncias a melhor coisa a fazer era deixar tudo nas mãos de Deus. E assim subimos a escada atapetada, à meia-luz. Nenhuma palavra me havia sido dirigida, pois as senhoras que trabalhavam nesses hotéis tinham o delicado costume de não dar nenhuma atenção aos clientes de suas clientes. Minha companheira sorridente, gozando minha preocupação inconfessa com aquela conversa a respeito de doença, explicou que havia emagrecido. Fazendo uma careta e abrindo os braços, disse que já fora gorda, ah, mas enorme de gorda.

O quarto, com cortinas, era quente; os abajures vermelhos nas mesas-de-cabeceira tornavam o ambiente aconchegante; ao mesmo tempo, havia um quê de hospital naquela pia branca e polida, nas duas toalhinhas sobre o bidê imaculado, nas outras toalhas cuidadosamente dobradas sobre a cama. Paguei a minha companheira a quantia que havíamos combinado, entre risos, no hotel. Ela acariciou-me o rosto e disse que não gostava de pedir dinheiro adiantado — era um costume moderno e mercenário —, mas ela tivera algumas experiências desagradáveis. Sua elegância me deliciava. Ela saiu do quarto, sem dúvida para entregar uma parte do dinheiro que eu lhe dera à senhora da recepção; ouvi-as conversando animadamente. Pouco depois minha companheira voltou, um tanto ofegante, desculpando-se pela demora, como se falasse a uma criança. Eu havia me despido, e estava deitado. Estava começando a me dar conta do quanto estava exausto. A excitação que sentira ao entrar no quarto aconchegante e asséptico havia amainado; e a vontade de agradar daquela jovem sorridente — percebi agora que era jovem —

parecia remota, ligeiramente comovente, ligeiramente absurda.

Sem o vestido, que pendurou cuidadosamente no encosto da cadeira, ela imediatamente pareceu maior do que eu pensava antes. Ela excedia os padrões já generosos de seu país. Os braços eram gordos e flácidos. Os seios ficavam apertados contra o tórax e levantados quando ela estava vestida, e mesmo assim pareciam grandes e cheios. Agora ela soltou um suspiro que acabou virando riso, e os seios foram soltos. Eles caíram pesadamente. Eram enormes, eram sacos vazios grotescos, que continham ainda alguma substância nos mamilos, o único lugar onde tinham alguma forma definida. A moça desamarrou-se, desprendeu-se, soltou-se. Carne estriada, amassada, corrugada, caiu-lhe para todos os lados. Abaixo daqueles seios, aquelas formas murchas que chegavam até a cintura, a barriga frouxa, afundada no umbigo, desabava; em torno de suas pernas pendiam dobras líquidas de carne que tremelicavam como massa de pão fermentada. Era terrível, trágico; era um vulto saído do inferno com um rosto sorridente de menina, o rosto fino e esfomeado de quem faz regime. Atormentada pela carne, ela oferecia o conhecimento da carne. *Gorda, gorda*, ela não parava de dizer, sorridente, trágica; e a cortesia, a compaixão, respondiam por mim, *não, não.* Eu sabia que jamais tocaria nela; e tinha medo de que ela tocasse em mim. Permaneci, no entanto, imóvel. Carne, carne, pensei: como poderia eu desprezar? Como poderia sequer julgar? Ela levantou-se do bidê e sentou-se na cama, carne liquescente escorrendo para o lado, os seios tocando o que deveriam ser as coxas. Fechei os olhos e esperei.

Não veio em seguida um abraço úmido e sufocante, e sim apenas as palavras mais suaves, o hálito mais doce, um roçar — de seios? — contra meus mamilos, o leve toque de uma unha contornando-me a aréola. Não a toquei; minhas mãos permaneciam imóveis ao lado do tronco. Mas eu já estava me ensimesmando; não julgava mais. Unhas, língua, hálito e lábios eram os instrumentos desta exploração desencarnada. Dois riscos traçados de leve em meu peito, uma língua arisca roçando-me a ilharga, e meus tensos músculos abdominais estremeceram, encresparam-se, liquefizeram-se. A exploração foi descendo; agora não era mais necessário nenhum esforço de concentração, nenhuma tentativa de isolar-me do mundo, dos suspiros e ruídos líquidos. Eu não julgava mais nada; eu era só sensações dolorosas. Carne, carne: minha consciência da carne, porém, enfraquecia-se. Fui virado de bruços. A exploração continuou, com os mesmos instrumentos. O eu foi desaparecendo, camada por camada; o que restou dele reduzia-se a uma célula de percepção, indiferente a prazer ou dor; percepção neutra, cada vez mais sutil, tendo validez, tendo existência graças exclusivamente àquela exploração que, embora cada vez mais suave, tinha de ser apreendida, porque era a única prova de vida: percepção sutil reagindo apenas ao tempo, que era também o universo. Era um momento que se prolongava e prolongava e prolongava. Nada podia resultar dele; era um momento que, quando veio o relaxamento sem fruição e se alargou de novo a percepção, definiu-se como um prolongado momento de horror. O momento permanece comigo até hoje. Três anos depois, ainda consigo evocá-lo quando quero: aquele momento infinito de horror e conforto. O Código Rodoviário! Através de uma carne pobre e horrível aprender a carne; através da carne transcender a carne.

Mas — o mais monstruoso de tudo — ela estava desesperada. O sorriso de histeria foi substituído por lágrimas; ela se culpava por eu não ter conseguido. Consolei-a; naquele momento fui sincero. *Gorda, gorda*, dizia ela, levantando os seios, levantando a barriga; e eu dizia *não, não.* Ela voltou a sorrir; bochechou, maquilou-se, ajeitou o cabelo. Conversamos, com dificuldade, no idioma dela. Ela entendeu erradamente uma coisa que eu disse. Como se respondesse a uma pergunta, afirmou: — Naqueles momentos, eu nunca abro os olhos. Eu nunca penso. — Eu estava comovido demais para falar. Fiquei a vê-la recompondo o próprio corpo para exibi-lo no café, sem desdém nem julgamento; era tudo que eu tinha para oferecer-lhe. Fui com ela até a porta rotativa. Menos de uma hora havia se passado.

Aquela noite, no hotel, fui despertado por uma sensação de enjôo. Assim que entrei no banheiro vomitei: toda a comida e bebida da véspera, que não tinham sido digeridas. Meu estômago doía; senti-me realmente mal. No botão da campainha, a camareira continuava de olhar perdido, e o garçom continuava a correr. Mas já passava de três da manhã; o hotel estava silencioso. Comecei a esperar pela manhã. Eu não havia dormido direito. Num sonho confuso, eu me vira deitado de costas, deitado de bruços, numa rua ou túnel em Londres onde passavam trens de metrô em trilhos que se entrecruzavam. Atrás dos trens eu via Sally, Sandra, meu pai e Lord Stockwell, ansiosos por chegar até mim; eu não podia ir até eles. Eu dormia e acordava, esperando que a luz chegasse à cidade da fantasia, e o conhecido e o desconhecido, a memória e o sonho, fluíam juntos. Quando a luz chegou, eu estava enfraquecido e indisposto. Era o fim da escala. Eu precisava levantar-me e me preparar para mais uma partida.

8

Minha chegada foi discreta. Não estavam a minha espera. Minha escala da véspera dera origem ao boato de que eu havia desaparecido ou fugido. Assim, foi na qualidade de cidadão comum que fui de táxi até a casa romana. Eu precisava dormir. A viagem foi rápida; mais tarde foi qualificada, não sem razão, de furtiva. De fato, surpreendia-me constatar que, numa ilha em que eu sempre precisara de dramaticidade e notoriedade, eu agora queria privacidade. Durante algum tempo, considerei a hipótese impossível de prolongar aquele prazer por meio de resignação e silêncio. Era impossível, naturalmente, dada a natureza da vida política de nossa ilha.

Não me deixaram permanecer na condição de cidadão comum por muito tempo. Rapidamente espalhou-se a notícia de minha chegada. Pela manhã, já havia uma guarda policial no portão de minha casa. A guarda era necessária. Minha escala havia frustrado uma manifestação que tinha sido organizada para me esperar no aeroporto; a opinião pública estava indignada. Fui informado de que, nessa manifestação, iriam me dar o direito de fazer uma declaração e responder perguntas; tudo isto faria parte do espetáculo. Mas não me permitiram falar na reunião que agora foi convocada às pressas. Não fui sequer convidado para ela.

Durante esta reunião, foi elaborada uma acusação ponderosa, contraditória, mas satisfatória, dirigida a minha pessoa. Minha vida privada — meu enriquecimento metódico, o exclusivismo racial de Crippleville, meu casamento com Sandra, meu relacionamento com Wendy, minha aventura com Stella —, tudo isso foi usado para reforçar minha imagem de impostor. Eu havia me vendido na questão da nacionalização; era minha reação de *playboy* àquela situação angustiante. Ao mesmo tempo, minha defesa sistemática da nacionalização, que beneficiaria principalmente os asiáticos, não passara de uma tentativa de criar divisões raciais para garantir minha permanência no poder. Minha atitude em relação à angústia sempre fora ambígua. Eu aderira ao movimento, ajudara a fundá-lo, apenas para destruir aquilo que ele representava. Eu tentara até mesmo controlar a polícia, e secretamente recomendara que ela continuasse sob controle britânico. Era uma acusação pesada, como já disse. Na histeria de uma reunião aberta ao público, deve ter sido avassaladora. Não seria possível dar-lhe uma resposta razoável, ainda mais de uma posição de fraqueza, porque ela continha muitos pontos verdadeiros. A única maneira de responder seria através de um desafio, e de uma posição de força.

Mas ninguém estava interessado na minha resposta. Em um mês, eu havia jogado fora meu poder. Em um mês eu havia me desacreditado. Os jornais eram livres, mas ninguém me defendia. Nenhuma restrição me fora imposta, ninguém vinha, porém, até a casa romana, e eu jamais saía dela. Havíamos criado um drama, uma consciência de força e vulnerabilidade; havíamos criado um clima em que ninguém queria ofender ninguém. Minha mãe veio me ver, e minhas irmãs com seus filhos. Tomamos banho de piscina. Curiosa, aquela privacidade que haviam me concedido, a mim, cujos delitos enchiam os jornais. Eu os lia todas as manhãs, como qualquer cidadão comum. Em pouco tempo deixei de esboçar qualquer reação ao ver meu nome; era algo que eu já não associava a minha pessoa. Passei a me interessar pela vida alheia. Soube que Wendy ficara noiva de um homem com nome francês em Montreal. Uma fotografia, com uma legenda afetuosa. As raças de visão média, as sobreviventes!

Eu havia escrito a Browne e ele não me respondera. Agora, lendo os jornais, senti que eu não tinha dado a devida atenção àquele silêncio. Browne não estava presente à reunião que me condenou. Mais tarde ficou claro que ele não havia sido convidado; havia insinuações vagas no sentido de que a ligação entre nós era muito estreita. Só então percebi que minha volta a Isabella fora não apenas desnecessária como também irresponsável, ainda mais irresponsável do que minha ida a Londres.

Eu já vira Browne, o líder populista dos negros, incapaz de fugir a esse destino estéril, competindo com os homens sem rosto que havíamos criado. Independentemente de eu voltar ou não, aquela competição teria prosseguido, naquele mesmo nível. Em nosso movimento, o poder ia ser redefinido, e os verdadeiros detentores do poder se revelariam. Eu estava fora do páreo, apesar de todo o espaço que meu nome ocupava nos jornais. Mas por ter voltado, colocando-me na posição de centro passivo dos acontecimentos, bancando o dândi, o asiático pitoresco, de certo modo influenciei a direção da luta pelo poder. Minha presença tornava a luta mais plausível, algo mais do que um conflito de personalidades. Ela determinava as condições sob as quais aquela luta, que para mim se tornara irrelevante, teria de ser travada; ela indicava de que modo os homens sem rosto, gerando desordem, poderiam demonstrar seu poder. E a imprensa estrangeira, que sempre demonstrava uma simpatia convencional pelas demonstrações de angústia, estava a favor! O que poderia eu fazer? Eu tinha minha guarda policial. Fiquei na casa romana.

Pela calamidade que se seguiu — não há outra palavra para qualificar um conflito racial declarado num território pequeno — devo assumir boa parte da responsabilidade. Uma responsabilidade que começou naquele momento em que cheguei de volta à ilha de escravos, aquele momento de silêncio matinal, e continuou até o momento de minha partida definitiva. Não se pense — já que assumir a culpa é mais fácil do que agir e, sob certos aspectos, mais agradável também — que meu objetivo é apenas proclamar-me o grande culpado. Os homens sem rosto, que em situações caóticas como esta conseguem subir e gozar de uma glória efêmera, nunca são os culpados. Eles brincam com a angústia incurável que vem de dentro. São forjados pela angústia, e dela fazem parte. O mesmo ocorrerá com seus sucessores.

Também não se pense que encaro estes eventos com tranqüilidade por estar afastado do perigo, inclusive fisicamente, por ter encontrado refúgio a milhares de quilômetros de distância, neste hotel suburbano no qual janto todas as noites sob os retratos do homem e da mulher que consideramos nossos senhores e protetores. Minha inatividade e irresponsabilidade chegaram a ser criminosas. Porém fui um espectador impotente da crueldade que se seguiu. Impotente; mas não posso dizer que na época eu tenha me sentido culpado. Eu vivia; passava o tempo. Na casa romana, tudo continuava funcionando. A água da piscina mudava constantemente, passava pelo filtro constantemente. Se o mecanismo tivesse pifado por trinta e seis horas, aquela piscina azul, riscada por uma teia tremeluzente de luz até o fundo, teria se transformado num lago de águas paradas, de um verde turvo e opaco, cheio de plantinhas minúsculas, como os lagos que há na floresta. Assim, as bicas jorravam e, todas as manhãs, à beira da piscina, eu me sentava à sombra, tomava meu café da manhã — abacates, bananas fritas, chocolate com canela, toalha branca, guardanapo branco passado a ferro, vasinho com flores recém-colhidas — e lia os jornais.

Quando a violência organizada começou, quando homens tresloucados de raiva, medo e indignação, que me consideravam um traidor e, no entanto, viam que, na situação em que estavam, não tinham outra pessoa a quem recorrer, ousavam se aventurar pelas ruas e vinham me procurar na casa romana para me falar da angústia dos asiáticos, de mulheres e crianças agredidas, de assassinatos, de famílias queimadas vivas em casas de madeira, eu fechava os olhos e pensava nos cavaleiros galopando rumo ao fim do mundo. Os detalhes de sofrimento físico calavam fundo em mim. Num livro sobre os campos de concentração japoneses, certa vez eu vira uma fotografia: um australiano, vendado, de joelhos, longe de sua terra, prestes a ser decapitado. Meu medo fez-me achar heróica aquela figura: heróica e muito ensimesmada, e por meio de seu recolhimento ela ridicularizava a humilhação que lhe impunham seus algozes. Agora eu pedia àqueles que me procuravam que não me dessem mais detalhes. Eu lhes oferecia o conforto que oferecia a mim mesmo. Dizia-lhes: — Encarem isso como uma coisa que vocês leram num livro, num jornal. Não me dêem nomes. Não me digam de que modo as vítimas morreram. Digam só: "Ocorreram distúrbios raciais", "Houve mortes".

Um infeliz me trouxe uma pedra manchada e lambuzada de sangue e cabelos finos, talvez cabelos de criança. O que poderia eu fazer com aquela prova, com aquele testemunho? Tentei fazê-lo entrar em minha mente, ir comigo até o fim do mundo vazio. Sua dor tornou-o receptivo, tal como ocorrera com os outros. Era noite. Levei-o até o jardim da casa romana e disse-lhe que deixasse cair a pedra. Ele obedeceu com gratidão. A ligação entre nós era mais do que a estabelecida pelas palavras. O conforto que eu lhe oferecia era o mesmo que oferecia a mim mesmo: a destruição das imagens da vulnerabilidade da carne. Isto era crueldade, era fraude? O dom de confortar que descobri neste momento possuir, esta capacidade de transmitir minha própria visão de mundo, era algo que poderia me permitir realizar verdadeiros milagres, mesmo àquela altura dos acontecimentos, eu sei. Mas para isto seria necessário estar convicto da iminência de uma ordem, e me seria impossível convencer quem quer que fosse de tal coisa. A visão que eu oferecia tinha de ser complementada por um apelo à ação e à realização; sem isso, o dom de nada me servia, era destrutivo. Assim, no momento em que o descobri, abandonei-o. Tornei-me um líder tarde demais.

E eu não me surpreenderia se me dissessem que esse mesmo homem, cujo rosto eu sequer podia ver na escuridão do jardim, voltou-se contra mim uma semana depois ao saber que eu havia aceito, de nossos novos líderes, a oferta de uma passagem de avião, para Londres, mais uma vez, com minha segurança garantida, com direito a trinta quilos de bagagem e cinqüenta mil dólares. Uma fração de minha fortuna. Minha irresponsabilidade era tamanha que eu não pensara nem em mim mesmo: não havia tomado as medidas de precaução necessárias. Eles eram homens simples e assustados. Estou certo de que não queriam me fazer mal algum. Porém, na situação em que se encontravam, não podiam mais confiar em si próprios; ofereceram a mim tão-somente o que tinham esperança de que lhes viessem a oferecer quando chegasse sua hora.

Portanto, talvez eu fosse mesmo um traidor. Mas não no sentido em que me acusaram. Era algo que eu não podia explicar a um repórter, se ainda houvesse algum interessado em me entrevistar. E não deve causar nenhum espanto o modo como aceitei desempenhar meu novo papel, mais uma vez um papel que me fora imposto.

9

Quando comecei a escrever este livro, achei que seria trabalho para três ou quatro semanas. Ainda estavam vivas as lembranças dos tempos em que eu escrevia fluentemente artigos para o *Socialist*, ou meus discursos no ministério; o relatório de cinco mil palavras sobre a reorganização da polícia, um documento de certo mérito, foi redigido numa única noite de esforço concentrado. Após dezoito meses de vida ordeira e anestesiante neste hotel, o desespero e a sensação de vazio já haviam se desgastado. E foi com uma deliciosa sensação de ansiedade, de ter o que fazer mais uma vez, que pedi ao hotel uma escrivaninha, coloquei-a ao lado da janela e pus mãos à obra.

Eu acabava de tomar o café da manhã. A simpática camareira, uma irlandesa de meia-idade, aprontou meu quarto cedo e ficou de me trazer um café às onze. Sentia a boca limpa, meus braços estavam tensos e formigantes de excitação. Às onze horas o café chegou. Minha excitação havia se transformado numa espécie de cansaço irritado; eu não tinha escrito nada. O papel de parede, cinza, preto e vermelho, tinha uma estampa de carros antigos; a cortina, ao lado da escrivaninha, era de um repes vermelho pesado, escurecido nos lugares em que era manuseada, desbotado nas dobras expostas ao sol; a janela, com esquadrias modernas de metal, era baixa, dava para o campo de golfe do hotel, que terminava num muro de tijolos de um vermelho pálido e descorado; do outro lado do muro, armazéns, garagens, casas, tudo de tijolos vermelhos, apenas um segmento da cidade. O que me paralisava era tanto a aleatoriedade de minhas experiências, sua irrelevância naquele cenário no qual eu me propunha a narrá-las, quanto o cenário em si, minha situação física, nesta cidade, neste quarto, com esta vista, esta luz mortiça. E foi só no final da tarde, quando a excitação já passara, a luz já começava a morrer, as cortinas já iam ser fechadas, meu estômago, minha cabeça e meus olhos se uniam numa sensação de mal-estar, que veio à tona à primeira lembrança que, por passar o dia inteiro tentando chegar à superfície, mantivera em branco, salvo pela data no cabeçalho, a página do caderno: a lembrança da primeira nevada, a lembrança — examinada com incredulidade — da cidade de luminosidade mágica.

Passaram-se quatorze meses desde o dia em que, num quarto ressecado pelo aquecedor elétrico, recriei minha subida até o sótão do sr. Shylock para olhar, através da neve que caía, para os telhados de Kensington. Graças a esta recriação, o evento tornou-se histórico, passível de ser encarado. Pôde ser situado na narrativa e nunca mais vai me incomodar. E este passou a ser meu objetivo principal: a partir do fato central deste ambiente, minha presença nesta cidade que conheci como estudante, político e agora como refugiado-imigrante, dar ordem a minha própria história, abolir aquela perturbação que poderia ter provocado em mim uma narrativa linear.

Em Isabella, quando jovem, eu falava sobre cultura e sobre a necessidade de se criar uma literatura nacional, tanto quanto qualquer um. Mas, para falar com franqueza, não sentia muita admiração pelos escritores enquanto pessoas, por mais que admirasse suas obras. Eu os considerava pessoas incompletas, para quem o ato de escrever substituía aquilo que, na época, eu me comprazia em chamar ''vida''. E quando resolvi escrever este livro — trabalho para três ou quatro semanas, pensava eu — tinha outras coisas em vista. O lucro financeiro que ele me daria seria pequeno, eu sabia. Pensava no entanto que era bem provável que a publicação me trouxesse algum tipo de trabalho esporádico e agradável: críticas e artigos sobre questões coloniais ou do ''terceiro mundo''; pedidos de Bush House no sentido de que eu preparasse palestras ou mesmo participasse de vez em quando de um inofensivo debate radiofônico; talvez até, após um ano dois anos desse tipo de trabalho leve e subterrâneo, um lugarzinho ao sol na televisão: o perito em assuntos coloniais, circunspecto, saindo tranqüilo de seu hotel suburbano para voltar mais tarde, num táxi pago por terceiros, sentindo-se alvo de uma admiração que, naturalmente, ele finge não perceber. Devo confessar que esta última alternativa era um devaneio a que eu recorria insistentemente. Nada sabiam a meu respeito no hotel. Eu tivera a imprudência de afirmar ser comerciante e minha inatividade, que já durava dezoito meses, começava a despertar suspeitas.

Jamais me ocorreu que escrever este livro poderia vir a ser um fim em si, que o ato de registrar uma vida poderia se tornar uma extensão daquela vida. Jamais me ocorreu que eu pudesse vir a gostar da vida metódica e regulamentada do hotel, que antes me levava ao desespero, e que o contraste entre a imutabilidade de meu quarto e a lenta construção do que lá estava sendo criado me daria tamanha satisfação. Ordem, seqüência, regularidade: é o que sinto cada vez que o medidor do aquecedor estala, aceitando mais uma de minhas moedas. Em quatorze meses, o aquecedor já engoliu centenas de xelins, ora com um som oco, ora com um som mais cheio. Já vi o campo de golfe em todas as estações; prefiro-o no inverno, quando as senhoras de meia-idade do hotel, galinhas disfarçadas de frangotes, como diz o *barman*, não podem mais tomar banhos de sol, e os homens sem lar não o freqüentam mais nos fins de semana com roupas esportivas para ter conversas joviais.

Conheço cada linha do trecho do papel de parede acima da escrivaninha. Não percebi nenhum sinal de deterioração, mas fala-se em redecorar o hotel. E a escrivaninha: quando sentei-me à sua frente pela primeira vez, achei-a tosca e estreita. O tampo escuro estava manchado e arranhado, os arranhões estavam cheios de terra e sujeira, a gaveta estava emperrada, os pés tinham sido serrados. Não fazia parte do mobiliário padronizado do hotel. Fora-me fornecida em atenção a um pedido especial. Era um móvel de segunda mão, que não pertencia a ninguém. Agora ela me parece reabilitada e limpa: é um objeto cotidiano e confortável e até mesmo os arranhões adquiriram um certo brilho. Isto se deu graças ao dom da observação minuciosa, que adquiri ao escrever este livro; uma ordem, da qual faço parte, vem corresponder a outra, que é criada por mim. E com este dom veio também outro, o que eu menos esperava: uma capacidade de gozar constantemente, calmamente, a passagem do tempo.

Tornei-me parte do hotel, fato que já mereceu comentários. As suspeitas desapareceram, a partir do momento em que aprendi a preencher meu tempo. Tomo o café da manhã. Trabalho em meu quarto. Vou até o bar almoçar. As bolachas de chope são sempre as mesmas. *Quem vem lá? Um soldado.* Às vezes, no meio da tarde, vou a um restaurante em cuja atmosfera há sempre uma névoa de óleo de frituras; do outro lado do vidro engordurado da janela, os caminhões, ônibus e automóveis passam sem parar, envoltos em sua própria névoa azulada. Tomo chá e leio um vespertino. Aos domingos, todos nós tomamos chá na sala de estar; manda a praxe que as senhoras sirvam os homens. Os mais velhos jogam cartas; os outros lêem os jornais. Observo a mão inexpressiva de uma senhora de classe média baixa, mas educada, que morou na Índia até 1947. Agora, depois do Quênia e da Rodésia do Norte, já viúva, a família dispersa, ela desistiu do Império. Como eu. Muitas vezes desço até o bar antes do jantar para tomar um drinque e ver televisão. É um bar só para os moradores do hotel; há cartões-postais e *souvenirs* enviados por moradores que estão no estrangeiro em exibição, na parede, como relíquias. Tenho uma mesa só minha na sala de jantar. Fica atrás de um pilar em forma de retângulo coberto de pinho envernizado. Gosto de ficar atrás do pilar. Ele é da largura da mesa, e me confere uma certa privacidade. Além disso, ele permite que eu observe, sem causar ofensa, as mãos do homem que batizei mentalmente de Lixo.

O Lixo também tem sua mesa atrás de um pilar. Dele só vejo as mãos. São mãos compridas, de meia-idade, educadas: e sua principal ocupação, aparentemente, é transformar um prato de carne com legumes num monte de lixo apresentável. Enquanto em outros pratos o caos se instaura rápida e simultaneamente, enquanto a carne é despedaçada e revolvida e os legumes são destroçados e espalhados num campo enlameado de molho, enquanto talheres incansavelmente preparam bocados variados e os levam às bocas, exploram o caos que criaram, cortam, espetam e ajeitam — aquelas duas mãos, calma e cientificamente, mantêm a ordem, definem o que é lixo, separam o que será comido do que será jogado fora. O que será jogado fora é levantado a uma certa altura e cuidadosamente colocado na seção do prato, a qual aumenta progressivamente, que é reservada para lixo. É somente quando a divisão se completa — a essa altura, a maioria dos outros pratos já foram abandonados e estão prontos para ser recolhidos — que tem início a atividade de comer. Isto não demora mais do que um minuto e, logo, o prato está pronto para ser recolhido juntamente com os outros. A garçonete passa. Rígidas, eficientes, as mãos oferecem o produto de seu trabalho: um prato de lixo organizado. Tenho a impressão de que acabo de assistir à primeira parte de algum ritual cristão primitivo. Pois a coisa não termina por aí. Depois do prato de lixo vem a matança do queijo. A grande mão esquerda descreve um arco bem acima da fatia de queijo *cheddar*; o polegar e o dedo médio encontram o lugar correto de segurar e apertam com firmeza; a mão direita ataca com a faca de queijo curva, de duas pontas. No último instante, no entanto, as mãos fingem que o queijo está vivo e tentando fugir. O queijo escorrega na tábua do sacrifício; há um conflito; polegar e dedo médio relaxam, mas logo apertam com mais firmeza ainda; imediatamente desce a lâmina da faca, num golpe forte e limpo, que se prolonga até que o queijo esteja decepado e imóvel. Chego quase a me preparar para ver sangue.

Assim passa o tempo. De vez em quando ocorre algum incidente. Alguém reclama porque um hóspede surdo faz muito barulho com a faca contra o prato, raspando e batendo; este, ao contrário do Lixo, gosta de terminar com o prato limpo. O *barman* se embriaga; uma garçonete pede demissão depois de uma briga. Às vezes tenho de suportar uma ou duas semanas difíceis, quando o quarto ao lado do meu é ocupado por dois empregados de uma fábrica vizinha, a qual, se não me engano, transforma milho em glicose; então sou obrigado a ouvir uma torrente contínua de conversa boba, pré-bar e pós-bar, sempre vazia, sempre pontuada por aquele riso sem graça, em tempo quaternário, que eu detesto.

Mas pessoas assim vêm e vão e são rapidamente esquecidas; não fazem parte da vida do hotel. Logo quando vim para cá, eu achava que esta vida era uma vida de inválidos. Mas nós que vivemos aqui não somos nem inválidos nem muito velhos. Setenta e cinco por cento dos homens são da minha idade; têm empregos de responsabilidade e vão de carro todas as manhãs para o trabalho. Somos pessoas que, por este ou aquele motivo, nos afastamos de nossos países, da cidade em que vivemos, de nossas famílias. Afastamo-nos de responsabilidades e relacionamentos desnecessários. Simplificamos nossas vidas. Não acredito que nosso hotel seja o único deste tipo. Dá-me conforto a idéia de que, apenas nesta cidade, deve haver centenas, milhares de pessoas como nós.

Temos nossos incidentes. Mas temos também nossos acontecimentos. O mais importante, naturalmente, é o Natal. Este evento separa os fiéis autênticos, que permanecem no hotel, dos que, embora durante todo o ano permaneçam leais, terminam, lamentavelmente, traindo a existência de outros compromissos. Entre os fiéis, o evento é comentado com semanas de antecedência. Circula uma lista de subscrição: no dia de Natal, trocamos presentes com nosso amo e sua esposa, do mesmo modo como eles o fazem com os empregados. Há muitas discussões, meio de brincadeira, meio a sério, a respeito de questões de precedência; pois no grande dia as mesas são todas unidas, formando um E, e comemos juntos, amo e esposa e fiéis seguidores; e aquele que está entre nós a menos tempo e quem fica mais longe do centro.

A cada ano que passa vou me aproximando do centro, mas sei que jamais me sentarei à mão direita da esposa de nosso amo. Este lugar é privilégio de um homem que está aqui há vinte e três anos, um homem tímido, meigo, de traços delicados, de aparência ainda bem jovem, de modos tão discretos na sala de jantar, no bar e no campo de golfe que seu prestígio no Natal chega a causar surpresa a muitos. É um evento de muita sinceridade. Não se economiza nada, nem se cobra nada extra, apesar da profusão de vinhos e licores. Nossa gratidão, porém, não é motivada apenas pelo jantar. O que comemoramos é nossa segurança, e nossa emoção é profunda. Chega a ser insuportavelmente comovente ver a garçonete simpática e idosa, que nessas ocasiões representa os funcionários, destacar-se de suas colegas uniformizadas à porta da cozinha e, em silêncio, caminhar até o centro com um grande buquê envolto em celofane, o qual, após um curto discurso em voz baixa e vacilante, e que não contém uma só palavra insincera, ela entrega à esposa de nosso amo. Devo confessar que, no ano passado, quando pela primeira vez foi feito um brinde "a nosso hóspede de além-mar" e todas as cabeças se viraram para mim, vieram-me lágrimas aos olhos. E eu estava entre aqueles que, chorando desavergonhadamente, ficaram de pé no final aplaudindo nosso amo e sua esposa até eles saírem da sala. E era verdade — pensei eu, no patoá francês dos frescos vales de cacaueiros de Isabella, *je vens d'lué*. Eu viera "de longe", da beira do precipício.

Assim, minha atual permanência em Londres, que creio pode ser chamada de exílio, veio a ser a mais proveitosa de todas. Foi, no entanto, a que começou do modo mais absurdo. Assim que cheguei, resolvi que não ia ficar em Londres. Ainda estava muito fresca em minha memória a imagem daquela cidade brilhando e eu não queria encontrar ninguém conhecido. Achei que o melhor era ficar num hotel no interior. Eu nunca fizera tal coisa, nem na Inglaterra nem em lugar nenhum, mas, após os acontecimentos recentes, eu estava convicto de que me via, mais uma vez, num país bem organizado. Não tentei me informar. Simplesmente escolhi uma cidadezinha que visitara quando estudante, com um grupo do Conselho Britânico. Minha imaginação, a partir das palavras "campo" e "hotel", criava imagens de jardins e tranqüilidade, frescor e solidão, sebes balouçando-se ao vento e caminhadas matinais, quartos espaçosos e reverências antiquadas. Era de tais coisas que eu precisava.

Mas, como logo descobri, era época de férias: época de sorvetes e refrigerantes, crianças mijonas e papel de embrulhar sanduíche. Os hotéis estavam ou cheios e sórdidos, ou semicheios e muito sórdidos; em todos eles ressoavam os chiados nervosos das frigideiras. Os tetos estavam em decomposição, as paredes eram finas como papel, as lâmpadas de quarenta watts pendiam nuas dos tetos e, nas salas esquálidas, havia exemplares gastos de revistas sobre carros, revistas de turismo, anuários de empresas de aviação. Em vez de estradas bucólicas, auto-estradas; em vez de jardins, estacionamentos. Sebes altas, que mantinham em seus lugares automóveis superlotados, transformavam as estradas mais estreitas em túneis verdes de morte e destruição; os cruzamentos estavam cheios de vidro pulverizado. E havia também as estalagens da morte, lugares da mais absoluta paz, onde os mais velhos dos velhos se reuniam para morrer. Nelas, a comida era líquida e vinha misturada com remédios; cada ancião comia com o ouvinte-egoísta do rádio transistorizado enfiado no ouvido, como um aparelho de audição, e os pequenos exaustores de plástico eram propelidos, em leves espasmos silenciosos, exclusivamente por ar quente.

Dia após dia, em ônibus imprevisíveis, fazendo baldeações difíceis, eu viajava de cidade a cidade, procurando um abrigo, com meus trinta quilos de bagagem e, sempre que caía a tarde, doía-me minha condição de desabrigado. Passava os dias em longas esperas e breves viagens. O dinheiro, que finalmente passara a ser uma preocupação, saía de meus bolsos num fluxo contínuo. Breve eu precisaria de roupas limpas. Depois de uma semana, eu estava exausto. Mesmo assim não esmoreci; faltava-me ânimo para tomar decisão tão difícil. Só o fiz no décimo primeiro dia, quando já não tinha roupa para vestir. Resolvi voltar para Londres, mas mais uma vez não levei em conta o fato de todos estarem de férias. Aparentemente, as férias atingiram o auge no dia de minha decisão. Não levei em conta as irregularidades e cancelamentos que, em tais dias, transformam as redes ferroviárias num verdadeiro inferno.

Comecei bem cedo. À tarde me vi numa estação vazia no interior, a algumas horas de Londres. Os trens altos passavam e não paravam para mim. Eram composições longas, apinhadas de gente; havia passageiros até nos corredores. As toalhas de mesa no vagão-restaurante estariam manchadas de catchupe e café, eu sabia. Horas antes eu chegara àquela estação num trem daqueles. Agora eu aguardava que um outro me levasse dali. A impaciência inicial se transformara em desespero, o desespero em indiferença, a indiferença numa curiosa neutralidade de percepção. As plataformas de concreto estavam brancas ao sol, as sombras diagonais, cada vez mais compridas, negras e bem definidas. O ar quente tremulava acima dos trilhos lançados sobre cascalho seco e oleado. No mato, além dos trilhos, de um verde-claro manchado de amarelo, branco e marrom, os pedaços de sucata enferrujada davam calor só de se olhar para eles.

Eu estava tentando reprimir o pânico de desabrigado que me assaltava todas as tardes desde que, inexplicavelmente, eu me vira naquela condição de cigano. Mas eu tinha chegado ao limite de minha desolação. Era um momento desligado de tudo. Senti que não tinha passado. Nada acontecera naquela manhã, nem na véspera, nem nos últimos onze dias. Tentar explicar minha presença naquela estação para mim mesmo, antever aquela busca cada vez mais sem esperanças que me aguardava numa Londres da qual eu não estava me aproximando — tentar uma coisa ou outra seria assumir definitivamente minha situação de homem perdido no fim do mundo. As portas verdes da lanchonete estavam fechadas. Três mesas circulares grudentas, um balcão muito estreito e grudento, um assoalho grudento, as vitrines vazias, até mesmo a laranja de plástico imóvel no recipiente de laranjada de plástico embaçado.

Os trens vermelhos passavam, roupas de verão em cima, metal escuro e ativo embaixo, e cegavam-me com as sombras intermitentes e rápidas que projetavam sobre mim, na plataforma. "Sozinho, na estação de Swindon." Palavras do sr. Mural, criador de escoteiros. Pobre imperador, pensara eu, ser visto por uma tal testemunha. Mas eu o vira, na estação de Swindon, tal como aparecia na foto que havia na casa de Browne: envolto em seu manto, cabeça levantada, cheio de dignidade e altivez. Era este o exílio testemunhado pelo sr. Mural; e dignidade e altivez implicavam a presença de uma platéia. Não era assim: um homem, no limite de sua desolação, sentado numa estação, com trinta quilos de bagagem distribuídos em duas malas Antler, pensando apenas no momento presente, evitando associá-lo a qualquer outro. E quem dará a este momento sequer o testemunho do sr. Mural? Era um momento de total impotência. Ocorreu numa tarde de sol, enquanto passavam os trens cheios de veranistas.

Isso já faz muito tempo. Um momento assim não voltarei a viver jamais. Foi naquele momento que realmente terminei aquela parte de minha vida que venho narrando nos últimos quatorze meses. Um momento absurdo, mas é a partir dele e tomando-o como referência que avalio minha recuperação. *Je vens d'lué.*

Não me preocupa mais — tal como me preocupava quando comecei a escrever este livro — o fato de, aos quarenta anos de idade, eu me encontrar no final de minha vida ativa. Agora nem mais acredito que isto seja verdade. Não anseio mais por paisagens ideais, nem quero mais conhecer o deus da cidade. Não me parece que eu tenha perdido algo. Pelo contrário: tenho a impressão de que passei da fase dos relacionamentos e libertei-me de um ciclo de eventos. Exulto ao constatar que, deste modo, realizei em minha existência a divisão da vida em quatro partes proposta por nossos ancestrais arianos. Estudante, chefe de família e empresário, recluso.

Minha vida nunca foi tão fisicamente limitada quanto nos últimos três anos. Mas tenho a impressão de que, nesses três anos, limpei o terreno, por assim dizer, para um novo período de ação. E será uma ação própria de um homem livre. Não sei exatamente o que será. Antes eu pensava em jornalismo; às vezes pensava em trabalhar na ONU. Tais atividades, porém, só poderiam atrair um homem atormentado. Estou pensando em voltar ao mundo dos negócios. Ou então passar meus próximos dez anos escrevendo uma história do império britânico. Não sei. Mas ainda sinto um certo medo da ação. Não quero cair de novo naquele ciclo do qual me libertei. Tenho medo de acabar mais uma vez vindo parar nesta cidade.

Nove ou dez meses atrás, quando escrevia sobre meu casamento, despertei em mim outra vez meu amor dolorido por Sandra; ficava a me perguntar o que aconteceria se, de repente, um belo dia, de minha mesa atrás da coluna, eu visse Sandra entrar sozinha na sala. Sei perfeitamente o que faria naquela época; a pergunta não passava da manifestação de um desejo. Agora, porém, constato que estou mais próximo de minha posição original. Mais uma vez encaro meu casamento como um episódio entre parênteses; todas as emoções por ele provocadas me parecem profundamente fraudulentas. Assim, a atividade de escrever, apesar das distorções iniciais, termina por esclarecer, e chega mesmo a ser um processo de vida.

Creio que não exagero, nem em relação a Sandra nem quanto a minha disposição de espírito. No sábado passado, houve muita animação no hotel. Através de nosso amo e sua esposa, fomos agraciados com a presença de um jovem financista de renome, num jantar patrocinado por uma organização internacional. O banquete foi realizado num dos aposentos do andar superior, reservado para recepções de casamentos. Nós, funcionários e fiéis seguidores, da sala de jantar examinávamos os convidados à medida que eram recebidos e subiam a escada. Chegou um dos convidados de honra com sua esposa. Lady Stella. Escondi meu rosto atrás da coluna e fiquei a ver a mão do Lixo atacando o queijo relutante com sua faca de duas pontas. *Dixi*.

agosto de 1964 — julho de 1966

1ª EDIÇÃO [1987]
2ª EDIÇÃO [2001] 1 reimpressão

ESTA OBRA FOI COMPOSTA PELA FORMA COMPOSIÇÕES GRÁFICAS
EM GARAMOND E IMPRESSA PELA GRÁFICA BARTIRA EM OFF-SET SOBRE PAPEL
PÓLEN SOFT DA COMPANHIA SUZANO PARA A EDITORA SCHWARCZ
EM NOVEMBRO DE 2001